W9-APY-055

ANI MRU MRU

O DWÓCH TAKICH
CO BYŁO ICH TRZECH

ANI MRU
O DWÓCH TAKICH
CO BYŁO ICH TRZECH
MRU

MARCIN **WÓJCIK**

MICHAŁ **WÓJCIK**

WALDEMAR **WILKOŁEK**

Rozmawiał Adrian Dąbek

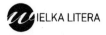
WIELKA LITERA

Autor zdjęć na okładce
Radek Polak

Redakcja
Krystian Gaik

Korekta
Anna Tłomacka
Katarzyna Zielińska

Copyright © Wielka Litera Sp. z o.o., Warszawa 2015

Wielka Litera Sp. z o.o.
ul. Kosiarzy 37/53
02-953 Warszawa

Skład i łamanie
TYPO

Druk i oprawa
Drukarnia POZKAL

ISBN 978-83-8032-025-3

POCZĄTEK

ADRIAN DĄBEK: No to na początku zacznijmy od końca. Gdybyście mieli sami opracować swoje hasła biograficzne w encyklopedii, to co byście w nich napisali?

MICHAŁ WÓJCIK. Urodzony w Lublinie. Ten, co lubił pokazywać.

MARCIN WÓJCIK. Dowcipny wuefista z nałogami. Ani chudy, ani gruby. Nie lubił pokazywać. Sportowiec. Bard. Arbiter elegancji. Stylista fryzur. Wychowawca młodzieży. Piosenkarz, wokalista, aranżer, tekściarz, kompozytor, producent. *Bon vivant.* Sowizdrzał. Smakosz. Degustator. Barista. Kiper. Szyper. Hiper. Super.

WALDEMAR WILKOŁEK. Syn Ryszarda. Musi iść do kibla.

MARCIN: Ostatnio wymyśliłem jeszcze nasze pseudonimy artystyczne:
Waldemar „mamy problem" Wilkołek,
Michał „o której wyjazd?" Wójcik,
Marcin „o kurwa zgubiłem... a nie, mam w kieszeni" Wójcik.

JAK PRZETRWAĆ W BRANŻY?

G dybyśmy byli początkującym kabaretem, to gdyby któryś z nas zapomniał skeczu, dwóch pozostałych zrobiłoby wszystko, żeby go uratować. A my, po piętnastu latach grania na scenie, gdy widzimy kolegę, jak stoi — umownie — nad takim wielkim dołem z szambem, to nas tak to bawi, że po prostu trzeba podejść i go tam pchnąć. Zrobimy wszystko, żeby go pogrążyć.

Gracie już piętnaście lat. Przyjemność z grania jest wciąż taka sama?

MARCIN: Frajda jest taka sama, a nawet większa. Całe to kabaretowanie wzięło się z tej frajdy. Kabaret powstał nie dlatego, że chcieliśmy zarabiać pieniądze, być sławni, tylko dlatego, że sprawiało nam przyjemność rozbawianie ludzi. Dopóki ta frajda jest, a cały czas jest i raczej nie zniknie, to robimy to, co robimy. A jak zniknie frajda, to zniknie i kabaret. Nie wyobrażam sobie, że siedzę w jakimś mieście przed występem i myślę sobie: „Motyla noga, zaraz znowu muszę wyjść na scenę". Wtedy nie będzie sensu tego robić. W kabarecie jest taka potężna reakcja zwrotna – nam sprawia przyjemność, że możemy sprawić przyjemność widzom.

Kiedyś leżałem w szpitalu, miałem operowane kolano i rozmawiałem z lekarzami na różne tematy. I pewien lekarz, bardzo znany zresztą, powiedział mi fajną rzecz. Zazdrości mi jednego – że ja pracuję z uśmiechniętymi ludźmi. Bo on ma zupełnie inaczej. Jak do niego przychodzą pacjenci, to najczęściej z tragediami. A my w pracy codziennie widzimy trzysta, pięćset czy tysiąc uśmiechniętych twarzy. I to nam daje energię. Nawet jak człowiek jest zmęczony, bo przejechał właśnie siedemset kilometrów i wychodzi na scenę, to już po dwóch minutach nie pamięta o tym zmęczeniu.

WALDEK: To jest też fajna robota z tego względu, że recenzję swojej pracy masz już po minucie. Pierwszy strzał, pierwszy gag i już wszystko wiadomo. Kiedyś rozmawiałem z kolegą, który jest filharmonikiem. Powiedział, że nam to dobrze, bo od razy wiemy, czy to, co robimy, się podoba. On gra godzinę, dwie i dopiero na koniec się dowiaduje, czy dał radę. Poznaje po owacjach.

MARCIN: Filharmonia to w ogóle specyficzne miejsce pracy. Ktoś tam w orkiestrze symfonicznej gra przez godzinę na fagocie i nie wierzę, że są ludzie, którzy wychodząc z filharmonii, mówią, że koncert był zajebisty, ale ten na fagocie coś popieprzył.

Nigdy nie pojawiają się momenty zniechęcenia, zmęczenia?

MARCIN: Czasem pojawia się znużenie. Jak mamy już bardzo ograny program i nie można w nim wprowadzić wielu zmian, i gramy go po raz kolejny, kolejny i kolejny. I mimo że jest fajnie odbierany, publiczność dobrze reaguje, to po roku, półtora pojawia się znużenie tymi numerami. Ale to jest mobilizujące; taka zachęta do tego, żeby robić nowe rzeczy. Myślimy: „Już nie chcę grać tego skeczu, zagrałbym coś nowego". Czasem jedziemy na imprezę zamkniętą i nie wszystkie numery możemy zagrać z powodów technicznych, albo jesteśmy o coś proszeni, to wtedy gramy coś starszego. Raczej niechętnie gramy te znane od lat numery. One są już strasznie zużyte.

WALDEK: Ja dzielę „życie" skeczu na cztery etapy. Na początku, jak się skecz pojawi i tekst nie jest jeszcze do końca dopracowany, wtedy jest czas na pomyłki czy zapominanie. Potem jest już taki, jaki powinien być, dopracowany. Później zaczynają się wrzutki, można sobie odejść od schematu. Aż w końcu przychodzi taki moment, gdy numery powtarzamy mechanicznie, jedziemy rutynowo i to generuje pomyłki. Siłą rzeczy skecz się wypala.

Kiedy pojawiła się pierwszy raz myśl, że chcecie stać na scenie i zabawiać ludzi?

MARCIN: Od zawsze byłem zafascynowany satyrykami, kabareciarzami, niesamowicie mi imponowali. Uwielbiałem ich oglądać. Pamiętam, jak pierwszy raz zobaczyłem w Opolu Marcina Dańca. Pojawił się człowiek, jak dla mnie, kompletnie znikąd. Wtedy był głównie Pietrzak i podobni do niego ludzie w kabarecie Pod Egidą. I nagle pojawia się ktoś zupełnie inny od nich, kompletnie szalony na scenie, inteligentny, dowcipny. To mi się bardzo spodobało. Pomyślałem sobie, że on to ma fajnie. Z drugiej strony czułem, że mam dar do rozbawiania ludzi. W towarzystwie, na studiach, jeszcze w liceum, zawsze byłem postrzegany jako człowiek, który coś śmiesznego powie, coś spuentuje. Czułem, że ludzie tego ode mnie oczekują. Później pojawiły się kabarety pakowskie, studenckie, przede wszystkim kabaret Potem. Zaczęła mi chodzić po głowie taka myśl: „Czy ja bym potrafił coś takiego zrobić?". A tak naprawdę wypchnęli mnie do tego znajomi. Mówili: „Po prostu spróbuj". Po takim jednym zdaniu pomyślałem sobie, że faktycznie może bym spróbował. I zacząłem pisać. Ale nigdy nie sądziłem, że to zajdzie aż tak daleko.

A gdyby nie kabaret?

MARCIN: Zawsze ciągnęło mnie w stronę takich artystycznych rzeczy. Może bym pracował w radiu, ale tak naprawdę nigdy się nad tym nie zastanawiałem. Po studiach licencjackich zacząłem pracować jako nauczyciel. Ale już wtedy zacząłem działać w kabarecie; studia były zaoczne, więc jakoś tam kombinowałem. Traktowałem pracę w szkole jako coś przejściowego. Niby fajnie się tam pracowało, ale chciałem czegoś więcej.

Jako nauczyciel musiałeś być zapewne strasznie poważny?

MARCIN: Nieee. Uczyłem WF-u i miałem dość luźne podejście. Ale byłem wymagający i sprawiedliwy. Mało tego, zostałem dwa razy wybrany w szkole nauczycielem roku. Jako swój osobisty sukces nauczycielski uważam to, że miałem niemal stuprocentową frekwencję na lekcjach. Do dziś uważam, że wychowanie fizyczne to jeden z najważniejszych przedmiotów w szkole, tylko że dowiadujemy się o tym po kilku latach, czasami jest już za późno...

To może powinieneś wziąć udział w akcji „Stop zwolnieniom z WF-u"?

MARCIN: Oczywiście, chętnie, ale na razie nikt się do mnie nie zgłosił z taką propozycją. Bywa, że w Lublinie spotykam piękne młode kobiety, które zaczepiają mnie na ulicy i pytają: „Pamięta mnie pan?". A jak już mówią „pan", to mi się zapala lampka. Mówią, że je kiedyś uczyłem WF-u. I są z dzieckiem. Wtedy myślę sobie, że jestem już strasznie stary. Ale one wciąż mają świetną figurę, więc sądzę, że ten WF ze mną coś im dał.

„Jak powstają wasze teksty?" -, że tak zacytuję Kazika Staszewskiego.

MARCIN: Już szykuję „laczka" i „kopyto". To dobre pytanie. Jest kilka różnych technik. Albo tekst powstaje od razu i się do niego dorabia całą resztę, albo najpierw powstaje jakiś gag lub postać. Koledzy mówią, że wymyślili coś, z czego może powstać jakiś skecz. Wtedy siadam i muszę coś dorobić. Nie ma reguły, procentowo to jest pięćdziesiąt na pięćdziesiąt. Teraz pracujemy nad nowym programem, mamy jakieś wstępne pomysły. I teraz ja muszę to napisać. Jak są już gotowe teksty, to próbujemy i zmieniamy. Po trzech miesiącach grania jakiegoś skeczu można powiedzieć, że jest w miarę wykrystalizowany. Znamy go, jest sprawdzony na żywej publiczności, wiemy już, czy działa, czy nie działa.

Zanim skecz pójdzie w świat, to ktoś jeszcze go weryfikuje?

MARCIN: Tylko my. Robimy to na próbach, czasem tylko na czytanych, bez grania. Czytamy na role, bo jak piszę teksty, to już mniej więcej wiem, kto kogo będzie grał. A czasami piszę scenę na dwie–trzy osoby i dopiero w praniu wychodzi, kto zagra którą rolę. Często już na etapie prób czytanych, jak widzimy, że ten skecz nas bawi, to jesteśmy w stanie na dziewięćdziesiąt procent przewidzieć, czy będzie bawił publiczność.

Czyli osiągnięcie stanu „pełnej dojrzałości" skeczu trwa trzy miesiące?

MARCIN: Tak. Ale zdarzało się czasami, że niektóre numery, które nas bawiły, uważaliśmy je za fajne, zagrane raz czy dwa przed publicznością, z różnych względów nie chwytały i nie zostawały w programie. Albo trochę zwalniały tempo występu, albo nie pasowały, albo inne numery były lepsze. Jednym z takich skeczy, który uważałem za dobry i fajnie się przy nim bawiliśmy, a jego żywotność okazała się bardzo mała, było *Polowanie*.

MICHAŁ: On był przede wszystkim za długi.

MARCIN: Nie był taki długi.

MICHAŁ: My go przedłużaliśmy, skracaliśmy...

MARCIN: Numer ostatecznie nie wszedł. Wprawdzie jest nas trzech grających na scenie, ale są jeszcze Artur Korgul i Emil Karwacki, którzy tego słuchają podczas trasy i zawsze coś podpowiedzą. Jeżeli większość się bawi podczas czytania, to jest najważniejsza recenzja.

ARTUR KORGUL: Zawsze mamy też jakiś rozwojowy numer, który się wydłuża wraz z upływem czasu. Na premierze trwa osiem minut, a po roku osiemnaście.

WALDEK: Mieliśmy kiedyś premierę programu. Zmierzyliśmy czas – dwie godziny i pięć minut. Po kilku miesiącach wypadły dwa skecze, a program trwał dwie godziny i dwadzieścia minut.

EMIL KARWACKI: *Wieczór kawalerski* trwał na początku dziewięć minut, a teraz dwadzieścia.

MARCIN: Ja się muszę przyjrzeć temu numerowi, bo nie mam pojęcia, co go tak przedłuża.

Jest jakiś maksymalny czas trwania skeczu czy programu?

WALDEK: To zależy. Kiedyś graliśmy na firmowej imprezie. Pięćdziesiąt minut. I umieliśmy zapełnić ten czas dwoma czy trzema skeczami.

17

MARCIN: Jak skecz jest fajny i ma tempo, to niech sobie trwa.

MICHAŁ: Czas jest ważny w programach puszczanych w telewizji.

MARCIN: Z telewizją to jest inna sprawa. Rozmawiamy przed nagraniem; wygląda to mniej więcej tak:
 – Panowie, macie numer?
 – Mamy.
 – Dobry?
 – Dobry.
 – Ile trwa?
 – Dwanaście minut.
 – Da się go zagrać w siedem?
Po latach doświadczeń dotarło do mnie, że jeżeli program nie jest na żywo, to spokojnie można go zagrać w dwanaście. A jak jest na żywo, to też można zagrać go w dwanaście, tylko przed programem trzeba powiedzieć, że się to zrobi w siedem.

ARTUR: Wtedy zawsze jest wzywany menadżer, żeby pogadał z chłopakami, czy nie dałoby się tego zrobić w osiem minut i dwadzieścia sekund. No więc gadam z chłopakami: „Da się zrobić w osiem minut i dwadzieścia sekund?”. Mówią, że oczywiście, da się. Ale potem, jak przychodzi co do czego...

MARCIN: Zawsze w podobnych sytuacjach wyobrażam sobie taką scenkę z Leszkiem Możdżerem:

– Panie Leszku, zagra pan nam coś w tym programie?

– Tak, skomponowałem właśnie genialny utwór.

– Wspaniale, a ile on trwa?

– 6 minut.

– Wspaniale, a nie da się go zagrać w 2 minuty?

WALDEK: Kiedyś graliśmy w jakimś programie telewizyjnym. A tam jest sztywna ramówka. Po nas występował Moralny Niepokój. Mieliśmy coś skrócić, nie skróciliśmy i Moralny Niepokój się nie zmieścił. W połowie skeczu pojawiły się napisy końcowe. Strasznie głupio wyszło.

MARCIN: To nie była tylko nasza wina, przed nami też nikt nie skracał. Po tych wszystkich latach, z doświadczenia wiemy, że producentom telewizyjnym trzeba mówić dokładnie takie rzeczy, które oni chcą usłyszeć...

A co wam sprawia największą satysfakcję?

WALDEK: Największą satysfakcją jest śmiech publiczności i jak reaguje w momentach, w których się spodziewamy. Dobrze jeszcze jak sala jest pełna.

MARCIN: Mnie największą satysfakcję, oczywiście oprócz tego, że publiczność się bawi i wszyscy mówią, że jest fajnie, sprawia mi to, jak jakiś kolega z innego kabaretu przyjdzie i powie z lekką zazdrością: „Kurde, ale fajny numer".

Często wam się to zdarza? Pochwały od kolegów z branży? Częściej chwalicie numery innych, czy bywacie chwaleni?

WALDEK: Chyba jest po równo, każdy ma fajne kawałki. Najgorsze jest to, gdy chodzi nam po głowie jakiś numer (np. piosenka flamenco, którą zrobili Łowcy.B) i nagle się okazuje, że ktoś inny na niego wpadł i już go zrobił. Wtedy zachodzi sytuacja odwrotna, mówimy: „No cóż, trzeba to było zrobić wcześniej". Może mieliśmy nawet fajniejszy pomysł, ale koś już to przed nami wyeksploatował. Bo jak się robi skecz na podobny temat, to potem ciężko uciec od porównań. Pamiętam, że Kabaret Moralnego Niepokoju zazdrościł nam *Czerwonego Kapturka*. To jest numer jakby stworzony dla Roberta Górskiego. Mikołaj Cieślak powiedział: „Kurczę, taki skecz! To było coś dla nas".

A jest jakiś skecz, którym ktoś was ubiegł?

MARCIN: Nie przypominam sobie raczej takiego przypadku, żebyśmy mieli pomysł, a ktoś nas uprzedził o tydzień czy dwa i zrobił coś podobnego. Ale są numery, które oglądam i myślę, że dobrze bym się w nich czuł, albo się zastanawiam, jak by to zagrać. Jest kilka takich numerów. Jak graliśmy podczas ostatniej Kabaretowej Nocy Listopadowej, to występował tam też taki mało znany kabaret złożony z aktorów, nazywał się Kabaret na Koniec Świata. Oni mieli numer, który oglądałem z zazdrością. Kabaret 7 minut Po też ma świetne numery, które mi się podobają.

Przejdźmy zatem do fundamentalnego pytania. Skąd nazwa?

MARCIN: Jak powstawał kabaret, były próby i przymierzaliśmy się do pierwszego występu, to chcieliśmy rozwiesić jakieś plakaty z informacją o nim. Musieliśmy więc mieć nazwę. Obiecałem, że na próbę przyniosę kilka propozycji. Wziąłem słownik, zacząłem wypisywać co fajniejsze wyrazy z języka polskiego. Hasło „ani mru-mru" było jednym z pierwszych, jakie znalazłem. Przeczytałem to na próbie i wszystkim się spodobało.

WALDEK: Te fajniejsze były już zajęte. Microsoft, Coca-Cola, Metallica, Nike. To byłyby dobre nazwy dla kabaretu, ale niestety, już funkcjonowały.

MARCIN: No i OT.TO też była zajęta.

WALDEK: Ten-ten też mogliśmy się nazywać? Który to był kabaret? No, ten, ten, no...

Jak się pojawiliście z Michałem na rynku, to wnieśliście nową jakość. Łatwo was był opisać. „Jeden mówi, a drugi pokazuje".

MARCIN: Faktycznie, ten element ruchu Michała nas wyróżniał. Dlatego tak mnie zachwycił podczas pierwszej próby. Wiedziałem, że będzie z tego chleb. Próbowaliśmy to zmieniać, ale nie wyszło. Michał w każdym programie musi mieć coś, gdzie nic nie mówi, tylko pokazuje. Jak choćby *Koń* w naszym ostatnim programie. Ludzie go za to kochają i zawsze na to czekają. I jak nie ma takiego numeru, to zawsze są uwagi, że było za mało Michała.

Są też opinie typu „ten grubszy jest mądry, a ten chudszy głupi".

MARCIN: To też próbowaliśmy zmienić. Ale ludzie nawet na to nie czekają, są już przyzwyczajeni. Tak samo, jakby w kabarecie Paranienormalni nagle Igor zaczął grać inteligentnego faceta. Ale ludzie kochają Michała w takiej roli. Kiedyś Andrzej Grabowski powiedział, że ludzie kochają głupszych od siebie. Ja z kolei jestem przeciwwagą, dokuczam mu na scenie. Czasem odwracaliśmy role, ale to nigdy nie wychodziło. Próbowaliśmy kilka razy. Kiedyś na Ryjku (Rybnicka Jesień Kabaretowa) zrobiliśmy skecz w ramach kategorii „Zajebiście". Wymyśliliśmy coś takiego, że Michał jest profesorem, który się przygotowuje w domu do wykładu na temat słowa „zajebiście". Michał chodził po scenie i mówił „zajebiście" w różnych kontekstach; „zajebiście ciepło", „zajebiście daleko". Tak naprawdę nie miał nic śmiesznego do pokazania w tym skeczu, wszystko wynikało z tekstu. On nie mógł w ogóle się rozwinąć. Widziałem, że ten skecz został odebrany tak, że czegoś jednak w nim brakuje. Jak ja bym zagrał, to byłoby czytelne i śmieszne, a u niego cały czas czekali na więcej. To był dla nas sygnał, że w skeczach, gdy nie ma wariactwa, głupoty totalnej, to ja muszę zagrać z Kołkiem. Musi to być numer oparty tylko na tekście, taki jak *List do Pipy*. Michał by w tym skeczu nie zaistniał. Czegoś by publiczności brakowało, a jak ja gram, to nie brakuje. Od razu oczekiwania się zmniejszają. A jak on wychodzi, publika od razu oczekuje, że będzie coś wygiętego, tak jak w numerze z Conchitą Wurst. Numer z dupy, nic w nim ciekawego nie ma, a on zrobił z tego takie coś, że pięć milionów osób obejrzało to w Internecie. Choć dodam nieskromnie, że z polskiego tekstu jestem bardzo dumny.

A poziom kabaretu się zmienił od czasu, kiedy zaczynaliście? Teraz, jak jest kabareton w telewizji, to potem można przeczytać komentarze, że kabarety się skończyły, że poziom jest żenujący.

MARCIN: Jeżeli my w Krakowie zapełniamy dwa razy salę na osiemset osób, mamy komplety w Oświęcimiu, w Łomży, gdziekolwiek gramy, to znaczy, że kabaret jednak da się oglądać. Ktoś przyszedł, zapłacił za bilet i obejrzał. Tyle było dyskusji na temat uzdrowienia polskiego kabaretu, że kiedyś był literacki, lepszy, a teraz jest zły. To jest takie zastępcze gadanie. Kabaret ma bawić ludzi. Różnych ludzi bawią różne rzeczy. Ja nie mogę powiedzieć, że programu „Rolnik szuka żony" nie da się oglądać, że to jest beznadziejny program. Skoro ktoś to ogląda, to znaczy, że da się to oglądać. Ostatnie, co by mi przyszło do głowy, to wpisanie na stronie TVN-u czy TVP, że tego lub innego programu nie da się oglądać. Jak się nie da oglądać, to nie oglądać.

WALDEK: Zrobiło się strasznie dużo kabaretu w telewizji. Każda stacja pokazuje kabaret, to jest takie trochę pójście na łatwiznę. Jak już nie mamy czego puścić, to dajmy kabaret. Ludzie na pewno obejrzą. I nie pokazują całych programów tych kabaretów, tylko jest miszmasz lub jakiś kabareton. Jeden fajniejszy, drugi gorszy. Obraz może być przez to zafałszowany. Ilość nie przechodzi w jakość. Przy okazji mam apel: niech ludzie nie oglądają tyle telewizji, tylko kupią bilet i przyjdą na występ. Będą mieli swoje zdanie.

MARCIN: Obraz polskiego kabaretu jest spaczony przez to, że ludzie oglądają go tylko w telewizji. Często nam się zdarza taka sytuacja, że ktoś podchodzi do nas na ulicy i pyta, kiedy pokażemy coś nowego, jakieś nowe skecze. „A kiedy pani była ostatnio na naszym występie?" – pytam. „Nigdy". Jak ktoś ogląda tylko TVP Rozrywka i do tego Internet, to ogląda nasze numery sprzed wielu lat, z 2005 czy 2007 roku.

Czy czegoś wam brakuje w telewizji?

MARCIN: Brakuje mi na pewno tego, i walczymy o to z telewizją od kilku lat, że nie można obejrzeć całego programu kabaretowego. Osobną kwestią jest to, czy my go chcemy sprzedać od razu, w całości. Ale w telewizji utarło się tak, że to ma być taka składanka: ten kabaret, tamten kabaret, ten kabaret, piosenka, skecz, zapowiedź, kabaret, zapowiedź, kabaret.

WALDEK: Niestety, w telewizji rządzą cyferki. I ponieważ każdy lubi co innego, to daje się trochę Ani Mru-Mru, trochę Kabaretu Moralnego Niepokoju i trochę Bałtroczyka. Każdy znajdzie coś dla siebie, a telewizji skoczą słupki oglądalności.

MICHAŁ: To jest trochę podobne do tego, jak kupujesz płytę zespołu, a potem idziesz na jego koncert. Wtedy widzisz inne aranżacje, inne wykonania, dostajesz coś nowego. Dlatego też warto zobaczyć kabarety na żywo. A w telewizji często ważne momenty występu nie są przez widza zauważone, bo akurat wtedy realizator pokazuje publiczność albo coś innego, nieistotnego. Kamera nie jest w stanie objąć całości.

A nie wkurza was, jak w telewizji w czasie waszych występów na scenie dzieje się coś ważnego, a realizator w tym momencie pokazuje cieszących się widzów?

WALDEK: Od zawsze z tym walczymy. Są różni realizatorzy. Są tacy, z którymi da się coś ustalić. Ale wiele razy jest tak, że te uzgodnienia lądują w koszu. Bo dla telewizji ważniejsze jest, żeby pokazać, jaką świetną imprezę zorganizowała. Kabaret na scenie to drugorzędna rzecz. Ważne jest, że na widowni bawi się dwa tysiące osób, machając misiami do kamery.

Dwa tysiące się bawi, a kilka milionów przed telewizorem zgrzyta zębami.

WALDEK: Łowcy.B mają taki skecz, w którym puenta wyjaśnia wszystko. Bez puenty to jest skecz o niczym, w ogóle nie jest śmieszny. Widziałem taką realizację, gdzie widać było publiczność, a nie puentę ich skeczu.

ARTUR: I wtedy pokazują wyraźnie, że stacja robi tak dobre programy, że siedzi dwa i pół tysiąca ludzi i świetnie się bawi.

WALDEK: Ale gdyby realizator przyłożył się na próbach i dokładnie obejrzał te skecze, to by potem wiedział, jak to pokazać.

ARTUR: Często jest tak, że w określonych sektorach sadza się ładne osoby, żeby potem można było je pokazywać. Kiedyś we Wrocławiu miał przyjść na nasz występ Grzegorz Schetyna. Dla nas to jest zmora. Bo wtedy nie my jesteśmy gwiazdą.

WALDEK: Mamy też skecz, który najlepiej wygląda pokazany z jednego ujęcia kamery. Wszelkie zmiany kamer, ten cały „teledysk" są niepotrzebne, a wręcz niewskazane. I zawsze mówimy, uprzedzamy, że tak powinno się to pokazać. Gdzie tam! Przecież kabareciarze nie będą uczyć realizatorów ich fachu.

Miewacie jeszcze tremę?

MARCIN: Trzeba nas zobaczyć przed premierą jakiegoś programu. Po piętnastu latach występów na scenie, jak mamy zagrać nowy program, to jest tragedia. Jest trema, bo jest niepewność. Stres jest wtedy potężny, więc trema również. Po roku grania programu jesteśmy pewni, co się spodoba, gdzie się podoba, jak to wygląda. Oczywiście, każdy występ jest inny, zawsze może się coś wydarzyć, ludzie mogą się gorzej bawić. Jest też stres przed dużymi wydarzeniami, premierą w telewizji, gdy musimy coś zaśpiewać albo zagrać na żywo i mamy świadomość, że nie możemy się pomylić czy zapomnieć tekstu.

WALDEK: Podczas trasy, gdy piątego dnia gramy po raz dziesiąty to samo, to już jest pewna mechaniczność. Wtedy bardziej można się martwić nie o nas, ale o jakieś sprawy techniczne. Ale na takim Ryjku, gdy się gra absolutne premiery albo rzeczy, które zostały wymyślone dwie godziny wcześniej, to jest dla mnie taki stres, że ja po każdym festiwalu starzeję się o pięć lat.

MARCIN: Zwłaszcza że tam jest nie tylko publiczność, ale także kabareciarze. I siedzą w pierwszych rzędach. Wtedy nie da się nikogo oszukać.

Zdarza się wam zapomnieć tekst?

WALDEK: Zdarza się. Czasem ktoś z publiczności wytrąci z równowagi i już się robi czarna dziura. Albo po dłuższej przerwie w występach.

MARCIN: Gdybyśmy byli początkującym kabaretem, to gdyby któryś z nas zapomniał skeczu, dwóch pozostałych zrobiłoby wszystko, żeby go uratować. A my, po piętnastu latach grania na scenie, gdy widzimy kolegę, jak stoi – umownie – nad takim wielkim dołem z szambem, to nas tak bawi, że po prostu trzeba podejść i go tam pchnąć. Zrobimy wszystko, żeby go pogrążyć.

I to jest dobra strona waszego zawodu. A przy okazji kolejny sposób na rozbawienie publiczności.

MARCIN: Po to są suflerzy w teatrze, żeby się sztuka nie wypierdzieliła po tym, jak aktor zapomni tekst.

WALDEK: Zawodowcy też miewają problemy. Trafi człowiek na dziurę i nie może ruszyć z miejsca. U nas suflerów nie ma, pomóc mogą tylko koledzy. Ale z bliżej mi nieznanych powodów nie chcą.

MARCIN: Gdybym dostawał dodatkowe pieniądze za bycie suflerem kabaretowym, to bym pomagał. Za darmo nie bardzo.

Niby kocha się wszystkie swoje dzieci, ale macie pewnie jakieś pociechy, które za bardzo weszły wam na głowę. Nabawiliście się ponoć alergii na *Tofika*.

MARCIN: Trochę tak. Może nawet nie o to chodzi, że go mniej lubię, ale nigdy nie potrafiłem zrozumieć fenomenu tego skeczu. Dla mnie to jest po prostu słaby skecz. Tak to oceniam z perspektywy kilkunastu lat. Jakbym teraz zobaczył ten skecz zrobiony przez jakiś początkujący kabaret, a ja byłbym jurorem na Pace, to bym pomyślał: „Wielki mi skecz, facet się w rajstopy przebrał". Ale ten skecz zdobył niesamowitą popularność i publiczność do dziś na występach krzyczy: „Tofik". Musiało to strasznie zapaść ludziom w pamięć. Kocha się to dziecko trudną miłością, ale się kocha. Graliśmy trasę dziesięciolecia i ludzie zagłosowali w Internecie, że Tofik ma być. Zagraliśmy go w sumie ze dwa razy po tych dziesięciu latach i powiedzieliśmy sobie, że to nie ma sensu. W tym skeczu nie ma niczego zaskakującego. Ludzie znają go od A do Z, niczego nie można w nim zmienić, żeby stał się atrakcyjniejszy. No ale jest to kawał naszej historii i dzięki niemu staliśmy się popularni. Według reguły: „Ja mówię, Michał pokazuje". (śmiech)

A czy wśród tych starych skeczy jest jakiś, do którego byś wrócił?

MARCIN: Na przykład *Emeryt*. On jest tak fajnie zagrany na pauzach. Stwarza jakieś pole do popisu, można w nim sporo rzeczy pozmieniać. Taki wdzięczny skecz, nie za dużo tekstu, sporo absurdu. Może jeszcze *Wędkarze*. Na pewno nie chciałbym wracać do tych skeczy, które są zrobione od A do Z, tak, że nic już się w nich nie da zmienić. Takim skeczem jest na przykład *Chińska restauracja*. Kiedyś graliśmy taki numer, w którym porozumiewaliśmy się tylko za pomocą litery „E". I cały skecz tak zagraliśmy, cała historia została opowiedziana. Do niego można by wrócić i jakoś go reanimować. Ten skecz zna mało ludzi i gdyby był fajny pomysł na umieszczenie go w jakimś programie, to czemu nie. Tak więc wróciłbym do tych mniej znanych skeczy.

Czy Litza skomentował kiedykolwiek skecz o Arce Noego?

MARCIN: Ja musiałem dostać pozwolenie na ten skecz. Jak go zrobiliśmy i numer zaczął hulać, Litza sam się odezwał jako autor muzyki. Zresztą nigdy tego nie ukrywaliśmy, zawsze mówiliśmy, że to on jest autorem muzyki. Sam Litza powiedział, że skecz jest super, spodobał mu się. Zresztą my tam nie darliśmy łacha z Arki Noego. Potem spotkaliśmy się w ZAiKS-ie, żeby podpisać papiery, a on mówi: „Postanowiłem cały ZAiKS z tego numeru przeznaczyć na szczytny cel, charytatywny. I co wy na to?". Zapytał mnie, bo byłem autorem tekstu, czy ja też nie oddałbym swojej działki na szczytny cel. Postawił mnie w takiej dziwnej sytuacji, siedzimy w tym ZAiKS-ie, obok koledzy z kabaretu. Ale Litza zawsze był dla mnie kimś, byłem fanem Kazika Na Żywo. Sam fakt, że mogłem go poznać, wiele dla mnie znaczył. No więc się zgodziłem, bo z tego kawałka i tak nie byłoby jakichś wielkich pieniędzy. A on wtedy mówi, że bardzo się cieszy, bo to na jego nową gitarę. Od razu poczułem, że to swój człowiek. Ale ostatecznie nie przekazałem kwoty na ten cel. Pewnie jak mu się zepsuje gitara, to się odezwie.

Jakich mieliście mistrzów?

MARCIN: Było parę grup czy osób, które zrobiły na mnie wrażenie. Na pewno Zenon Laskowik z Bohdanem Smoleniem – to było moje pierwsze świadome słuchanie kabaretu. Aczkolwiek części tekstów nie rozumiałem. To było ponagrywane na kasetach magnetofonowych, gdzieś tam dalej przegrane. Dla mnie to było nieprawdopodobne, że co drugi czy trzeci wyraz ludzie wybuchali śmiechem i bili brawa. Z tego powodu jeden skecz rozrastał się niemal do godziny. Na pewno też kabaret Potem, który otworzył mi oczy na inny rodzaj tej sztuki.

Bardziej literacki?

MARCIN: Może literacki to za duże słowo, jeśli mówimy o Potem. To był kabaret w lekkich oparach absurdu. Zanim powstał Potem, kabaret był mocno osadzony w realiach życia, często zahaczał o politykę, jak między innymi kabaret Pod Egidą. Kabaret Dudek był z kolei bardziej kabaretem *sensu stricto* – niewielka knajpka, w której rozgrywały się małe scenki, ale tam też było dużo odniesień do polityki. Taki był właśnie wtedy kabaret. A jak się pojawił Potem, to się okazało, że można robić kabaret zupełnie niepolityczny, przeznaczony dla innych ludzi, szukających absurdalnego poczucia humoru. To był kabaret świetny aktorsko. Potem zacząłem oglądać kabarety pakowskie, duże wrażenie zrobił na mnie kabaret Jurki, który miał tę swoją „formę sierocą".

Wchodzili na scenę, trzymając się za rączki i kłaniali się po brawach. Wyróżniali się tym.

MARCIN: Potem zacząłem się coraz bardziej interesować kabaretem i podpatrywałem coraz więcej artystów. Podziwiałem coraz więcej ludzi i ta różnorodność spowodowała, że wypadkową tego wszystkiego stał się kabaret Ani Mru-Mru. Od każdego starałem się coś zaczerpnąć. Podobały mi się teksty kabaretu Potem, więc próbowałem pisać jak Władysław Sikora. Później, jak już powstał Ani Mru-Mru, to staraliśmy się wprowadzać swoje nieco wariackie poczucie humoru. Okazało się, że na scenie było jeszcze miejsce na coś takiego i do tej pory jest.

MICHAŁ: Kabaret Potem pokazał nam, że można robić na scenie rzeczy, które są oderwane od aktualności, od obecnych czasów. Mieliśmy swoich idoli, ale nie chcieliśmy się na nikim wzorować czy powielać czyichś pomysłów, tylko robić coś swojego. Dlatego nigdy nie posiłkujemy się cudzymi tekstami ani pomysłami. A ludzie cały czas coś do nas przysyłają.

A wzorce z zagranicy?

MARCIN: Jak się teraz nad tym zastanawiam, to chyba żadnych nie miałem. O ile podobał mi się Monty Python i różnego rodzaju brytyjskie komedie, to mnie jednak zawsze napędzała wewnętrzna potrzeba robienia kabaretu. Ja zawsze doceniałem zabawę słowem, a ponieważ

nie miałem dostępu do angielskich komików czy amery-
kańskich stand-uperów, to moją wizję kabaretu ukształ-
towało raczej polskie podwórko.

A nie Monty Python?

MARCIN: Nigdy nie uważałem, że ta grupa miała świetne
teksty. Ich humor polegał na czymś zupełnie innym. Dlatego wzorce zagraniczne nie robiły na mnie wrażenia.

**Czy zwykli ludzie, że tak powiem „cywile", przysyłają wam
swoje teksty? Czytacie je?**

MARCIN: Ja czytam, bo głównie do mnie je przysyłają. Do
tej pory, czyli przez piętnaście lat, nie zdarzyło mi się
czymś na tyle zainteresować, żebym choćby podjął próbę
kontaktu. Często czytam: „Jak chcecie, to możecie to
sobie wziąć". Albo: „Jak się coś mojego spodoba, to się
dogadamy finansowo". Ale na razie się nie spodobało.

Dostawaliśmy też propozycje od różnych artystów
kabaretowych, i to nawet bardzo uznanych. To był prosty
przekaz: „Ja potrzebuję pieniędzy, wy potrzebujecie
dobrych tekstów". Zdarzyło się tak dwa razy, ale też nie
skorzystaliśmy. Nie spodobały nam się te teksty. Ta natu-
ralność i humor, który wypływa z nas samych, jest dla
nas największą wartością, którą mamy w Ani Mru-Mru.
Niedobrze byśmy się czuli, wykorzystując cudze teksty.
Ale zdarzyło nam się, że zagraliśmy skecze innych auto-
rów. Gdy się spotykamy przy okazji jakichś imprez

kabaretowych, to możemy się powymieniać skeczami i zagrać.

Mówiliście, że ludzie podsyłają wam swoje teksty. A na żywo? Chcą być zabawni na siłę? Jak was wiezie taksówkarz, to stara się opowiadać dowcipy?

WSZYSCY: Trafiłeś w sedno!

WALDEK: Tylko dzięki temu znamy wszystkie kawały.

MARCIN: Ludzie chcą nam opowiadać dowcipy. To jest nagminne. Wydaje im się chyba, że my żyjemy w jakiejś zamkniętej puszce i w ogóle nie słyszymy dowcipów, mimo że regularnie spotykamy się ze stu pięćdziesięcioma osobami zawodowo zajmującymi się żartowaniem w tym kraju. Mamy stały kontakt i wszystkie dowcipy znamy zaraz po tym, jak zostaną wymyślone. Albo przynajmniej większość.

Ludzie chcą zabłysnąć przed nami. Chcą pokazać, że też mają poczucie humoru. I ciągle słyszymy: „A znacie to?", „A znacie ten kawał?". Taksówkarze są bardzo wdzięczni w tym temacie.

Jechałem kiedyś z Michałem taksówką w Lublinie. Wsiedliśmy do taksówki, jedziemy i taksówkarz mówi, że zna świetny żart, pasujący akurat do naszego kabaretu. A to dla nas jest zawsze sygnałem ostrzegawczym. Bo domyślam się, że jak ktoś nas widzi, to od razu chce nam opowiedzieć dowcip z podziałem na role. No i ten taksówkarz opowiada kawał. Zacytuję go dosłownie: „Leżą dwa chuje na plaży i jeden mówi do drugiego: «Wiesz, pójdę już, bo mi skóra schodzi»". Oczywiście, od razu potem dodał: „Jak chcecie, to możecie to wykorzystać".

MICHAŁ: Prowadził samochód, opowiedział ten kawał, odwrócił się, przedziwnie się zaśmiał, bardziej zaskrzeczał, po czym powiedział: „Dobre, nie?! Możecie to wykorzystać!".

MARCIN: Ja uważam, że ten kawał nie jest zły. On jest dobry, tylko nie na scenę. Nie do naszego kabaretu.

MICHAŁ: Musielibyśmy się przebrać.

MARCIN: Albo rozebrać. Ja uwielbiam dowcipy. Ale nigdy nie wiem, co mnie czeka. Przychodzi koleś, mówi: „Opowiem ci dowcip". Opowiada, a ja go słyszałem kilka tysięcy razy. Ale pamiętam, jak kiedyś byliśmy w Olsztynie i wyszliśmy wieczorem do baru. Była tam jakaś impreza lekarzy. Spotkaliśmy się przy barze i jeden gość opowiedział trzy dowcipy, naprawdę zajebiście śmieszne, których wcześniej nie znałem. I przez najbliższe pół roku sprzedawałem je znajomym i byłem królem każdej imprezy.

Nigdy nie jest tak, że od razu się bronimy i nie chcemy usłyszeć dowcipu. Ale większość kawałów znamy i czasem, chcąc opowiadającemu zrobić przyjemność, udajemy, że się śmiejemy, że słyszeliśmy to pierwszy raz. Ale w większości przypadków od razu mówimy, że znamy.

Piszesz też teksty dla innych kabaretów?

MARCIN: Hmmm. Zastanawiam się, czy zostały wykorzystane. Ale raczej nie. Nigdy nie zdarzyło się tak, że napisałem komuś tekst i on ten tekst zagrał. Ale zdarza mi się poprawiać czyjeś teksty. Jakiś początkujący albo znajomy kabaret mówi mi, że gdzieś utknął, albo nie może znaleźć puenty i prosi, żebym coś dorzucił. Kiedyś poprawiałem fajny numer kabaretu Ramol. Napisali numer o lekarzu, udało mi się tam coś jeszcze wcisnąć. Kabaret chyba nie przetrwał próby czasu, szkoda, bo miał fajne teksty. Skecz zaczynał się tym, że przychodzi człowiek do lekarza i pyta: „Czy ma pan coś przeciwko hemoroidom?". A lekarz na to: „Nie, osobiście nie. Jak pan ma, to już niech pan sobie ma". Ale nigdy nie pisałem na zamówienie. Zdarzało mi się tylko coś sugerować.

Kiedy pierwszy raz dostaliście się na Pakę, to było coś? To był najważniejszy festiwal dla początkującego kabaretu.

MICHAŁ: Nasza droga zaczynała się od festiwali kabaretowych. Mieliśmy program, usiłowaliśmy się dostać na najważniejsze festiwale. Ale na początku wysyłaliśmy je na kasetach VHS. Tak było z festiwalami Mulatka i Wyjście z cienia.

MARCIN: Pierwszy raz mieliśmy jechać w 2000 roku, ale to było chyba dla nas za wcześnie. Premierę mieliśmy w grudniu 1999, zaraz potem już była Paka, ale ja wtedy wyjechałem na narty. W sumie to chyba dobrze się stało, bo wówczas musielibyśmy wystąpić w starym składzie. W 2001 roku pojechaliśmy w nowym składzie, to było już po festiwalu Wyjście z cienia w Gdańsku, na którym dostaliśmy nagrody, a publiczność nas dobrze przyjęła.

W 2001 przebrnęliśmy eliminacje i jechaliśmy ze świadomością – może od razu nie wygramy, ale nie damy ciała. Zdobyliśmy drugie miejsce, byliśmy strasznie zadowoleni. Zobaczyliśmy Rotundę, to wszystko dookoła, pogadaliśmy z jury, to było dla nas mocne przeżycie.

MICHAŁ: Dla nas było bardzo fajne to, że na tych festiwalach mogliśmy spotkać kabarety, które już znaliśmy i ceniliśmy, jak Potem z Aśką Kołaczkowską i Darkiem Kamysem, czy Jurki z Wojtkiem Kamińskim. To byli ludzie, którzy wiele dla nas znaczyli i samo to, że ich poznaliśmy, już było dla nas wyróżnieniem. A potem, jak przyszli po występie i pochwalili, to był dowód na to, że droga, którą obraliśmy, jest właściwa. Jak zdobyliśmy Grand Prix w 2003, to poczuliśmy, że dołączyliśmy do elity. Byliśmy inaczej postrzegani.

WALDEK: To było potwierdzenie, że zmierzamy w dobrą stronę.

A pierwsza najprzyjemniejsza, pierwsza znacząca recenzja albo ocena kogoś z branży?

MICHAŁ: To było w Gdańsku, w Teatrze Wybrzeże. Podszedł Staszek Tym po naszym występie, na którym występowaliśmy razem z Mumio i właśnie z Tymem. Przyszedł, pogratulował i powiedział: „Witam na pokładzie". To było dla mnie naprawdę WOW!

WALDEK: Pamiętam taką rozmowę po którymś występie na Pace. Siedziało jury, między innymi Michał Ogórek, Stanisław Tym, Henryk Sawka i inni. Jury się trochę mądrzyło, miało jakieś uwagi, a Jacek Fedorowicz powiedział do oceniających kolegów: „Mnie się wszystko bardzo podobało, czepiacie się ". Pomyślałem, że jak Fedorowicz nas docenił, to jest naprawdę dobrze.

MARCIN: Ja pamiętam nie tyle recenzję, co zdarzenie, które mi uświadomiło, że idziemy dobrą drogą. Po debiucie na Pace, na której zdobyliśmy drugie miejsce, pojechaliśmy po raz pierwszy na Mazurską Noc Kabaretową. I tam, podczas ogniska, na którym się bawiliśmy, przyjechał Kabaret Moralnego Niepokoju, którego wcześniej nigdy nie spotkaliśmy. Piliśmy wódkę przy ognisku, przyszedł – wtedy jeszcze dla mnie pan – Robert Górski i w krótkich żołnierskich słowach zapytał, co pijemy. „Wódkę!" A on pyta, „czy szię mosze z nami napiś", co dla mnie było większym wyróżnieniem, niż to co powiedział Jacek Fedorowicz. I jak już wypiliśmy trochę tej wódki...

WALDEK: ...tak nie przestaliśmy do dziś.

MARCIN: Nie przestaliśmy do dziś, ale wtedy, po którejś butelce tej wódki, powiedział: „Urrrwa, nie widziałem was na żywo, ale już mnie wkurwiacie".

Trochę nagród nazbieraliście. Które są dla was najważniejsze?

MARCIN: Wtedy, kiedy zaczynaliśmy, najbardziej prestiżowe było oczywiście Grand Prix na Pace. Tej nagrody nie przyznawano na każdej Pace, nagradzano nią tylko naprawdę wybitne programy. Jury pakowskie dba o to do dziś; wiem, bo też w nim zasiadam. Kiedyś wygranie Paki to było coś w tym środowisku, prestiż, po tym przychodziły występy w telewizji. Wtedy jeszcze nie było Internetu. Teraz każdy może nagrać film, wrzucić go do sieci i stać się gwiazdą bez pomocy Paki. Obecnie festiwali nie traktuje się już jako okazji do zdobycia ważnej nagrody, czy trampoliny do kariery.

WALDEK: Teraz kabaretom bardziej zależy na prestiżu, niż na nagrodach. W telewizji można się pokazać bez wcześniejszego udziału w Pace.

MARCIN: W ostatnich kilku latach najważniejszy jest Ryjek. Prestiżowa nagroda, bo to jest świadome ściganie się ze wszystkimi, którzy też chcą się ścigać. Jak ktoś już się zgłasza na Ryjek, to nie wypada mu dać ciała.

MICHAŁ: Koledzy obserwują, nie ma pobłażania.

WALDEK: Nie da się zrobić nic pod publiczkę.

MARCIN: Jest wprawdzie nagroda publiczności, ale to nie ona jest najważniejsza. To jest specyficzny festiwal. Udało nam się go dwa razy wygrać, i to tak, że pozamiataliśmy kompletnie. Zgarnęliśmy prawie wszystkie nagrody w 2010 i 2013. A na dokładkę w 2013 wygrałem One Ryj Show.

MARCIN: Ale jak zajęliśmy piąte miejsce, to też nie było tragedii.

WALDEK: Ale nie czuliśmy się dobrze, to było tak, jakbyśmy zawalili ważny mecz. Jak się startowało na Pace i zdobyło się tylko nagrodę publiczności, to można było sobie powiedzieć: „Chrzanić jurorów, nagroda publiczności jest najważniejsza". Na Ryjku jest inaczej. Tutaj nagroda publiczności może być co najwyżej na otarcie łez, jest mniej istotna, to nagroda dla tych, którzy zagrali wyraźnie pod publikę.

MARCIN: Zdobyliśmy dwa albo trzy razy Grand Prix w Lidzbarku Warmińskim.

MICHAŁ: Trzy razy Złotą Szpilę – jako jedyni.

WALDEK: Wydaje mi się, że tej trzeciej nie, że ktoś nas wydymał. Andrus ponoć wyszedł z obrad jury, Fedorowicz powiedział, że się pod tym nie podpisze. Wtedy wygrał kabaret Widelec. To dowód na to, że na scenie kabaretowej też czasami rządzą układy. Pamiętam, jak przed ogłoszeniem werdyktu przyszedł Gajda i powiedział, że wsadzi nam tę Szpilę w dupę. A okazało się, że nie wygraliśmy ani my, ani Łowcy. Tylko Widelec. Mina Gajdy była bezcenna.

Tu nastąpiło sprawdzenie faktów i okazało się, że rzeczywiście Złotą Szpilę kabaret Ani Mru-Mru zdobył dwa razy.

A te nagrody z „innej bajki": Telekamery, TOPtrendy? Takie, po których zdobyciu trzeba się pokazać ze statuetką na ściance?

ARTUR: Kiedy dostaliśmy pierwszą Telekamerę [w 2007 roku – przyp. red.], to nie byliśmy na ściance, tylko na piasku. Byliśmy wtedy w Kenii.

WALDEK: Pierwszą dostaliśmy w kategorii „Kabaret", a drugą chyba za współpracę z TVP [w 2011 roku, nagroda specjalna TVP2 – przyp. red.] albo krzewienie kabaretu.

ARTUR: Kiedy dostaliśmy tę pierwszą, to leżeliśmy na plaży, mieliśmy włączone telefony i odbieraliśmy gratulacje, a obok nas biegały setki krabów.

WALDEK: Zaprosili nas wtedy na Woronicza, żeby nagrać zapowiedź. Nagraliśmy i spytaliśmy, co będzie, jak wygramy, bo nas wtedy nie będzie w Polsce. I od razu dograliśmy podziękowania na wypadek wygranej.

ARTUR: A Telekamerę odbierał nasz wydawca Krzysztof Świątkowski.

MARCIN: W sumie to nigdy nie wiem, czy tych głosów ktoś za kogoś nie oddaje. I te kategorie, dziwnie mnożone byty. Osobno prezenter pogody, osobno prezenter sportu, prezenter informacji. Brakuje tylko kategorii „Pan od Lotto".

Kiedy wygraliście po raz pierwszy, to była chyba jedyna edycja Telekamer, w której była kategoria „Kabaret".

ARTUR: Wygraliśmy z wielką przewagą. Najpierw byliśmy my, potem przepaść, na drugim miejscu Moralny Niepokój, a za nim znowu przepaść. Wtedy chyba głosowali wyłącznie czytelnicy „Tele Tygodnia" za pomocą kuponów, nie było innego głosowania. Pamiętam, bo wtedy kupiłem dwieście tysięcy egzemplarzy i cała rodzina wypełniała te kupony.

MARCIN: Wykupił nakład „Tele Tygodnia" z całego regionu i jeden egzemplarz „Twojego Weekendu".

MICHAŁ: I do dzisiaj Artur nie kupuje papieru toaletowego.

MARCIN: Ale to nie jest tak, że my olewamy takie nagrody i one nas kompletnie nie interesują. Fajnie jest dostać taką statuetkę, ale to nie jest dla nas cel sam w sobie. Ale dla sporej części aktorów i dziennikarzy akurat jest.

ARTUR: Ostatnio pomyślałem, że skoro taki program jak *Rolnik szuka żony* dostaje Telekamerę, to może czas oddać swoją. Zadzwoniłem nawet do kogoś z telewizji i wtedy dowiedziałem się, że finał *Rolnika* oglądało ponad pięć milionów osób. To było niezrozumiałe nawet dla ludzi z TVP.

WALDEK: Dla nas nagrodą jest zawsze pełna sala.

Pełna sala trzeźwych ludzi.

MARCIN: Pełna sala i wolny stolik w rogu, żeby można było coś zjeść.

WALDEK: Co z tego, że będziesz miał na półce tysiąc nagród? I co, będziesz z nimi siedział w domu?

MICHAŁ: Z drugiej strony chciałbym mieć salę, w której będę trzymał tylko nagrody. I zastanawiam się, czy sobie takiej sali z nagrodami nie kupić.

A gdzie trzymacie wszystkie trofea?

MARCIN: U mnie w domu. Nie, nie w drewutni. Stały przez jakiś czas w garażu, razem ze złotymi płytami za nasze DVD. A teraz stoją na oknie, żeby sąsiedzi dobrze je widzieli.

Złotych płyt też macie sporo.

ARTUR: Co ciekawe, żeby móc powiesić złotą płytę, to trzeba ją sobie kupić. Za dwieście osiemdziesiąt złotych. Najpierw musisz przejść całą procedurę, czyli udokumentować sprzedaż w danej kategorii. Dopiero potem w tej jednej, jedynej firmie w Polsce możesz zlecić wykonanie złotej płyty. Nie ma tak, że dostajesz fizycznie złotą płytę za sprzedanie jakiejś tam wymaganej liczby płyt. Kiedy już załatwisz całą biurokrację, to możesz sobie kupić tych płyt tyle, ile zechcesz. Przy pierwszej naszej złotej płycie kupiliśmy kilka egzemplarzy dla nas, a do tego zrobiliśmy jedną z grawerką: „Dla największego fana Ani Mru-Mru". Daliśmy ją do Trójki na aukcję, którą prowadzi Kuba Strzyczkowski. Pamiętam, że jechaliśmy busem przez Łódź i drżeliśmy o to, żeby ktokolwiek wziął udział w tej licytacji. A jak był pierwszy odczyt Kuby, to zagryzaliśmy pazury, żeby ktoś kupił tę płytę za chociaż tysiąc złotych. A ostatecznie poszła za ponad dwadzieścia tysięcy.

Jesteśmy jedynym kabaretem w Polsce, który jest posiadaczem diamentowej płyty DVD. Dostaje się ją za udokumentowaną sprzedaż ponad pięćdziesięciu tysięcy egzemplarzy. Najpierw jest złoto (które osiągnęliśmy w pierwszym weekendzie sprzedaży), potem platyna, podwójna, potrójna platyna i diament za pięciokrotność platyny.

MICHAŁ: I ja się pytam, gdzie są te pieniądze?

MARCIN: W worach. A wory pod oczami.

Sto trzydzieści tysięcy sprzedanych egzemplarzy to teraz brzmi niewiarygodnie.

WALDEK: Bo wstrzeliliśmy się w okres, kiedy jeszcze Internet nie był tak powszechny.

ARTUR: My wręcz stworzyliśmy ten boom wydawniczy. Wtedy to naprawdę było wydarzenie dla ludzi, że po występie mogli kupić płytę. Kupowali po kilka – dla siebie, na prezenty dla rodziny czy znajomych.

WALDEK: Nasze następne płyty wcale nie były gorsze, ale nie sprzedawały się tak dobrze, bo już wszystko było dostępne w sieci.

MARCIN: Internet nas zabił. Tak jak „Video Killed the Radio Star" [piosenka zespołu The Buggles wydana w 1979 r. – przyp. red.]. Internet zabił też relacje między nami w kabarecie. Teraz jak jest Wi-Fi, to każdy z nas spędza czas w swoim pokoju. W restauracjach też wyglądamy komicznie – jedziemy 5 godzin naszym busem i gadamy, zatrzymujemy się na obiad, siedzimy w pięciu przy stole i każdy grzebie w telefonie. Kompletna cisza. Ja jeżdżę motorkiem, Michał gra w bilard, Emil siedzi na fejsie, Artur tłucze SMS-y, a Waldek zabija zombie. To musi dziwnie wyglądać....

Ale poważnie. Macie jakieś obawy spowodowane tym, że wszystko jest w sieci?

ARTUR: Internet zabił wydawnictwa, zmniejszył rolę telewizji, ale jeżeli mamy dobrą propozycję, to ludzie i tak przyjdą na występ. Na żywo to jednak wciąż jest coś innego. Tego nie da się z niczym porównać.

WALDEK: Każda realizacja telewizyjna działa wybiórczo. A na żywo widz ogląda wszystko dokładnie tak, jak powinien.

MARCIN: Nasza forma artystyczna – występowanie na żywo – jest bezpieczna. Bo jeżeli mamy cztery miliony wyświeleń na YouTubie, a Wardęga ma pięć milionów, to nic nie znaczy. Bo na nasz występ ludzie i tak przyjdą. A Wardęga raczej nie wystąpi w teatrze. Dla tych, którzy robią rzeczy w sieci, Internet jest jedynym polem działania. Nie mają nic więcej do zaoferowania.

ARTUR: Każdy nasz występ jest niby taki sam, a jednak zupełnie inny. Ludzie widzą, że koledzy się „warzą", sami przerywają występ. To nie jest rzemiosło, rzecz opowiedziana od A do Z według jednego schematu.

MICHAŁ: I to jest fascynujące, że po piętnastu latach ludzie cały czas nas kojarzą ze starych numerów.

MARCIN: Ludzie kojarzą nas z *Supermarketu*, *Chińczyka* czy *Małysza*, bo te numery były kiedyś czymś niesamowicie świeżym i widzowie je doskonale zapamiętali. My nawet nie pamiętamy niektórych tamtych skeczy, a publiczność tak. Jest inna zabawna sprawa. Ludzie zamiennie używają słów „kabaret" i „skecz". I pytają: „Jak powstają pana kabarety?", albo mówią, że znają wszystkie nasze kabarety.

WALDEK: To przez Internet i tytuły filmików. Jak ludzie oglądają coś na YouTube, to w tytule nie jest napisane, że to jest skecz kabaretu Ani Mru-Mru, tylko: „Kabaret Ani Mru-Mru i tytuł skeczu". Pół biedy, kiedy zwykli ludzie tak mówią, gorzej, jak przychodzi jakaś dziewczyna z radia i pyta: „Jak powstają wasze kabarety?".

No właśnie. Przychodzi dziennikarz do kabareciarza i o co go pyta?

MARCIN: Przyszła kiedyś pewna dziennikarka i zaczęła wywiad od pytania: „W Grudziądzu wystąpił Kabaret Moralnego Niepokoju. Jak wam się grało?". Nie daliśmy po sobie poznać, że coś jest nie tak. Cały wywiad zrobiliśmy jako Kabaret Moralnego Niepokoju. Ktoś z nas był Mikołajem, ktoś Robertem, ja powiedziałem, że odkąd odeszła od nas Kasia Pakosińska, to gra się znacznie gorzej. Dziennikarka nie zorientowała się do samego końca. Nie wiem, czy to się gdzieś pojawiło, bo obok niej był jeszcze kamerzysta i inny chłopak. Mieli taką polewkę z tego, że my ją tak wkręciliśmy, a ona była tak przejęta, że nie chcieli tego przerywać. Potem pewnie ją uświadomili.

Rozmowa
z Krzysztofem Świątkowskim,
WYDAWCĄ

Jak się współpracuje z Ani Mru-Mru?

Wspaniale. Naprawdę. Ale początki nie były idealne. To była połowa 2005 roku, gdy po raz pierwszy się z nimi zetknąłem. Na spotkanie przyszedłem umówiony przez Artura, który jeszcze nie był ich menadżerem. Wszyscy byliśmy z Lublina, zaaranżował spotkanie u siebie w biurze. I to spotkanie nie wypadło zbyt dobrze.

Marcin wspominał, że byli pełni rezerwy podczas tego spotkania.

Prawdopodobnie to była moja wina. Przyszedłem tam z planem nagrania płyty. I myślałem, że przekonam ich do potencjalnej rejestracji DVD. Byłem doświadczonym wydawcą, przez lata zajmowałem się Budką Suflera. Przyniosłem płyty Budki wydane przeze mnie, ale to nie zrobiło na nich wrażenia. Oni, jako młodzi ludzie, byli z założenia bardziej offowi. Nie chcieli być w głównym nurcie. Dla nich Budka kojarzyła się z czystą komercją. A w miejscu, w którym byli wtedy, mieli bardzo idealistyczne nastawienie do tego, co robią. Kabaret to był ich świat. Raczej nie myśleli o komercji. Więc nasze spotkanie nie było zbyt długie. Powiedziałem, czego bym oczekiwał, jak wyobrażam sobie naszą współpracę. Oni grzecznie tego wysłuchali i pożegnaliśmy się w stylu „pomyślimy, zobaczymy". I nic się nie wydarzyło. Ale minęło około pół roku, w międzyczasie Artur został menadżerem kabaretu, to był chyba listopad 2005. Pierwsze występy miał organizować od stycznia. Ale w grudniu 2005 Michał miał wypadek na nartach w Austrii. Nie wyglądało to zbyt dobrze, bo już chyba wtedy mieliśmy ustalony termin rejestracji.

Na szczęście Michał szybko się pozbierał. I pierwszą próbę rejestracji podjęliśmy w lutym 2006. Od tego czasu mój oraz ich świat wydawniczy się zmienił. Pierwsza rejestracja odbyła się w Teatrze im. Juliusza Osterwy w Lublinie. Płyta ukazała się błyskawicznie, bo chyba pierwszego kwietnia. To był ogromny sukces. Nakład pierwszej płyty, potem wydanej w boxie razem z drugą płytą, przekroczył sto tysięcy egzemplarzy.

W sumie sto trzydzieści tysięcy. Z dzisiejszego punktu widzenia to jest kosmiczna liczba.

Pamiętam nasze spotkanie, podczas którego zastanawialiśmy się, jaki nakład zaplanować. Marcin wtedy zadzwonił do Roberta Górskiego, bo Kabaret Moralnego Niepokoju wcześniej wydał płytę DVD, i zapytał, jaki mieli nakład. Robert powiedział, że sprzedali około pięciu tysięcy. Miny nam zrzedły, bo liczyliśmy na dużo więcej. Rzeczywistość pokazała, że mieliśmy rację. Co było przyczyną? Przede wszystkim to były inne czasy. Świat wyglądał inaczej, jeśli chodzi o multimedia. Inaczej też, jeśli chodzi o dostępność kabaretów. Kabaret można było zobaczyć albo w telewizji, albo na żywo, albo na płycie, którą trzeba było kupić. Ani Mru-Mru był wtedy najpopularniejszym kabaretem w Polsce. Pierwsze DVD było z kategorii „Greatest hits", zawierało skecze z pierwszych lat. Może to nie było doskonałe wydawnictwo, jeśli chodzi o kwestie techniczne, ale to, co tam się znalazło, przekonało ludzi. Chłopaki po swoich występach sprzedawali dziesiątki sztuk. No i jeszcze fakt, że od 2000 roku zaczęły się złote lata polskiego kabaretu, tego młodego kabaretu. To był wtedy najbardziej pożądany gatunek w polskim show-biznesie. Muzycy mogli tylko marzyć, żeby być tak rozpoznawalnym czy kupowanym artystą. Świat muzyki to było głównie granie w klubie, a te wszystkie dni miast czy letnie spędy to były darmowe imprezy. Muzykom ciężko jest sprzedać całą Salę Kongresową czy inną większą salę. Kabaretom się udawało. Ale te lata niestety minęły. Późniejsze wydawnictwa Ani Mru-Mru czy innych kabaretów nawet się nie zbliżyły do tego wyniku.

Te czasy nie wrócą i jest kilka przyczyn. Przede wszystkim nośnik. Płyta obecnie jest w dużej mierze kłopotem. Trzeba ją włożyć do odtwarzacza, uruchomić. Druga sprawa to telewizja, w której jest mnóstwo kabaretowych rzeczy. A także Internet, który teraz jest dostępny wszędzie, gwarantuje bardzo dobrą jakość i nie wymaga wiele wysiłku. Kiedyś była przepaść jakościowa. Dziesięć lat temu był już YouTube, ale jakość była zupełnie inna. Niektórych rzeczy nie dało się oglądać. Teraz jakość nagrań w Internecie jest nawet lepsza niż tych na płycie.

A jak wyniki ostatnich płyt?

W sumie nagraliśmy siedem wydawnictw. Te ostatnie sprzedają się jedynie w tysiącach. Sukces to jeśli płyta sprzeda się w pięciu tysiącach egzemplarzy. W tej chwili płyty są tylko dla fanów kabaretu. Niektórzy kupują każdą płytę, jaka się ukazuje. Dużo też zależy od kabaretów, które sprzedają płyty po swoich występach.

Nie było żadnych problemów podczas waszej współpracy?

Nie było, naprawdę. Nie przypominam sobie ani jednego negatywnego zdarzenia podczas tych dziesięciu lat. Zarówno dotyczącego całego kabaretu, jak i poszczególnych członków. Ta rezerwa, która się pojawiła podczas pierwszego spotkania, nie zniknęła tak szybko. To były miesiące, lata współpracy, podczas których się poznawaliśmy i zdobywaliśmy zaufanie. Docieranie zajęło nam kilkanaście miesięcy. Ta pierwsza płyta miała sukcesy, zdobywaliśmy złote, platynowe, diamentowe płyty i wtedy już poznaliśmy się dobrze. Mimo sporej różnicy wieku. Bo łatwiej jest, jeżeli grupa jest w podobnym wieku. A u nas jest spora różnica. Oni są młodsi ode mnie o kilka czy kilkanaście lat. Ani Mru-Mru to profesjonaliści i nawet jak któregoś z nich dopadały jakieś problemy, osobiste czy emocjonalne, to nie przekładało się to na naszą współpracę.

Wystawiłeś im piękną laurkę.

Nie mógłbym inaczej, bo zwyczajnie musiałbym zmyślać. Przeszliśmy pewien etap, trwało to lat, a i dzisiaj mogę powiedzieć, że z Marcinem się przyjaźnię. Mam nadzieję, że jest to obustronne. Grywam z nim w tenisa, bywamy razem na meczach piłki nożnej, wspieram, przynajmniej mentalnie, ten jego ODL. Mam bardzo dobre kontakty z Waldkiem. Gorzej jest z Michałem. Ale to z racji tego, że mieszka poza Lublinem. I widujemy się głownie przy okazji nagrywania czy premiery nowej płyty albo premiery ich programów.

Zapewne jednym z waszych „ulubionych" pytań po występach jest: „Jak się wam podobała publiczność w... (tu wstaw nazwę odpowiedniego miasta)?".

MARCIN: Ja najczęściej mówię, że tak naprawdę widzieliśmy tylko pierwsze dwa rzędy. Siedziały tam eleganckie panie, a reszty nie widziałem. Albo mówię: „Kobiety ładne, ale faceci już niekoniecznie".

WALDEK: „Ten łysy facet w drugim rzędzie mógłby się ogolić".

MICHAŁ: „Dostajemy takie światło w oczy, że nic nie widzimy".

MARCIN: Dużo lepsze jest pytanie: „Jak wam się podoba Kalisz, Łomża czy inne miasto?".

ARTUR: A my przyjeżdżamy do miasta, gramy występ i jedziemy dalej.

MARCIN: I tak od 15 lat. Zwiedziliśmy już całą Polskę, graliśmy w Kanadzie, USA, na Kubie i Islandii, we Francji, Niemczech, Włoszech, Egipcie, Szkocji, Irlandii, Anglii, Walii, Austrii, Szwecji, Danii, Norwegii, Belgii, na Litwie. Przyjeżdżamy i: „Jak wam się podoba Szczecinek?"...... No pięknie tu.

„Czy widzieliście nowo wybudowany basen albo halę?"

WALDEK: Zawsze wtedy dorzucam, jak ktoś pyta na przykład o Nową Hutę czy Stalową Wolę: „Piękna starówka, fantastycznie ją odbudowaliście, piękny park, jezioro".

MARCIN: Wczoraj szliśmy przez Białystok, a właściwie to już dzisiaj. Było ciemno. Dotarło do mnie, że wszystkie miasta zwiedzam w nocy. A przynajmniej większość. Kalisz, Łódź, Sieradz znam tylko z nocnych spacerów. Jestem taki nocny marek. W gronie moich znajomych na takich jak ja mówimy „ludzie-krety". I problemem jest, że najważniejsze instytucje w tych miastach są w nocy zamknięte. Nie mamy szansy pójść do muzeum czy filharmonii, czy na ten nowy basen. Chyba że jest Noc Muzeów. Ale to jest raz w roku.

ARTUR: Jedyne „placówki", które są otwarte o takiej porze, to... wiadomo jakie.

MARCIN: Oglądamy Polskę w nocy przez szyby naprawdę szybko jadącego busa. À propos busa, to pamiętam, jak kupowaliśmy tego ostatniego. Dostaliśmy od Mercedesa samochód na jazdę próbną w trasę – z jedną małą prośbą, żeby nie palić papierosów w środku. Ruszyliśmy z Lublina do Katowic po Michała, jeden postój na fajkę, kolejny i kolejny. Dojechaliśmy do BP Przy Trzech Stawach. Michała oczywiście nie ma, bo dla niego punktualność po prostu nie istnieje. Deszcz leje i pada jedno pytanie: „Wychodzimy na fajkę czy kupujemy busa ?". Po dwóch sekundach bus był nasz.

Pamiętacie jeszcze jakieś absurdalne sytuacje związane z prasą?

MARCIN: Kiedyś pojechaliśmy z Michałem na Florydę na turniej golfowy. Jednym z ludzi, którzy tam grali w tenisa, był jakiś dziennikarz, chyba z „Super Expressu" albo „Faktu". A oprócz nas byli na tym turnieju jeszcze Stan Borys, Robert Rozmus i Piotr Gąsowski. Dziennikarz pyta, czy może zrobić parę fotek po tym turnieju. Mieszkaliśmy w willi z basenem, która była tuż przy polu golfowym. Ktoś powiedział, że jest gorąco, więc chodźmy do basenu, wypijmy po drinku. Obok była jakaś babka, na oko siedemdziesięcioletnia, która miała małego pieska. I ten dziennikarz mówi, żebym z tym pieskiem stanął. Stoję, trzymam pieska na smyczy, cyk, zdjęcie. Kilka dni później wracam ze Stanów, idę do kiosku u siebie na osiedlu. I człowiek z kiosku pytanie mnie, jak było na Florydzie. Pytam, skąd wie, że tam byłem. Mówi: „No jak to, skąd?!". I pokazuje mi gazetę. Biorę, oglądam, jest zdjęcie z pieskiem. Opis w sumie pozytywny, choć było napisane, że kabaret Ani Mru-Mru wypoczywał na Florydzie, a byliśmy tylko ja i Michał. Ale czytam też podpis pod zdjęciem: „Marcin na Florydzie kupił sobie psa za 4 tys. dolarów".

Dobrze, że nie dopisali pod zdjęciem z klapkiem, że wlazłem w gówno.

MICHAŁ: Kiedyś przyszedł koleś na wywiad i mówi, że chce zrobić taki nietypowy wywiad. I pyta: „Kto zabił Kennedy'ego?", „Czy jajecznicę solimy, czy pieprzymy?".

MARCIN: Ja bardzo lubię czytać wywiady z innymi artystami, bo zawsze coś ciekawego można przeczytać. Na przykład kiedyś „Góral" [Robert Górski – przyp. red.] powiedział fajną rzecz, jak odróżnić artystę do celebryty. Jak się zapytasz tych dwóch osób, co będą robiły szesnastego marca, to artysta odpowie bardzo precyzyjnie, co będzie robił, a celebryta powie, że ma w planach parę projektów z młodymi ludźmi.

Z tych nowych, młodszych od was kabaretów, które wam się najbardziej podobają?

MARCIN: Bardzo mi się podoba kabaret z Krakowa 7 Minut Po. Mają swoją wizję artystyczną, nie są ukierunkowani na popowy nurt kabaretu, jest to bardziej takie krakowskie, artystowskie. Są niezwykle zaskakujący na scenie, a ja to sobie bardzo cenię. Kiedy oglądam kabaret jako widz, to uwielbiam być zaskakiwany, to jest dla mnie wyznacznik jakości. No i Smile, który w jakimś tam stopniu wyrósł pod naszymi skrzydłami. Przez długi czas nie mogli się wybić, ale dzięki współpracy z nami okazało się, że potrafią tworzyć fajne numery. No i teraz są już w tej najwyższej lidze. Nie chciałbym mówić, że to jakaś nasza zasługa, ale obserwowaliśmy ich rozwój i mocno im kibicowaliśmy. Jest jeszcze kilkanaście innych grup, które robią swoje i idzie im nieźle. Tym nowym jest trudniej, bo jest coraz więcej kabaretów na scenie, a dodatkowo przez lata pojawiło się tyle pomysłów, że teraz trzeba się nieźle nakombinować, żeby wymyślić coś nowego i dobrego.

MICHAŁ: Trzeba wszystko śledzić, być na bieżąco, żeby nie powielać pomysłów.

To teraz pytanie jakby z drugiej strony. Czy są kabarety, które was nie bawią?

MARCIN: Tu nie chodzi nawet o to, że nas nie śmieszą, tylko rodzaj kabaretu, który uprawiają, nie jest rewelacyjny. Trzymają się tanich chwytów, jak to mówimy w branży, robią taki festynowy kabaret. „Hopsasa, hopsasa, wisi mi kiełbasa". Ale czy nie cenimy? Dla mnie miarą kabaretu jest to, czy chciałbym go obejrzeć na żywo. Na 7 Minut Po kupiłbym bilet, na Jurki kupiłbym, na Moralny Niepokój też, na Hrabi również, ale na przykład na kabaret Nowaki czy Neonówkę biletu bym nie kupił. Tak samo, i tutaj mogą się chłopaki obrazić, nie kupiłbym na Grupę MoCarta. Bo wprawdzie cenię te trzy kabarety, ale nic mnie w ich występie nie zaskoczy. Znam ich twórczość od kilku lat, znam ich skecze, znam sposób robienia tych skeczy. Tam się niewiele może pozmieniać. Chętnie ich oglądam przy okazji, ale żebym chciał się specjalnie wybrać, to pewnie nie. A Hrabi i Jurki zaskakują mnie za każdym razem.

MICHAŁ: Są kabarety, które nas śmieszą i są takie, które nas nie śmieszą. Ale jeżeli kabaret, który nas nie śmieszy, czy też mnie osobiście nie śmieszy, ma swoją publiczność, która przychodzi na jego występy, kupuje bilety i się śmieje, to pełen szacunek. Mają swój rodzaj humoru, który do kogoś tam trafia. Mogę ich nie lubić, ale nie mogę nie mieć szacunku dla ich pracy. Aczkolwiek przyznam otwarcie, nie lubię takich kabaretów, które nie są kulturalne i nie pożyczają pieniędzy.

WALDEK: Uwielbiam kabaret Hrabi. Mają taki program *Kobieta i mężczyzna*, po obejrzeniu którego kabareciarz może się zdołować, bo to było po prostu doskonałe. A z drugiej strony taki kabaret OT.TO. Do mnie kompletnie nie trafia ich forma, te przerabiane piosenki, chociaż prywatnie to bardzo fajni kolesie.

MARCIN: Bylibyśmy nienormalni, gdyby nam się podobały wszystkie kabarety. Oprócz tego, że robimy kabaret, jesteśmy też zwyczajnymi widzami, których jedne rzeczy bawią, a inne nie. Poza tym dochodzi jeszcze wątek osobisty. Twórczość pewnych kabaretów postrzegamy też przez pryzmat tego, czy się znamy prywatnie. Jeżeli z Moralnym Niepokojem się przyjaźnimy, bo to nie jest znajomość, tylko przyjaźń, i zdarzy im się zrobić słabszy numer, to nie wpływa to na odbiór całego kabaretu. Nawet gdy im powiemy: „Super, fantastycznie, tak trzymać. Oby tak dalej.", to oni i tak wiedzą, co mamy na myśli i odpowiedzą: „Co tak szczochami czuć? Ani Mru-Mru przyjechało?", bo to jest stała zagrywka. Są też kabarety, z którymi prywatnie się nie dogadujemy, więc oglądając ich występ, będziemy w jakiś sposób uprzedzeni. Ale to chyba normalne zjawisko.

A czy jest coś z powszechnie uznawanych za zabawne zjawisk, które akurat was nie śmieszą?

MARCIN: Kompletnie nie kumam fenomenu – może dlatego, że jestem już stary – zjawisk internetowych. Powstają rzeczy typu Niekryty Krytyk, Abstrachuje czy Make Life Harder. Nie trafia to do mnie w ogóle. Próbowałem to oglądać, ale to mnie zupełnie nie bawi, nie rozumiem tego. I zastanawiałem się, czy to jest skierowane do widzów w wieku gimnazjalnym, czy może ja się zestarzałem. Może jak kiedyś myślałem na Pace, że Stanisław Tym nie rozumie moich żartów, to w tym przypadku stało się to samo?

WALDEK: To chyba jest właśnie kwestia różnicy wieku. Nas bawi kabaret Elita, ten ich żart słowny, ale jest już pokolenie, które nie ma pojęcia, kim są ci starsi panowie. Może się okazać, że za dwadzieścia lat będziemy takimi samymi dinozaurami.

MARCIN: Mnie śmieszy Elita, śmieszył mnie kabaret Dudek, bawią mnie młode kabarety, bawię się na nowych filmach, ale takie rzeczy, które powstają równolegle z naszymi, już nie. Nasz filmik ma trzy miliony wyświetleń na YouTubie, nagle pojawiają się goście, którzy nazywają się Abstrachuje, robią jakieś tam rzeczy i też mają trzy miliony wyświetleń. Próbuję to oglądać i pytam: „O co chodzi?". Ale, jak widać, do kogoś to trafia. I trochę się boję, że tak może być z nami.

Przyjdą youtuberzy i was zjedzą?

MARCIN: Tego się akurat nie boję. Moim zdaniem youtuber nie ma szans w starciu z artystą kabaretowym, który występuje na estradzie. Fajnie się kręci te filmiki na YouTube'a, ale wyjść i wystąpić na sali pełnej ludzi, to co innego. Oni są tam tacy bezpieczni. My też moglibyśmy nakręcić filmik do Internetu, ale nas bawi inna forma.

MICHAŁ: Stanąć w konfrontacji z żywą publicznością to jest zupełnie co innego.

WALDEK: A ja trochę żałuję, że tego jednak nie robimy. Są czasem rzeczy, których z powodów technicznych nie możemy pokazać na scenie, ale moglibyśmy je wrzucić do Internetu.

Były osoby, które chciały dołączyć do Ani Mru-Mru?

MARCIN: Całkiem sporo. Ale to były głównie sytuacje tego rodzaju: „Mam takiego śmiesznego szwagra, on by się do was nadawał". Albo anonimowe osoby piszące czy mówiące, że jakbyśmy powiększali skład, to one są chętne. Ale jeśli chodzi o poważne propozycje, to mieliśmy tylko jedną. We Wrocławiu, jakieś dziesięć lat temu. Byliśmy już uznanym kabaretem, pokazywali nas regularnie w telewizji. W pewnym klubie we Wrocławiu podszedł do nas chłopak i powiedział, że wziął udział w takim programie telewizyjnym, chyba w *Idolu*. Nie, *Idol* to był program muzyczny. *Debiuty*, tak się ten program nazywał. Chłopak mówił, że świetnie mu poszło i chciałby z nami występować. Odpowiedziałem, że nie poszerzamy składu. A on na to, że ma taki numer kowbojski, z nocnikiem na głowie. Pokazał ten numer, był nawet zabawny. Poradziliśmy mu, w bardzo zresztą przyjemnej atmosferze, żeby sobie kogoś znalazł, spróbował dostać się na Pakę, bo ma talent. Żeby generalnie nie odpuszczał, skoro bardzo chce to robić. On się później trochę koło nas kręcił, jeszcze raz zadzwonił, ale potem odezwał się, że ma kolegę i razem występują. I tak na scenie zaistniała Mariolka, czyli Igor Kwiatkowski z kabaretu Paranienormalni.

WALDEK: Były też propozycje transferów.

MARCIN: W środowisku kabaretowym bardzo często ludzie przechodzą z jednej grupy do innej. To jest na porządku dziennym. Każdy większy problem w jakiejś grupie, czyjeś odejście albo zawieszenie działalności powoduje, że ci, którzy chcą dalej występować, rzucają propozycje:

„Słuchajcie, czy mógłbym do was dołączyć?". Traktujemy to normalnie, ale nigdy poważnie nie rozważaliśmy czegoś takiego. Bartek Gajda, kiedyś, jak w Łowcach był jakiś kryzys i z tego powodu nie pojechali na Ryjka, bardzo chciał pracować i się do nas zgłosił. Ale nie chciał przejść do Ani Mru-Mru, tylko zaproponował, żebyśmy na następnego Ryjka stworzyli nowy projekt: dwóch od nich, trzech od nas i wystartujemy razem jako Kwiaty z armaty. Uważam, że takie coś jest nawet fajne, może dać jakiś świeży powiew. Ale u nas nigdy do tego nie doszło.

Kiedy pracujecie już nad nowym programem, a gracie jeszcze poprzedni, to czujecie jakiś sentyment do starych skeczy, czy już bardziej kręcą was nowe numery?

MARCIN: Rozstajemy się bez żalu, ale ten stary program jeszcze trochę będzie żył.

ARTUR: Czasem szkoda się rozstawać ze starymi rzeczami, zwłaszcza jak gramy je w dużych miastach w świetnie przygotowanych technicznie salach.

MARCIN: Akurat w tym roku będzie tak, że w marcu mamy premierę, a przez kilka miesięcy będziemy grali stary program. Trochę dziwne uczucie. Dlatego do starego programu będziemy dorzucać po jednym nowym numerze. Będziemy szlifować, a i dla ludzi będzie coś nowego.

A celebrujecie jakoś ostatni występ ze starego programu?

MARCIN: Sporo się dzieje, totalny idiotyzm na scenie, czasem zamieniamy się rolami.

WALDEK: Jak ostatni raz graliśmy *Rolnika*, to było akurat w Stanach, to rozwaliłem gitarę na scenie.

ARTUR: To było w Irlandii, w Dublinie. Rozbiłeś gitarę, a koledzy rzucili stroje w publiczność. Marcin powiedział, że ma nadzieję, że ten numer wykonuje ostatni raz.

Do premiery nowego programu zostało kilkanaście dni...

MARCIN: ...a my mamy dopracowanych raptem kilka numerów.

WALDEK: Smile w tym momencie kończyliby ostatni numer. Jak ja im zazdroszczę tej dyscypliny pracy.

MARCIN: Oni by go już nawet zajeżdżali. Miesiąc wcześniej mieliby już wszystko gotowe, a teraz by już tylko kombinowali, jak coś zmienić.

ARTUR: Bo my stosujemy metodę grania na świeżości. Grażyna Rabsztyn też się strasznie przygotowywała do mistrzostw i wywaliła się na pierwszym płotku. Więc po co się tak bardzo przygotowywać?

MARCIN: Ale damy radę. Mamy wprawę. Nie pierwszy raz jesteśmy w takiej sytuacji.

Czemu Waldek jest posądzany o wymyślenie nazwy, można się dowiedzieć, oglądając program Turbokozak z udziałem Ani Mru-Mru (6:15) https://www.youtube.com/watch?v=nDvgG2kjPqo.

Nowy program nazywa się *Skurcz*. To Waldek wymyślił nazwę?

MARCIN: Można tak powiedzieć. (śmiech) Nazwa przyszła nagle.

WALDEK: Skurcz, bo chwyta. To raz. Dwa, że można dzięki niemu wybrnąć z pewnych sytuacji. Przepraszam, skurcz mnie nagle chwycił!

MARCIN: Dlaczego *Skurcz*? Bo rodził się w bólach.

Rozmowa z Tomaszem Alberem, PRODUCENTEM

Współpracuję z Ani Mru-Mru od dziesięciu lat. Wydaje mi się, że współpraca jest niemal idealna. Jedyny problem, który przeszkadza w osiągnięciu tego ideału, to pomieszczenie na sali wszystkich ludzi, którzy chcą ich zobaczyć.

Moim zdaniem Ani Mru-Mru i Kabaret Moralnego Niepokoju to zespoły, które wytyczyły nowy kierunek w polskim kabarecie. Jest takie powiedzenie, że ktoś ma swoje pięć minut. O kabarecie Ani Mru-Mru można powiedzieć, że mają już nie pięć minut, ale parę godzin. Ciężko na to zapracowali. Co doskonale widać po frekwencji i wiernych widzach w całej Polsce.

Dla kogoś, kto organizuje imprezy, najważniejsza jest frekwencja, zapełnienie sali. Z Ani Mru-Mru tego problemu nie ma. Oni ciągle produkują takie hity i są tak uwielbiani, że nieustannie mamy problem z brakiem miejsc dla chętnych widzów i musimy dostawiać krzesła.

Jeśli chodzi o współpracę, to nigdy nie było problemów, oprócz paru sytuacji, kiedy nie spełniłem ich wymogów, czegoś tam nie dopilnowałem i były nerwy (oni wiedzą o jakich sytuacjach mówię). Z ich strony zawsze doświadczam pełnego profesjonalizmu. Ja mówię, że to jest niebezpieczny profesjonalizm, bo zawsze na luzie. Panuje luz, ale jak przychodzi co do czego, wszyscy doskonale wiedzą, czego kabaret potrzebuje. To jest ich życie, praca, sukces, na który sami sobie zapracowali i żaden organizator, nawet zaprzyjaźniony, nie ma prawa im tego psuć.

Życzę im tego, żeby przez kolejne piętnaście, trzydzieści, czterdzieści pięć lat wciąż ich to bawiło.

Dopóki ich to cieszy, że wychodzą dwa razy dziennie na scenę i setki razy w skali roku, dopóki nie pojawi się rutyna i brak pomysłów na skecze, to przewiduję, że mogą jeszcze bardzo długo być gośćmi we własnych domach.

Odkąd ich znam, nie spotkałem się z przypadkami ich gwiazdorzenia. Nigdy nie zauważyłem, jak to mawia Marcin Daniec, „sodówy". Nigdy nie stali się „wielkimi gwiazdorami". Bo to zawsze przeszkadza w pracy i realizacji planów.

Gdybym miał ich scharakteryzować, to nazwałbym ich „Czterej Muszkieterowie – Marcin, Michał, Kołek i Artur. Jeden za wszystkich, wszyscy za jednego". To bardzo fajna grupa kolegów, którzy sobie wymyślili, że chcą robić kabaret oparty na tym, że na scenie są tacy sami jak poza nią. W przypadku niektórych twórców humor schodzi ze sceny wraz z aktorem czy kabareciarzem. I w garderobie jest smutno i ponuro. A u chłopaków cały czas jest tak samo. Na backstage'u jest tak samo śmiesznie jak na scenie, a czasem nawet śmieszniej. Na scenę mogą wejść z marszu, prosto z podróży. Nakręcają się wzajemnie i każdy występ dla widzów i nich samych to świetna zabawa. Bywa, że z programu, który miał trwać półtorej godziny, robią się dwie i pół godziny. Publiczność reaguje tak żywiołowo, że chłopaki nie mogą zejść ze sceny, bis goni bis.

Gdy zaczynałem współpracę z AMM, bałem się, że Cezary Pazura i Piotr Bałtroczyk, których reprezentuję, będą zazdrośni, ale moje wątpliwości rozwiało pierwsze spotkanie wszystkich panów. Za każdym razem, gdy spotykają się na festiwalach, kabaretonach czy realizacjach telewizyjnych, mają wspólną garderobę, w której jest równie zabawnie jak podczas ich występów na scenie. Wzajemny szacunek i przyjaźń spowodowały, że wielokrotnie dochodzi do wspólnych występów, skeczy czy prowadzenia imprez.

Praca pochłania większość ich czasu, ale fajnie, że znajdują też czas na hobby, jakim jest golf. Potrafią wstać o szóstej rano, żeby jechać na pole. Mnie również zarazili golfem, za co jestem im bardzo wdzięczny, bo to fantastyczna gra i odskocznia dla kogoś, kto dużo pracuje.

Mam nadzieję, że nazwanie ich moimi serdecznymi przyjaciółmi nie będzie odebrane jako podlizywanie się. Ja naprawdę ich uwielbiam. Wiele kilometrów wspólnie przejechaliśmy, wiemy o sobie naprawdę dużo. Cenię każdego z nich z osobna jako fajnych, dobrych ludzi, a jako kabaret są dla mnie mistrzami świata.

JAK PRZEŻYĆ
Z KOLEGAMI
Z ZESPOŁU

U nas, póki co, ta próchnica jest powstrzymywana. Próchno się sypie, ale próchnica jest opanowana. Nie dotarliśmy do momentu, w którym to, co nas wkurza, jest ważniejsze niż to, co nas cieszy. Radość przebywania ze sobą jest większa niż rzeczy, które nam przeszkadzają. Dopóki tak będzie, to będziemy działać.

Ile razy mieliście siebie dość?

MARCIN: Dzisiaj? Dzisiaj to trzy. Ale tak na serio, to zdarzyło się kilka poważnych kryzysów, które nami nieźle poruszyły. To raczej nie do uniknięcia, gdy się pracuje piętnaście lat w jednej grupie. Każdy ma swoje wady i zalety, mamy inne charaktery, więc muszą z tego wynikać nieporozumienia. Do tego dochodziły inne problemy, rodzinno-towarzyskie. To kilka razy się nawarstwiło i skumulowało, ale zawsze było rozwiązywane zgodnie z zasadą: „Dajmy sobie kilka dni wolnego, potem wrócimy do rozmowy". Nigdy nie było tak, że ktoś powiedział: „Panowie, nie, nie, nie! Zawieszamy działalność". Ktoś się wkurzał, trzaskał drzwiami i wychodził. Albo ktoś mówił: „Muszę odpocząć". Ale potem siadaliśmy do rozmów i wyjaśnialiśmy sobie wszystko w żołnierskich słowach. Te sytuacje brały się z emocji, chwilowych napięć. Teraz jesteśmy starsi i podchodzimy do tego z większym luzem.

MICHAŁ: Rozwiązania siłowe są najłatwiejsze. Bo łatwo jest trzasnąć drzwiami i wyjść. Ale tak naprawdę żaden z nas nigdy nie chciał załatwić sprawy w ten sposób.

MARCIN: Były kryzysy, ale nigdy nie doszło do takiej tragedii, żebyśmy chcieli kogoś wyrzucać, zawieszać działalność czy nie odzywać się przez tydzień. Więc chyba nie jest źle. A to, że się wkurzamy trzy razy dziennie, to jest chyba nawet zdrowe. Bo od razu dajemy sobie to odczuć.

MICHAŁ: A potem rozjeżdżamy się do domów i to też jest sposób na poprawę relacji.

Piętnaście lat na topie. Czyli oprócz rzeczy oczywistych, jak dobre skecze i zabawne teksty, kluczem do sukcesu jest sprawdzony zespół?

MARCIN: Sukces jest wypadkową wielu rzeczy: po części talentu, po części trafiania do szerokiego spektrum publiczności, bo nasze żarty bawią i dzieci, i ludzi starszych. To jest ta część artystyczna. Dodatkowo ważnym elementem jest zgrany zespół. Rafał Sonik, który niedawno wygrał Rajd Dakar, powiedział, że nie dokonałby tego, gdyby nie cały jego zespół. Podobnie jest u nas. Bardzo ważny jest też menadżer, który tym zarządza. Mądre zarządzanie grupą niemądrych ludzi to duża sztuka. Jest też Emil... W sumie to nie wiem, po co jest Emil.

MICHAŁ: Z Emilem to jest tak, że raz jest, a raz go nie ma.

MARCIN: Z Emilem to jest tak, że jest bardzo profesjonalny, a przynajmniej stara się tak, jak my staramy się być

profesjonalni; każdy ma swoje plusy i minusy. Emil natomiast bardzo lubi tańczyć. To też jest bardzo ważny...
chciałem użyć słowa „człon", ale to chyba nie będzie
dobre słowo.

WALDEK: Ale członek już jest okej.

MARCIN: O, trybik. Trybik w tej maszynie. Emil lubi tańczyć, a to jest o tyle istotne, że jak wychodzimy wieczorem w miasto, to kobiety chcą z nami tańczyć. Wtedy
spuszczamy ze smyczy Emila, pseudonim „Krew
z butów", który obtańcowuje te dziewczyny cały wieczór,
a my mamy spokój i możemy pogadać. Ale poważnie,
dużo strategicznych decyzji jest dyskutowanych, na przykład: gdzie gramy, kiedy gramy, tu musimy zrobić to, tam
coś innego. Ale żeby podjąć jakiekolwiek decyzje,
potrzebny jest jeszcze Artur, nasz menadżer, który dokonuje ich przesiewu. To jest olbrzymia praca. Decyzje, które ostatecznie podejmujemy, są już tak przesiane, że
musimy jedynie powiedzieć „okej" albo „nie okej". On się
wcześniej użera z tymi wszystkimi ludźmi, którzy chcą
nam zorganizować występ albo dotrzeć do nas z różnych
powodów. I dzięki niemu my się nie musimy tym zamar-
twiać. A z doświadczenia wiem, bo kiedyś to robiłem, że
to jest dość wyczerpujące zajęcie.

MICHAŁ: Artur jest jak duże cyce u tancerki. Niby jesteś blisko niej, ale za bardzo się nie zbliżysz. Taki bufor między
nami, a resztą świata.

WALDEK: Kwestie artystyczne są widoczne i dość klarowne. Ale za naszym sukcesem stoi całokształt. Jeżeli wszystko jest dobrze poukładane, to my się dobrze czujemy i nasze występy są bardziej efektywne.

MARCIN: Tajemnicą sukcesu, przynajmniej naszego, są wzajemne relacje. Czasem niezbyt zdrowe, czasem chłodne, ale takie muszą być. Przez piętnaście lat wypracowaliśmy pewien schemat. Jest też Krzysiek Świątkowski, nasz wydawca. Jest człowiekiem z zewnątrz, obserwuje nasz kabaret i zauważa pewne rzeczy. Taki ksiądz spowiednik, każdy może do niego pójść i się wygadać. Jest jak gdyby naszym terapeutą, ma inną perspektywę. To u niego w biurze powstają najlepsze skecze, u niego w biurze odbywają się najtrudniejsze rozmowy, to jego biuro jest naszym drugim domem – tam jest najlepsza kawa w Lublinie. No i można palić!

WALDEK: Nasz kabaret to takie średnio skomplikowane urządzenie. Jednak każdy element za coś odpowiada, wszystkie trybiki się uzupełniają. Relacje są różne, bo gdybyśmy sobie ciągle kadzili, to raczej nie byłoby fajnie.

MARCIN: Jeżeli już rozmawiamy o relacjach personalnych i zespole, który osiąga sukces od jakiegoś czasu, to najlepszym podsumowaniem będzie stwierdzenie, że gdyby któregoś z nas zabrakło, to zespół miałby spore problemy z pozbieraniem się. Łatwiej byłoby, przepraszam za to porównanie, ale taka jest prawda, zastąpić Emila niż Michała, ale to wcale nie znaczy, że byłoby to proste.

MICHAŁ: A ja ciągle nie wiem, po co jest Emil.

MARCIN: Bo tańczy.

MICHAŁ: Usuwasz ten trybik, który tańczy, i potem nie wiadomo, co robić i jak żyć.

MARCIN: To fajnie wygląda, jak wszystko funkcjonuje. Ale gdyby kogoś zabrakło, to zanim znaleźlibyśmy godnego zastępcę, a to by naprawdę długo trwało, zachwiałaby się poważnie równowaga w zespole. Zresztą popatrzmy na historię polskiego kabaretu, ile grup się miota między menadżerami. Wiemy, jak jest z szukaniem człowieka, który odpowiada za oprawę występów.

Jak się przyjrzeć kabaretom o zbliżonej do waszej renomie i podobnym stażu na scenie, to jesteście ewenementem, jeśli chodzi o trwałość ekipy. Pakosińska rozstała się z Moralnym Niepokojem, ostatnio Pindur i Basen opuścili Łowców, nie mówiąc już o rotacjach w ekipach zielonogórskich.

MICHAŁ: Różne są powody, że tam się zmienia czy zmniejsza skład. U nas akurat jest parcie na tworzenie czegoś nowego i nie wiadomo, co by wyniknęło ze zmiany ekipy.

MARCIN: Różne grupy się rozstają, nad każdą z nich wisi takie niebezpieczeństwo. Michał czy Waldek mogą przyjść i powiedzieć, że mają inne plany. Trzeba by to przyjąć, nie wiadomo z jakimi konsekwencjami. To normalne, że po iluś latach funkcjonowania mogą się wytwarzać toksyczne relacje, które nie pozwalają normalnie działać i tworzyć. I gdyby u nas się taka relacja wytworzyła pomiędzy dowolnymi trybami maszyny, to pewnie też by się skończyło odejściem. Różne są przypadki, czasem ktoś odchodzi, czasem grupa pozbywa się jednostki ze względu na dobro całości. Usuwa się zepsuty ząb.

U nas, póki co, ta próchnica jest powstrzymywana. Próchno się sypie, ale próchnica jest opanowana. Nie dotarliśmy do momentu, w którym to, co nas wkurwia, jest ważniejsze niż to, co nas cieszy. Radość przebywania ze sobą jest większa niż rzeczy, które nam przeszkadzają. Dopóki tak będzie, to będziemy działać.

Lubicie się nawzajem gotować na scenie.

MARCIN: Tak, ale nie lubię, jak tego jest dużo.

MICHAŁ: To są momenty, które się bardzo skrupulatnie przygotowuje. Buduje się zasadzkę na kolegę.

WALDEK: Często jest tak, że jak we dwóch coś przygotowujemy, to się tarzamy ze śmiechu po podłodze, że taki doskonały kawał zrobimy Marcinowi. Że na pewno tego nie wytrzyma. A jak przychodzi co do czego, to on tylko pyta: „Ale o co chodzi?".

ARTUR: Były też spektakularne rzeczy. Śledź w Opolu albo mąka w Londynie.

MARCIN: Historia ze śledziem była taka, że wysmarowałem sobie dłonie śledziem i dałem Michałowi do powąchania, a on nie jada śledzi.

MICHAŁ: Jest taki moment w skeczu, że Marcin musi mi położyć dłoń na twarzy. To jest w *slow motion*, jak on mnie odpycha. I on mnie wtedy tym śledziem tak potraktował.

MARCIN: Natomiast jak gramy w Londynie, to mąż naszej organizatorki zawsze musi coś przygotować. Kiedyś w czasie występu, w ostatnim numerze, wyszedłem na scenę z flanelową koszulą. Strzepywałem ją, udając, że jest zakurzona. I w momencie, jak się zaczął występ, to mi tę koszulę zanieśli do kuchni obok. I kucharz przez godzinę i piętnaście minut wcierał w nią mąkę. Bardzo skrupulatnie, żeby nic nie było widać, ale żeby było jej dużo. Jak strzepnąłem tę koszulę na scenie, to nie wiedziałem, co się dzieje. Zrobił się taki biały obłok i trzy czwarte tego obłoku zostało na mnie.

WALDEK: To mąka tak wisiała w powietrzu. Wyszło dużo lepiej niż przewidywaliśmy.

Publiczność bardzo lubi, kiedy na scenie aktorzy się gotują. To tak fajnie wszystkich nakręca.

MARCIN: Ja mam czasem takie dni, że mnie bawią różne głupoty. Mógłbym to zwalić na kaca, ale niekoniecznie, to po prostu taka klasyczna głupawka. I Michał doskonale to wyczuwa. Ale są też kabarety, które udają, że się gotują. Ale to jest słabe, bo to od razu widać.

Jeśli chodzi o gotowanie innych, to przypomniała mi się teraz pewna historia. Kiedyś graliśmy jakiś kabareton. Na scenie był Kabaret Młodych Panów. A my w tym czasie w kulisach zrobiliśmy orgię. Osiemnaście osób symulowało wszystkie możliwe rodzaje seksu, dziewczyny też, wszyscy bez wyjątku. Oni coś zapowiadają, zerkają za kulisy, a tam orgia, rzeźnia wręcz. Nie mieli prawa się nie zagotować.

Mieliście takie momenty, że musieliście przerwać, bo nie wytrzymaliście?

MARCIN: Ze dwa razy musieliśmy zejść ze sceny, bo nie dawaliśmy rady. Ludzie widzieli, co się dzieje. I im bardziej próbowaliśmy się opanować, wrócić do tego skeczu, tym bardziej pogarszało to sprawę. Słynna stała się scena z dyrektorem cyrku.

MICHAŁ: Ja się popłakałem ze śmiechu, usmarkałem, musiałem się odwrócić i zejść w kulisy, bo nie byłem w stanie nic zrobić. Marcin tak samo.

MARCIN: Waldek siedział na scenie, wychodził na nią pierwszy jako dyrektor cyrku. A my dochodziliśmy do niego później, mówiąc, że mamy taki świetny numer. I on siedział w złotej marynarce, w cylindrze, szaliku, miał cygaro. Idealny, modelowy dyrektor cyrku, pełna elegancja. Mamy już wyjść na scenę, a on lubi sobie podłubać w nosie przed występem, czy tam smarknąć. I tak sobie podłubał, że wisiał mu u nosa taki dwucentymetrowy gil.

MICHAŁ: To było kształtem i wielkością podobne do takiej spalonej długiej zapałki, tylko że koloru żółtozielonego.

MARCIN: Ludzie na pewno to widzieli. My weszliśmy na scenę, ale na początku skeczu na niego nie patrzymy, tylko gadamy między sobą.

MICHAŁ: W końcu się odwracamy do pana dyrektora... I to był koniec. Umarliśmy.

MARCIN: On nie wiedział, o co chodzi, nie mogliśmy mu przecież powiedzieć: „Kurwa, coś ci wisi z nosa!". W ogóle nie mogliśmy nic mówić ze śmiechu, koniec. Schodzimy ze sceny w kulisy, lejemy, nie jesteśmy w stanie wrócić.

WALDEK: A ja siedzę, czekam i nic nie kumam.

MARCIN: Puentą całej sceny było to, że za chwilę w kulisy do nas schodzi Waldek i pyta: „Co jest?!". Takim odpowiednim tonem. No i koniec. Dobił nas kompletnie. Umieramy ze śmiechu, a tam publiczność wyje i trzeba do niej wyjść. Z tego powstał dobry temat do żartów i rozmów w busie. Typu: „Nos sobie wysmarkaj".

WALDEK: Inna zabawna historia, to jak Michał w Bytomiu zrobił dziurę w ścianie.

MARCIN: Wymyślił sobie, że kopnie w ścianę i się od niej odbije. Nie wiedział, że ściana była z karton-gipsu. I mu noga została w tej ścianie.

MICHAŁ: Ona z drugiej strony była metalowa. Jak wychodziłem na scenę, to sprawdziłem. I chciałem zrobić taki patent, jaki robią goście uprawiający parkour – odbić się i zrobić salto do tyłu. To znaczy tylko zamarkować, że tak chcę zrobić. Wchodząc na scenę, sprawdziłem, była blacha; myślałem, że z drugiej strony też będzie blacha. Ale tego już nie sprawdziłem. I w trakcie numeru podbiegłem, żeby się odbić. I wpadła mi noga do ściany. Wybiłem wielką dziurę. Jezu, jak ja się przeraziłem.

MARCIN: Ja tego nie widziałem, bo właśnie śpiewałem piosenkę. A jak śpiewam, to oni mają mnóstwo pomysłów na różne dziwne rzeczy.

WALDEK: Najgorsze było to, że to był trzeci numer w programie. I przy każdym późniejszym wejściu na scenę ja widziałem tę dziurę i gotowałem się od nowa.

MARCIN: A nie daj Boże, jak gramy w jakimś teatrze i gdzieś tam z tyłu jest szafa z rekwizytami czy strojami. Mamy taki skecz, w którym się spotyka dwóch normalnych facetów i rozmawiają o dziewczynie. Skecz gramy dzień po dniu, nic się nie dzieje. Któregoś dnia gramy w teatrze, chyba w Jeleniej Górze. Traf chciał, że była tam szafa z kostiumami. I numer zmienia się diametralnie, bo ja wychodzę na scenę i pojawia się Waldek w hitlerowskim płaszczu i oficerkach. I jeszcze mówi z niemieckim akcentem.

Wszystko, co stoi za kulisami, może być użyte na scenie przeciwko tobie. Raz Michał wszedł na scenę targając ze sobą taką wielką choinkę.

ARTUR: Wtedy widać, że to nie jest grane z play-backu.

Jak się relaksujecie w domu po powrocie z trasy?

MARCIN: Mnie najbardziej relaksuje gra w golfa, odprężają mnie też masaże. Uprawiam sport, staram się aktywnie spędzać czas. Jak nie golf, to jazda na rowerze, gra w siatkówkę z kolegami. Czytam książki. W ogóle nie gram w gry komputerowe, może tylko na komórce, Play-Station nie włączyłem od pięciu lat. Staram się przebywanie z rodziną, znajomymi. Lubię coś zorganizować w domu, ognisko, grill.

Kilka godzin po tej rozmowie byłem świadkiem, jak słowa stają się ciałem. W skeczu *Dziwne Spotkanie* do stojących na scenie Marcina i Waldka wychodzi Michał. Cały owinięty białą szatą, na głowie turban, a w dialog wplata coś o przygotowaniach do Rajdu Dakar. Oczywiście Marcina i Waldka doskonale tym zagotował.

WALDEK: Większość wolnego czasu pochłania mi pięcioletni syn, który jak tylko wracam z trasy, przykleja się do mnie i to jest głównie mój relaks. Ale w dni powszednie Adaś chodzi do przedszkola i wtedy mogę nic nie robić. To by mnie relaksowało najbardziej. Zawsze jednak jest coś do załatwienia i tak jakoś zlatuje ten czas. Ostatnio zacząłem chodzić na basen. Wiem, że kolegom będzie trudno uwierzyć, ale uczęszczam tam regularnie i nawet próbuję pływać. Czasem z koleżanką zagram w squasha. Ale najchętniej odpoczywam słuchając muzyki lub oglądając filmy, czyli nie robiąc nic.

MARCIN: Waldek pływa, gra w squasha, koszykówkę, w golfa i ringo…wszystko na Xboxie.

MICHAŁ: Wszystko zależy od ilości wolnego czasu. Obecnie mam go niewiele, bo mam małe dziecko, ale jak już mam, to staram się nadrobić zaległości w odwiedzaniu znajomych. Gram też w golfa, tak jak Marcin. Lubię również pojeździć na motocyklu.

MARCIN: Zaczęliśmy z Michałem grać w golfa w tym samym czasie. Jestem ciut lepszy, na dziesięć gier wygrywam może osiem, ale nigdy nie wiem, czy wygram. Golf jest bardzo skomplikowaną grą, tak wiele czynników składa się na to, czy się wygra, czy nie.

MICHAŁ: Golf jest rewelacyjny, bo pozwala się odciąć od wszystkiego. Zrelaksować się. Nie ma telefonów, nie ma niepotrzebnego gadania.

MARCIN: A ja bym zaryzykował twierdzenie, że ten nasz sport to za cholerę nie jest relaksujący. Ktoś powiedział, że golf to jest najbardziej wkurzający spacer w życiu i coś w tym jest. Staramy się też znajdować w trasie coś, co pozwoli nam wyjść z hotelu. Tak samo w samochodzie: jeden czyta, drugi gra w gry, rozwiązujemy testy. Lubię pójść na zakupy podczas trasy, to też mnie relaksuje. Takie kompulsywne zakupy.

MICHAŁ: Potem jedziemy i po samochodzie latają te warzywa i wędliny.

WALDEK: Ja też lubię pójść na zakupy, ale z rodziną. Kaśka lata po sklepach, a my się ganiamy z synem. Golfa też próbowałem, ale dla mnie to jest za długa zabawa. Te osiemnaście dołków to jakiś maraton. Kiedyś ze Szwagrem (Paweł Szwajgier z Kabaretu Smile) zagrałem dziewiątkę i było przepięknie. Szliśmy sobie na spokojnie, z odpoczynkiem, bez jakiegokolwiek pośpiechu. Zajęło nam to ze cztery godziny, sielanka. A z Jabbarem to takie zapierdzielanie na czas. Ale to zawodowiec, więc trudno się dziwić.

MARCIN: Dla Waldka najlepiej by było, jakby rundy golfa trwały od czternastej do siedemnastej, z obiadem w środku. Jeśli chodzi o zaangażowanie Waldka, to teoretycznie jest przygotowany do wszystkiego, entuzjastycznie podchodzi do wszystkich pomysłów, natomiast można go scharakteryzować stwierdzeniem, że tak naprawdę Waldek nie uprawia seksu. Bo trzeba uprawiać. Trzeba coś zrobić, zaangażować się. Kiedyś byliśmy w Kielcach w hotelu, w którym był basen. I Waldek zaproponował, żebyśmy tam poszli. Zdziwiłem się, ale okej, umówiłem się z nim. Okazało się, że jego wyjście na basen polegało na wejściu do jacuzzi i przespaniu w nim dwudziestu minut. Ja w tym czasie zrobiłem kilkanaście długości basenu i zawołałem go, żeby przyszedł. A on na to, że bolą go kręgi. Potem wstał, wytarł się i poszedł do hotelu.

WALDEK: Musiałem być na kacu, którego Jabbar nigdy nie doświadczył, i pewnie bolały mnie kręgi.

A jak często Waldek Wilkołek zmienia się w Wilkołaka?

MICHAŁ: W hotelach notorycznie.

ARTUR: A w Niemczech i Austrii znany jest też jako Waldemar Willkommen. Kiedyś w Polsce w jakimś dosyć dużym obiekcie pan dyrektor, napięty jak baranie jaja, powiedział, że chce nas zapowiedzieć. Zaproponowałem, że mu pomogę. Powiedziałem, że z Lublina, że takie i inne nagrody i zastrzegłem, żeby na wszelki wypadek nie podawał nazwisk. Bo się może wyłożyć, i że bynajmniej nie chodzi o Wójcików. Zaprotestował: „Nie, nie, mam to wyuczone". I oczywiście na scenie został zapowiedziany Waldemar Wilkołak.

WALDEK: Wilkołak nawet mnie bawi i nie przeszkadza, ale irytujące jest, że źle odmieniają. „Mogę rozmawiać z panem Wilkołekiem?" – wtedy warczę. Uwaga telemarketerzy z banków i innych instytucji. WILKOŁKIEM się odmieniam.

MARCIN: Kiedyś jeździliśmy z organizatorem, nazywał się Marian Bachryj. On tak naprawdę wyprowadził nas na szerokie wody, jeszcze wtedy nie było Artura. Zabierał nas na różne kabaretony. Długo współpracowaliśmy, zaprzyjaźniliśmy się. Superfacet. Kiedyś zaproponowałem mu, żeby nas zapowiedział. A on zawsze się przedstawiał jako impresario. Więc mówię, że skoro jest impresario, to musi wyjść i z pompą nas zapowiedzieć w Wieluniu, bo akurat tam jechaliśmy. Ale musi się przygotować. Mówimy mu, żeby poczytał w Internecie o naszej historii, znalazł jakieś smaczki albo anegdoty. Żeby ludzi zainteresować. Marian na to: „Oj tam, oj tam". Jedziemy do Wielunia. Dżingiel, Marian Bachryj wychodzi na scenę. My w kulisach, patrzymy i słuchamy. „Witam, kłaniam się i pozdrawiam. Impresario Marian Bachryj. Proszę państwa, historia kabaretu Ani Mru-Mru nie jest długa. Kabaret powstał... i jest z nami w Wieluniu. Zapraszam!"

Miał gadane, ale łatwo go było wybić z rytmu. Kiedyś zaczął nas zapowiadać, ale ktoś na widowni coś krzyknął. On stracił nieco rezon i mówi: „Witam bardzo serdecznie, impresario Marian Bachryj. Znajdujemy się tu, we wspaniałym ośrodku kultury w Kluczborku i moja wieloletnia współpraca z panem dyrektorem Jerzym Drozdem zaowocowała, prawda, tym, że przywożę i pokazuję, co mam najlepszego. Ani Mru-Mru". Jakby sprzedawał ziemniaki z bagażnika.

Kiedyś nas zapowiedział Gajda z Łowców i to wprowadzenie przeszło do historii. Poznaliśmy się z Łowcami na Pace. Parę miesięcy później zaprosili nas do Żor, na festiwal Kanasta. Wiedzieliśmy, że to wariaci, ale nie aż tacy. Przyjechaliśmy już po zdobyciu nagród, jako gwiazda wieczoru. Imprezę prowadził Gajda, chyba z Mariuszem. Weszli do nas do garderoby i pytają, jak mają nas zapowiedzieć. I Kołek mówi: „Powiedzcie tak: «Przyjechało trzech heteroseksualnych ogierów i jakby jakieś laski z widowni miałyby ochotę na bezpruderyjny seks, to zapraszamy do garderoby po występie»". Wszyscy oczywiście w śmiech. Powygłupialiśmy się, ale chwilę później Gajda wyszedł na scenę i... powiedział to dokładnie słowo w słowo.

I przyszły do garderoby?

WALDEK: Właśnie nie. Coś jednak musiał pokręcić w zapowiedzi.

MARCIN: Organizatorzy naszych występów to temat na osobną książkę (śmiech). Dziś współpracujemy na stałe z trzema. Przemek „Waldziu, drogi Waldziu" Galant, Tomasz „Przepraszam" Alber i Zbigniew „Co tak będziemy siedzieć?" Remlein. Wszyscy są megaprofesjonalni, poukładani i wszyscy wiedzą, że praca z kabaretem nie kończy się w momencie opadnięcia kurtyny. Są naszymi wielkimi przyjaciółmi. Panowie, jeśli to teraz czytacie, to wielkie, wielkie dzięki za te wszystkie lata.

Rozmowa z Przemysławem Galantem, PRODUCENTEM

Bardzo dobrze mi się pracuje z Ani Mru-Mru. Nie pamiętam żadnych trudnych momentów. Nasza współpraca jest oparta na koleżeństwie i zrozumieniu.

Naszą największą bolączką jest to, że czasami nie możemy zacząć spektaklu o konkretnej porze, bo oni są jak zawsze wyluzowani. A ja nie chcę, żeby potem drugi spektakl się opóźniał. Ważna jest też sprawa toalet -, musi być blisko. A teraz na tapecie jest głównie golf. Więc dopasowujemy trasę do golfa. Marcin jest najbardziej zakręcony w tej materii, ale Michałowi też się zdarza. Kołkowi generalnie niewiele się chce, więc przesypia dnie i noce. Poza tym to bardzo profesjonalny kabaret. Po tych latach współpracy rozumiemy się bez słów, choć na początku musieliśmy sobie pewne rzeczy ustalić. Zawsze chcą, żebym był podczas trwania imprezy. Czasem uciekałem do domu pod koniec trasy, albo przemieszczałem się gdzieś indziej. Ale oni tego bardzo nie lubią. Rozumiem to, bo przecież gdyby coś się stało, na przykład wywaliło prąd albo stało się coś z odsłuchem, to oni nie mieliby z kim tego załatwić. A tak jestem na miejscu i mogę interweniować.

Jedna rzecz się zmieniła w ciągu tych lat współpracy. Z mojego punktu widzenia na niekorzyść. To jest ograniczenie liczby dni, w których występują do dziesięciu w miesiącu. Bardzo tego pilnują. Teraz koncentrują się głównie na rodzinie, a chciałoby się, żeby tych dni z występami było więcej. I to jest właściwie jedyna kwestia, w której pojawiają się jakieś pretensje. Kiedyś grali do oporu, teraz liczy się bardziej wypoczynek. Nie ma też parcia na granie w wielkich salach. Jeżeli są mniejsze domy kultury, ale warunki dużo lepsze, to decydujemy się tam grać. W przeciwieństwie do wielu kabaretów, które preferują duże hale czy amfiteatry.

No i doszło też wyluzowanie, może trochę nadmierne. Jest godzina zero, a Marcin idzie na papieroska. „Spokojnie, nie spiesz się, nie popędzaj. Nic się nie stanie, jak zaczniemy dwie, trzy minuty później". Kiedyś programy trwały ponad dwie godziny i jak był przerzut, to potem brakowało nam tych dziesięciu minut do rozpoczęcia występu w innym miejscu. A teraz

Jabbar doszedł do wniosku, że nie potrzebują dwóch godzin. Wystarczy im półtorej, godzina czterdzieści pięć.

Ja zawsze miałem teorię, że lepszy jest niedosyt, niż jak miałyby ludziom odpaść tyłki. Bo widzowie przyjeżdżają nieraz godzinę przed rozpoczęciem. Siedzą i czekają. Zdarzało, że człowiek siedział na widowni trzy i pół godziny.

Ja nie gram innych kabaretów. Ale z moich obserwacji wynika, że inne kabarety nastawiają się na ilość widzów. Nawet jak jest teatr w mieście, to wolą halę sportową. A chłopaki z Ani Mru-Mru nie muszą się tak nastawiać. Pilnują też tego, aby raz na półtora roku przygotować nowy program.

MARCIN.
JAK PRZETRWAĆ...
NA BOISKU

W pewnym momencie pomyślałem, że przez piłkę już nie zrobię kariery w reprezentacji Polski, to może stanę się sławny dzięki czemuś innemu. Po dwóch trzech latach okazało się, że tak właśnie jest.

Jesteś kibicem. Przeszkadza to czasem w pracy? Występujecie w Myślenicach, a w tym samym czasie Polska gra z Niemcami.

MARCIN: Tu jest zawsze problem, bo ja jestem kibicem, a oni nie bardzo, ale już się do tego przyzwyczaiłem. Nie mam na to wpływu. Nie śledzę kalendarza imprez sportowych na rok do przodu, a nasz kalendarz jest zapełniany kilka miesięcy naprzód. I, na przykład, nagle się okazuje, że Chelsea gra z Bayernem Monachium pokazowy mecz na Stadionie Narodowym w dniu, kiedy my mamy występ w Bydgoszczy, a ja nic z tym nie mogę zrobić. Zawsze jednak próbuję coś wykombinować. Ostatnio mi się udało. Chciałem pójść z córką na koncert Robbie'ego Williamsa i na szczęście udało nam się zrobić wtedy wolne. Jeżeli znamy termin występu z dużym wyprzedzeniem, to mi się udaje. Waldek stara się to robić z powodów koncertowych, ja sportowych, a Michał... różnie.

Jak mu się dzieci rodzą.

Ale to akurat łatwo zaplanować. Jak jest ciąża, to z grubsza wiadomo, kiedy będzie poród. I zawsze w naszym kabarecie było tak, że z okazji narodzin dziecka było wolne – tydzień przed terminem i tydzień po. Staramy się ogarnąć ten kalendarz, ale często się zdarza, że z bólem serca musimy zrezygnować z pewnych rzeczy. Zwłaszcza jeśli są to trasy zagraniczne, to wtedy nic się nie da z tym zrobić. To działa też w drugą stronę. Kiedy są takie wydarzenia, jak mistrzostwa Europy czy świata w piłce nożnej, jak chociażby w 2012 roku. Wtedy też mieliśmy sporo wolnego, bo w tym czasie nikt nie organizował występów. Łatwo jest przewidzieć, że jak jest finał mistrzostw Europy w piłce nożnej, to większość ludzi zostanie w domu i będzie oglądać mecz. Generalnie, jak są ważne wydarzenia sportowe, to mamy trochę wolnego. Ciężko jest sprzedać bilety na imprezę w takich dniach. Najgorsze są sytuacje, jak się pojawi coś nagle, na przykład jak Adam Małysz, Kamil Stoch czy Robert Kubica zaczynają wygrywać, albo jak Zbigniew Bródka zdobywa medal. Człowiek chciałby to obejrzeć, ale przecież nikt trzy miesiące wcześniej się tego nie spodziewał. Więc pozostaje tylko oglądanie powtórek.

Jesteś jedynym kibicem w grupie?

Jeżeli chodzi o sport, to tak, tylko ja kibicuję. Michał czy Waldek orientują się, bo na bieżąco im mówię czy komentuję to, co przeczytam. Ale Waldek jest takim kibicem-przekorą; wiedząc o tym, że ja kibicuję Chelsea, on z miejsca został kibicem Manchesteru United. Zawsze, jak jest mecz Chelsea z Manchesterem, to pyta o wynik, smuci się z powodu porażki, ale nie zna żadnego nazwiska piłkarza.

Michał, Emil i Artur nie są kibicami; no, może trochę Emil. Oglądają, owszem, ale interesują się średnio. Nie sądzę, żeby wiedzieli, kto gra w polskiej reprezentacji w siatkówce. Ja z kolei łykam wszystko, oni z doskoku. Klasyczni „Janusze".

A dlaczego akurat Chelsea? Jak zostałeś fanem tego zespołu?

Przez przypadek. Zanim powstał kabaret, to w 1995 i 1996 roku byłem w Londynie. Najpierw pojechałem w odwiedziny, a potem do pracy. Myłem gary, pracowałem w kuchni, przygotowywałem różne produkty. Klasyczna pomoc kuchenna. Pierwszy mecz, który zobaczyłem na żywo, grała Chelsea z kimś tam. I jak zobaczyłem po raz pierwszy ten zespół w akcji, to nieprzerwanie od dwudziestu lat mu kibicuję. Wtedy jeszcze Chelsea była słabą drużyną, dopiero zaczynali dołączać do niego obcokrajowcy, Gianluca Vialli, Gianfranco Zola. Stadion jeszcze był kryty eternitem. Kibicuję tej drużynie od dwóch dekad, nawet w czasie porażek. Ukoronowaniem tego mojego kibicowania było zdobycie Ligi Mistrzów w 2012 roku. Pierwszej połowy finałowego meczu nie oglądaliśmy, bo wracaliśmy do domu z Warszawy. Sprawdzałem wynik na bieżąco i mówię, że nie wytrzymam. Zatrzymaliśmy się przed Rykami, szukaliśmy miejsca, gdzie będzie transmisja. Znaleźliśmy jakiś motel, siedzieliśmy sami w restauracji, włączyliśmy wielki telewizor, kupiliśmy dwie butelki wódki i oglądaliśmy. W chwili, kiedy Drogba strzelił ostatniego karnego, to się popłakałem. Potem siedziałem w busie i byłem taki szczęśliwy, jak mało kiedy w życiu. Michał trochę się podjarał Chelsea, podpiął się pode mnie i kibicuje. Jak mam okazję, będąc w Londynie, to oczywiście idę na mecz. Raz się mało co nie spóźniłem na występ z powodu meczu, miałem jakieś problemy z drogą powrotną.To też się wzięło stąd, że grałem zawodowo w piłkę przez czternaście lat. Moje kibicowanie jest naturalne, bo cały czas byłem przy piłce. I dla mnie to jest tak samo naturalne, że jak są mecze, to siedzę i krzyczę.

No właśnie, a gdyby Chelsea grała z Lublinianką?

Hmmm. Owszem, darzę sentymentem Lubliniankę, ale to było tak dawno, tak się wszystko przez lata pozmieniało, klub przechodził różne transformacje. Mój ojciec jeszcze tam działa. Oczywiście, że im kibicuję, ale to też kwestia ligi, bo jakby Lublinianka grała w ekstraklasie, to by zupełnie inaczej wyglądało. Skoro jednak występuje w czwartej lidze, to się trochę mniej kibicuje. Byłem niedawno na derbach Lublina, Motor–Lublinianka, na naszym nowym stadionie. Oczywiście siedziałem w sektorze kibiców Lublinianki.

Jak długo grałeś w Lubliniance?

Grałem do momentu skończenia wieku juniora, czyli do dziewiętnastego roku życia. Wiek juniora skończyłem w trzeciej klasie liceum, w czwartej jeszcze grałem w Lubliniance, a potem, w związku z tym, że poszedłem na studia do Białej Podlaskiej, grałem w tym mieście. Kiedy wróciłem po studiach do Lublina, miałem jeszcze półroczny epizod z Lublinianką, grałem w drugim zespole. Później to już była bardziej zabawa, grałem z kolegami w niższych ligach. Z takimi, którzy pokończyli kariery na zasadzie, że szło, szło, szło i nagle przestało iść. W moim przypadku było wiadomo już w wieku dziewiętnastu lat, że żadnej kariery nie zrobię, nie zagram w reprezentacji Polski ani w pierwszej lidze. Nie wiązałem więc swojej przyszłości z piłką, ale ponieważ wcześniej grałem na jakimś tam poziomie, to potem kopałem piłkę w piątej lidze i nawet zarabiałem jakieś pieniądze. Później jeszcze byłem grającym trenerem w A klasie, w Klubie Sportowym Dębina. Nie wiem nawet, czy dzisiaj bym tam dojechał. Słabo pamiętam, gdzie to jest, bo mnie wozili na treningi. Tak zakończyłem karierę.

Czyli w tamtym momencie kabaret już wygrywał z piłką?

Już mi się nie chciało zasuwać po tych ligach. No i jak powstało Ani Mru-Mru, to ta pasja przesunęła się ze sportu na kabaret. Nagle stałem się artystą, zaczęto o mnie pisać w lubelskich gazetach. Niby tylko nauczyciel WF-u, ale przy okazji artysta. To mnie zaczęło bardzo mile łechtać, więc pomyślałem, że skoro już nie zrobię kariery w piłkarskiej reprezentacji Polski, to może stanę się sławny dzięki czemuś innemu. Po dwóch, trzech latach okazało się, że tak właśnie jest. I nie żałuję. Z piłką nadal mam kontakt, bo grywam amatorsko w różnych turniejach. Poza tym jestem związany z dwiema piłkarskimi reprezentacjami Polski. Pierwsza to reprezentacja kabareciarzy, druga – Reprezentacja Artystów Polskich. To taka miła odskocznia i powrót do starych czasów.

Na jakiej pozycji grałeś?

Środkowy obrońca. Czyli klasyczne „doskocz i skasuj".

John Terry Lublinianki.

Oczywiście! Nie byłem wirtuozem na boisku. Pamiętam, że byłem niesamowicie szczęśliwy, kiedy na mistrzostwach Polski juniorów starszych na turnieju w Białymstoku zdobyliśmy czwarte miejsce. To był taki rocznik, że w Jagielloni grali wtedy Tomasz Frankowski, Daniel Bogusz, Marek Citko i Jacek Chańko. Oni zajęli pierwsze miejsce, a my z nimi przegraliśmy w półfinale, chyba 1:0. Z Lublinianki kilku kolegów zaszło całkiem wysoko. Adam Piekutowski, Arek Onyszko, Kuba Wierzchowski, sami bramkarze. Tomasz Brzyski, który gra teraz w Legii, też jest z Lublinianki. Z kolei sędzia piłkarski Paweł Gil też grał ze mną w jednym zespole. Te znajomości przetrwały, więc czasem się spotykamy i gadamy o starych czasach.

Ostatnio Piekutowski przypomniał o sobie podczas ostatnich wyborów do rady miasta.

Widziałem to niestety, słabizną wiało. Ostatnio grałem z nim na jakimś charytatywnym turnieju. A nie widziałem go od czasów Lublinianki, aż do tych wyborów. Kiedy tylko wszedłem do szatni, rzuciłem: „«Dynia» – bo taką miał ksywę – chcesz mnie wygryźć z kabaretu?". Okazało się, że ktoś mu coś wcześniej podpowiedział, namówili go, a jak człowiek nigdy takich rzeczy nie robił, to się nie ma doświadczenia i łatwo można zrobić z siebie wariata. Ale to było w dobrej wierze, myślał, że będzie zabawnie, a w Internecie nie zostawili na nim suchej nitki. Był załamany, ale przyjął to na klatę.

Czujesz się bardzo związany z Lublinem?

Zobacz, jak Adam Piekutowski próbował wygryźć z branży Marcina Wójcika: https://www.youtube.com/watch?v=skOUFhWNEso.

Nigdy się nawet nie zastanawiałem nad wyjazdem z Lublina. Nie widzę się w innym miejscu. Ktoś mógłby na przykład powiedzieć: „Weź rodzinę i przenieś się do Wrocławia". W sumie mógłbym równie łatwo, jak do Wrocławia, przenieść się do Lublina, żyjemy przecież w jednej Europie. Kiedy myślałem o tym, co mnie tu trzyma, doszedłem do wniosku, że to nawet nie chodzi o rodzinę, czyli ojca i matkę, bo brat i tak mieszka w Norwegii. Najbardziej brakowałoby mi bliskich i znajomych. Zżyłem się z tym towarzystwem, gdzie indziej musiałbym sobie znaleźć nowych przyjaciół. Może by się to udało, ale jak już wrosłem w Lublin, to niech tak zostanie. Wracając jeszcze do Londynu, mieszkałem tam i pracowałem przez ponad rok. Nigdy nie czułem, że mógłbym tam zostać, to było dla mnie coś tymczasowego. Nie pojechałem tam nawet po to, żeby zarobić kasę, bo wróciłem z pustymi kieszeniami. Większość pieniędzy, które tam zarobiliśmy z moją obecną żoną, wydaliśmy na podróż. Wiedziałem, że wrócę z Londynu. Ale to było fajne doświadczenie: pracowałem, musiałem zarobić na mieszkanie, na światło. Dla mnie to było takie przetarcie się do dorosłości, spojrzenie na życie, na to, co chcę i czego nie chcę robić. Ale wtedy jeszcze nie wiedziałem, że będę się zajmował kabaretem. A wyjechałem, bo mnie na studiach zawiesili za podrobienie podpisu.

Za słabo podrobiłeś?

Podpisy podrobiły trzydzieści dwie osoby na roku, a złapali sześć. Sześć osób beknęło, a reszcie się upiekło. Poszło o to, że brakowało nam zaliczenia z higieny. Tak naprawdę mieliśmy zaliczony ten przedmiot, ale nie mieliśmy wpisów. I nawet nie w indeksach, a na karcie egzaminacyjnej. Wykładowczyni nie było, bo gdzieś wyjechała, a nam były potrzebne podpisy do jakiegoś ważnego egzaminu. Nie chciałbym teraz nikogo wkopywać, ale było nocne wkradanie się na uczelnię i wykradanie karty. Wyszła z tego gruba sprawa. Nikt z nas by się do tego nie posunął, gdyby dało się to załatwić normalnie. Ale nie wiem, czy to złośliwość tej pani, niechęć, czy chęć pokazania się. To chyba jest typowe dla wielu nauczycieli akademickich – im mniej znaczący przedmiot się wykłada, tym bardziej się komuś wydaje, że dużo od niego zależy na uczelni. Stanąłem potem przed Sądem Arbitrażowym, musiałem jechać na AWF do Warszawy. Przykra rzecz, ale za głupotę się płaci. Potem już wiedziałem, że się przeniosę na studia zaoczne. Kiedy wróciłem z Londynu, tak właśnie zrobiłem. I ostatecznie udało mi się szczęśliwie zakończyć edukację z tytułem magistra. Mieliśmy też takiego pana na studiach, który prowadził łyżwiarstwo. Wszyscy olewali ten przedmiot, nikomu się na tych łyżwach nie chciało jeździć. Zawsze było tak, że na asfaltowe boisko przy uczelni wylewano wodę, żeby przygotować lodowisko do zajęć z łyżwiarstwa. Więc studenci ze starszych roczników przychodzili w nocy z solą, rozsypywali kilogramy tej soli i lodowisko trafiał szlag. Przez kilka lat te zajęcia mieliśmy wciąż przekładane. Nic nie można było zrobić. W końcu stanęliśmy pod ścianą, bo skoro to łyżwiarstwo było w programie studiów, to przydałby się jakiś wpis, żeby móc skończyć studia. I dziekan czy rektor wymyślił, że dla wszystkich roczników odbędzie się jeden wykład z łyżwiarstwa na auli. Trzeba było zobaczyć tego człowieka, jaki on był wtedy szczęśliwy, bo wszyscy musieli przyjść na jego wykład, żeby dostać wpis. Cała uczelnia siedziała, a on cedził słowo po słowie, że: „łyżwiarstwo to niebezpieczny sport, bo szybkość, bo brawura, bo niebezpieczne sytuacje" i tak dalej.

Higiena to faktycznie musiał być kluczowy przedmiot.

To były zajęcia, które łączyły dietetykę, zdrowy tryb życia, różne formy oprócz zajęć ruchowych. Także higienę osobistą, bo przygotowywano nas do tego, żeby być nauczycielami WF-u. Nie chodziło oczywiście o naszą higienę, tylko o higienę dzieci. To nie był w sumie taki głupi przedmiot, było kilka głupszych.

Organizujesz w Lublinie różne sportowe imprezy.

Organizujemy każdego roku turniej golfowy w Lublinie, bo sporo znajomych gra w golfa, przyjeżdżają też tak zwane „ryje", jak Tomek Iwan i Mariusz Czerkawski. Od trzech lat z grupą znajomych robimy Olimpijski Dziesięciobój Lubelski. To mi zajmuje teraz połowę życia. Zresztą, za kilka dni jest gala, na której odbiorę nagrodę za wygraną w ostatniej edycji.

Zorganizowałeś imprezę i przypadkiem ją wygrałeś?

Tak naprawdę to nie ja ją organizuję, tylko mój szwagier Maciek. On jest pomysłodawcą i *spiritus movens* tego wszystkiego. To jest superzabawa. Zaczęło się od tego, że było nas dziesięciu kumpli i nie mieliśmy co robić w wakacje, w 2012 roku. Nikt nie wyjeżdżał, bo było Euro, więc każdy chciał oglądać mecze. Zaczęło się od turnieju tenisowego, bo jeden z kolegów ma kort i zaproponował, że może byśmy pograli w tenisa. On jest wicemistrzem Polski w deblu, więc powiedzieliśmy, że to jest bez sensu, bo ogra każdego z nas. Padła propozycja, żeby zorganizować jakiś turniej, więc drugi kolega, który z kolei ma tor gokartowy, powiedział, że on zrobi turniej gokartowy. I tak od tych gokartów doszliśmy do pomysłu, żeby było dziesięć dyscyplin. Ponieważ każdy z nas był dobry w innym sporcie, więc zaproponował „swoją" dyscyplinę. Ja wymyśliłem golf, szwagier, który dobrze biega, zorganizował bieg. Doszło jeszcze kolarstwo i kolejne sporty. Zebrało się dziesięć dyscyplin i zorganizowaliśmy dziesięciobój. Pierwsza edycja była bardzo amatorska, na przykład w wyścigu kolarskim każdy startował na takim rowerze, który akurat trzymał w garażu czy na klatce. Ja jechałem na góralu, więc się nieźle zmachałem. Później, kiedy impreza zaczęła nabierać rumieńców, pojawiły się nagrody, były relacje w Internecie, ludzie zaczęli się interesować. Druga edycja, a zwłaszcza trzecia, to już był pełen profesjonalizm; mam nawet w domu dwie kolarzówki. W trzeciej edycji Dziesięcioboju odpowiadałem za organizację zawodów w dwóch dyscyplinach, golfie i żużlu. W żużlu jeździliśmy na skuterach, ale było bardzo profesjonalnie. Kupiłem cztery skutery, sędziował nam sędzia z Ekstraligi, komentował Tomek Olkowicz z Canal+. Teraz już każdy się przygotowuje na poważnie, nikt nie olewa, nikt nie mówi, że skoro nie uprawiał jakiejś dyscypliny, to się nie przygotuje. Jak jest wspinaczka skałkowa, to każdy trenuje dwa tygodnie, jak łucznictwo, to chodzi na strzelnicę i strzela.

Oprócz tego, że próbujemy różnych dyscyplin i fajnie się bawimy, to też dzięki temu często się spotykamy i zgrała się nam z tego fajna ekipa. Oprócz kabaretu i golfa to jest teraz moje największe hobby.

Jakie jeszcze dyscypliny wchodzą w skład Dziesięcioboju?

To się zmienia z każdym rokiem. Część zostaje, część się wymienia. Były narty wodne, łucznictwo, strzelectwo, wspinaczka, trójbój siłowy, triathlon, kajaki. Kolarstwo, golf, gokarty i trójbój albo czwórbój lekkoatletyczny są zawsze. W tym roku był rzut dyskiem, skok wzwyż i biegi: na sto i tysiąc pięćset metrów. W poprzednim roku – skok w dal i pchnięcie kulą. Trójbój czy czwórbój jest traktowany jako jedna dyscyplina, żeby wyrównać szanse. Mamy takich kolegów, którzy ważą po sto kilo, więc w skoku wzwyż nie zaszaleją, ale w pchnięciu kulą mogą już sporo nadrobić. Tak samo, jak ktoś jest słaby w sprincie, to ma większe szanse na tysiąc pięćset metrów. Dobór dyscyplin należy do mojego szwagra, który trzyma to w największej tajemnicy i nawet ja nie wiem, jakie dyscypliny będą w najbliższej edycji. Najfajniejsze jest to, że w każdej z kolejnych edycji ODL-u pojawia się jedna dyscyplina o charakterze typowo dla mnie niesportowym np. wędkarstwo czy grzybobranie.

Jak długo trwa cała impreza?

Różnie. Pierwsza była rozgrywana tylko w wakacje, druga od czerwca do września, a trzecią zaczęliśmy w maju, a skończyliśmy w listopadzie. Jest problem z dopasowaniem terminów. W ostatniej edycji startowało trzech chłopaków z kabaretu Smile, więc zgranie naszych kalendarzy z ich kalendarzami i jeszcze dopasowanie się całej reszty było sporym wyzwaniem logistycznym. W zawodach bierze udział dwadzieścia osób. Startuje szesnaście, pozostałe cztery to są tak zwane dzikie karty. Jak przyjdzie tych dwadzieścia osób z rodzinami, znajomymi, do tego dołączą sympatycy naszych zawodów, to czasem na widowni jest nawet dwieście osób.

A jest szansa, żeby w waszej imprezie wziął udział ktoś z zewnątrz?

Organizujemy to co prawda w zamkniętym gronie, ale co roku dochodzą nowe osoby. Część rezygnuje, nie może startować z różnych powodów: a to komuś urodziło się dziecko, a to ktoś się nie sprawdził. Trzon, mniej więcej osiem osób, jest stały. Co roku jest organizowany tak zwany challenge. W lutym rozgrywane są zawody w trzech dyscyplinach: gokarty, kręgle i bieg. I każdy, kto chce wziąć udział w ODL-u, może wystartować w challenge'u, z którego do dziesięcioboju zawsze wchodzą cztery osoby. Ale w tym challenge'u startują też osoby, które zajęły ostatnie cztery miejsca w poprzednim ODL-u. Dlatego challenge też jest niezłym wyzwaniem.

Zrobiła się poważna impreza.

Pisanie regulaminu do każdej dyscypliny, potem kłótnie, rozmowy, to jest też niezła jatka.

Bywają wypadki?

Ja miałem na quadzie. Nic mi się nie stało, bo miałem na sobie zbroję i kask, ale fiknąłem konkretnie. Przeleciałem przez kierownicę na asfalt. Kontuzje się zdarzają, ktoś tam uszkodził kolano, kumpel też rozwalił się na quadzie. Ale jakichś spektakularnych wypadków nie było.

Trudno jest wygrać?

Jest sześciu, którzy walczą o zwycięstwo, jest kilku dalszych, którzy zajmują kolejne miejsca. To jest świetna zabawa. Ja nie lubię i nie umiem strzelać, na strzelnicy zająłem szesnaste miejsce, czyli ostatnie. Trzeba było zobaczyć radość kolegów, wszyscy byli przeszczęśliwi.

Rozumiem, że w golfie reszta bije się o drugie miejsce?

No tak, nie darowałbym sobie, gdyby ktoś ze mną wygrał w golfa. Zwłaszcza że oprócz mnie w golfa regularnie gra może trzech zawodników. Natomiast w tym turnieju o Puchar Ani Mru-Mru, który rokrocznie organizujemy, grają nawet zawodowcy, amatorzy z handicapem 2 i 3. Tu nie ma lipy. Przyjeżdżają mocni zawodnicy, nigdy nie byłem nawet w pierwszej dziesiątce turnieju. W golfie nie da się oszukać. Ale odniosłem niedawno sukces, miałem *longest drive*, czyli najdłuższe uderzenie. Wygrałem z Wojtkiem Świniarskim – zawodowcem, który był mistrzem Polski i słynie z naprawdę długich uderzeń.

W ODL-u wszyscy sobie chwalą golf. Był w każdej edycji i będzie też w następnej. Tu nie ma znaczenia forma fizyczna, liczy się tylko trening. Jak się zepniesz i potrenujesz kilka tygodni, to już będziesz miał o tym pojęcie. I w ODL-u będziesz trzeci albo czwarty. Część kumpli trenuje golfa, dwóch się wciągnęło i kupiło własny sprzęt.

W czym jeszcze jesteś mocny?

Wygrałem – wiadomo – w golfa. W gokartach jestem zawsze wysoko – w ostatnim roku wygrałem, w kolarstwie byłem trzeci, ale z zaledwie sekundowymi stratami do tych przede mną, w poprzednim roku wygrałem czwórbój lekkoatletyczny, kiedyś narty wodne. Nikt z nas nie umiał jeździć, ale mnie się udało od razu wystartować i złapałem szybko, o co w tym chodzi. Myślałem, że w żużlu będę dobry, ale wylądowałem na szóstym miejscu. W triathlonie nigdy nie wygrałem, bo słabo biegam. I choć z wody wychodzę pierwszy, bo pływam najlepiej ze wszystkich, na rowerze jeszcze jako tako się trzymam, to podczas biegu jest dramat, wszyscy mnie wyprzedzają. Liczę, że będę szósty, może siódmy. To też zależy od tego, kto startuje. Na przykład kiedy startował Krzysiek Wiśniewski, menadżer Smile, który biega maratony, to z wody wyszedł dwunasty, na rowerze wyprzedził dwóch, a na mecie był drugi. Po zawodach powiedział mi, że on przez pierwsze 5 kilometrów biegu dopiero się rozgrzewa. Ja rozgrzewam się przez pierwsze 500 metrów, a potem rozpoczynam agonię.

Znaleziona
w Internecie opinia
o Marcinie:
„Sztuczny, sztywny,
jednakowy, jechał
zawsze na
popularności tego
chudego".

Najzabawniejsze są jednak dyscypliny od czapy. W pierwszej edycji było wędkarstwo, czyli siedzenie nad wodą i łowienie ryb. Liczyło się sztuki. Kolega, który wygrał, złapał dwie. Drugi miał jedną, a trzynastu zawodników *ex aequo* nie miało nic. W drugiej edycji było grzybobranie. Mieliśmy trzy godziny i każdy miał nazbierać jak najwięcej. A w ostatnim roku były bule.

Jakie było twoje pierwsze wrażenie, kiedy spotkałeś Michała?

Byłem może nie zaskoczony, ale na pewno zdziwiony. Koleś był niesamowicie dobry w tym, co pokazał. Poznaliśmy się przez wspólnych znajomych, którzy mówili, że jest taki śmieszny facet. Widywaliśmy się pewnie wcześniej, ale się nie znaliśmy. On pracował jako barman w klubie, ja do tego klubu chodziłem, mieliśmy wspólnych znajomych.

Kiedy już miałem kabaret, powiedzieli mi, że może on się nada. Michał wtedy jeździł z VOO VOO jako *backline*, pracował w Scenie Ruchu. Zadzwoniłem do niego, zaprosiłem na próbę, którą robiliśmy w naszym starym gronie. On przyszedł i powiedział: „To ja coś może pokażę". Zaczął robić zabawne etiudy pantomimiczne. Widziałem, że to, co on pokazał, to nie jest to, co ja chcę robić. Ale dostrzegłem, że dużo potrafi, ma potencjał i taką wewnętrzną sympatię, że jak się na niego patrzy, to się myśli: „fajny koleś". No i jest plastyczny. Kiedyś Fedorowicz powiedział o Michale przy okazji jakiegoś festiwalu, że on ma niesamowitą świadomość rysunku postaci. On nie musi stać przed lustrem, żeby dokładnie widzieć, jak wygląda, co musi zrobić i jak musi to zrobić. Ja staram się być naturalny na scenie, nie próbuję się zagrywać, ale też nigdy nie trenowałem przed lustrem. Bo wiem, że nigdy Michała nie doścignę ani nie będę robił śmiesznych min. Natomiast on ma coś takiego, taki dar, że w sekundę potrafi wymyślić, jak dana rzecz ma wyglądać. Stąd to początkowe wrażenie, że jest w nim potencjał. I czas pokazał, że faktycznie ten potencjał jest.

Drugie wrażenie było takie, że to nie będzie łatwa współpraca. Michał ma łatwość mnożenia problemów. Jak go zacząłem poznawać prywatnie, to się okazało, że jego życie prywatne jest nieźle zagmatwane, a on nie bardzo lubi o nim rozmawiać. Musiałem się tego nauczyć. Potem, jak już go wciągnąłem w kabaret, występowaliśmy razem i dużo rozmawialiśmy, tak naprawdę wciąż nic o nim nie wiedziałem. To nie było tak, że się zaprzyjaźniliśmy i gadaliśmy o wszystkim. Potem dopiero dowiedziałem się, że ma dziecko, miał żonę, jest po rozwodzie, ma nową kobietę. Dowiadywałem się o nim nowych rzeczy, ale zazwyczaj nie od niego. On nie lubi o sobie opowiadać, uszanowałem to. Ale okazało się, że na scenie dogadujemy się błyskawicznie, w rzeczach artystycznych i w wygłupach jest między nami chemia.

Wciąż ma opory przed mówieniem o sobie?

Tak, ale to już taki typ człowieka. Są ludzie, którzy muszą
się wygadać. W naszym towarzystwie i ja, i Kołek zawsze
musimy coś przegadać. Coś mnie wkurza, coś mi się tu
zesrało, tu mam jakieś problemy... Zawsze wolę to przegadać. Wolę usłyszeć, co ktoś inny o tym myśli, natomiast Michał w ogóle. Takie rozmowy, bardzo szczere
i takie życiowe, odbyły się dwie, może trzy w ciągu całej
naszej znajomości. No i były mocno zakrapiane; to nie
było siedzenie przy kawie, musiały puścić hamulce, żeby
pewne rzeczy sobie wyjaśnić.

Co było najtrudniejsze w waszych relacjach?

Przez jakiś czas miałem Michałowi za złe, że się nie angażuje w pracę twórczą. Że wszystko jest na moich barkach.
O ile w pierwszym okresie, przez pierwsze dwa, trzy lata
on miał jakieś pomysły, przychodził, coś tam kombino-
wał, wymyślał, to potem, po pierwszych naszych sukce-
sach, pierwszych nagrodach, nagle to się urwało. To
zapewne było też spowodowane jego zakrętami życiowy-
mi. Ale ponieważ on o tym ze mną nie rozmawiał, to ja
myślałem, że jemu się nie chce, że mu nie zależy. Mnie
zawsze zależało na tym, żeby pracować i wymyślać coś
nowego, więc ten „opór materii" ze strony Michała mi
przeszkadzał. Często mówił, że musi sobie najpierw
poukładać w życiu i głowie, żeby mieć czyste pole do pracy. W końcu, gdy ten stan trwał już kilka lat, doszedłem

do wniosku, że nic mu się już nie poukłada, bo on te problemy życiowe ma od kiedy go znam i nawet jak się coś w jego życiu prostowało, to później zawsze, z różnych względów, znowu to mu się gmatwało. Zawsze miał o czym myśleć – jak nie o tym, to o tamtym, zawsze jego głowa była czymś zajęta. W pewnym momencie mu odpuściłem i przyjąłem, że ten typ tak ma i już. Uświadomiłem sobie, że taka widać moja karma, że nie mam co liczyć, że Michał przyjdzie z fajnym pomysłem. Potem już wszyscy to zrozumieli, wszyscy to przegadaliśmy. I od tego momentu uznałem, że jak ma się coś nowego pojawić, to muszę to wymyślić ja. Oczywiście, potem, jak już jest jakaś sytuacja albo postać, to on dołoży do tego swoje pięćdziesiąt procent i to tak, że wyjdzie super. To jest bardzo ważne. Ten proces myślenia w domu, w samotności, bywa ciężki. Teraz siedzę nad nowym programem i jestem w czarnej dziurze, ale będę musiał sobie jakoś poradzić.

Mieliśmy kryzysy z tego powodu. Ja miałem mu to za złe, on tego nie dostrzegał i w pewnym momencie oddaliliśmy się od siebie. Ale potem to wracało. Ta relacja między nami przechodziła różne fazy, aż doszło do momentu, że Michał pieprznął drzwiami i wyszedł. Było to w Warszawie, poszedł w pizdu dziesięć minut przed występem w Teatrze Komedia. Musieliśmy odwołać występy. Coś tam narosło, z różnych powodów, rodzinnych i zawodowych. Jego i moje nawarstwiające się problemy zderzyły się z trudnościami stricte kabaretowymi. Obaj próbowaliśmy przerzucać się odpowiedzialnością.

Na szczęście ten stan nigdy nie trwał długo. Zawsze po wybuchu albo kłótni, bo tych mieliśmy sporo, szybko wracaliśmy do pracy.

Były rozmowy dyscyplinujące?

Były i takie rozmowy. Ale ile razy można rozmawiać o tym samym? Skoro nie poukładał sobie życia przez piętnaście lat, to przez następne piętnaście też sobie nie poukłada. To on musi tego chcieć, nic nie da, że ktoś mu o tym mówi. Michał jest zamknięty na wszelkie sugestie płynące z otoczenia. Zwłaszcza jeżeli nie są takie, jakich on by sobie życzył. „Idę na terapię, ale jak mi pani psycholog powie, że jestem zły i źle postępuję, to już nie będę chodził, bo pani mi mówi niemiłe rzeczy. To inni są źli".

Parę razy z Kołkiem próbowaliśmy go ukierunkować albo chociaż wysłuchać jego punktu widzenia, bo przecież jego problemy też nas dotyczą. Ale w pewnym momencie nie tyle odpuściliśmy, co stwierdziliśmy, że on ma swój sposób na rozwiązywanie problemów. I to się nie zmieni. Michał popełniał błędy i pewnie będzie to robił, ale chodzi o to, żeby było ich jak najmniej.

Michał jest osobą, która niewiele rzeczy da sobie powiedzieć. Pewne wybory, których dokonuje, są najlepsze. Jest w trakcie rozwodu i, mimo że mówiliśmy mu z Kołkiem, żeby postąpił w pewien sposób, to on i tak zrobił po swojemu. Po czym okazało się, że mieliśmy rację i zrobił się kolejny problem. Ale on nie przyjdzie i nie powie: „Okej, dałem dupy", nie przyzna się do błędu i dalej będzie się miotał. Jego wadą jest to, że potrafi się zacietrzewić i nie słucha żadnych rad. Ani ja, ani Kołek, nie jesteśmy dla niego autorytetami. Gdyby do paru rzeczy w życiu podszedł z pokorą, byłoby mu łatwiej. Ale to już taki charakter. Jeżeli jemu jest z tym na tyle dobrze, że nie chce się zmieniać, to wszyscy muszą się do tego przyzwyczaić.

Kilkanaście razy rozmawialiśmy z Michałem o tym, że jeżeli nie potrafi uporządkować rzeczy, które mu zaprzątają głowę poza kabaretem, to niech się chociaż stara, żeby to nie wpływało na naszą pracę. Ostatecznie stanęło na tym, że wziąłem na siebie tworzenie koncepcji i wymyślanie nowych rzeczy.

Bywało tak, że pisałem w nocy jakieś teksty, wysyłałem je mailem do chłopaków, za dwa dni wsiadamy do busa, pytam, jak im się podobały nowe skecze. Okazywało się, że Michał nawet ich nie przeczytał. Potem ustaliliśmy, że jest zwolniony z pewnych rzeczy, bo nie umie albo nie chce. Ale musieliśmy mu uświadomić, że jego praca w kabarecie daje mu przyjemność, utrzymuje jego i jego rodzinę, a poza tym jest czymś, w czym jest naprawdę dobry. Nikt nie chce, żeby on to zaprzepaścił.

To wspomniane wcześniej trzaśnięcie drzwiami spowodowało jakiś dłuższy kryzys? Długo to trwało?

To są krótkie epizody. Takie spięcia kończyły się wybuchem, a potem udawaniem, że nic się nie stało. To mnie strasznie wkurzało. Nie powiedział: „Sorry, wkurwiłem się niepotrzebnie." albo „Dałem ciała.", co by załatwiło sprawę. On to potrafił przeciągać miesiącami i udawać, że nic się nie stało.

Ale i tak jest duża zmiana, bo po jednym z ostatnich wydarzeń przyszedł i powiedział, że przeprasza i że to się nigdy nie powtórzy. Wygląda na to, że dorośleje.

A tobie zdarzało się trzaskać drzwiami?

Chyba nie. Byłem kilka razy bardzo zdołowany, ale nie tylko z powodu sytuacji związanych z Michałem czy Kołkiem, bo takich było mnóstwo w kabarecie. Ja też mam trudny charakter, wydaje mi się, że wszystko wiem najlepiej i próbuję wszystkich przekabacić na swoją stronę. Mam taką cechę charakteru, że nie potrafię czegoś zostawić, jeżeli to nie jest przegadane od A do Z. Nie umiem trzasnąć drzwiami, muszę drążyć tak długo, aż wyjaśnię sprawę. To też generuje jakieś problemy. Ale nigdy nie dopuściłem do momentu, że kabaret mnie tak zmęczył, żebym miał dość. Dużo nerwów kosztowało mnie zrozumienie różnych wyskoków Michała, na szczęście zawsze był Kołek, który jest bezpiecznikiem, gaśnicą. Często stawał po mojej stronie, a kiedy Michał widział, że ma dwie osoby przeciwko sobie, to ustępował. Bywało tak przy okazji różnych konfliktów, także tych dotyczących spraw czysto technicznych, jak na przykład wybór plakatu. Często bywało, że Michał się z czymś nie zgadzał, nawet gdy nie miał argumentów, ale po jakimś czasie udawało się go przekonać. Wiecznie w opozycji, lubił się podroczyć.

Dlatego Kołek jest w takich sytuacjach potrzebny, choć i on czasem mówił mi „Nie!".

A jak się resetujesz w takich sytuacjach? Jakiś wysiłek fizyczny? Biegasz? Otwierasz butelkę?

Butelka to nie jest reset, bo to następnego dnia do ciebie wróci. Myślę, że najlepsze jest przeczekanie. Kiedy Michał pieprznął drzwiami i wyszedł z Teatru Komedia, to powiedziałem: „Jedziemy do domu". Tam jest rodzina, można sobie wszystko na spokojnie przemyśleć. Gdy ktoś w naszej grupie stworzy problem, a potem ochłonie, to dochodzi do wniosku, że kabaret jest czymś bardzo ważnym. Jestem przekonany, że jak Kołek albo Michał trzaśnie drzwiami, to za kilka godzin czy dni dotrze do niego, że kabaret to jest jego praca. Przecież nie pójdzie pracować gdzieś indziej. Ani Mru-Mru to nie jest obóz pracy przymusowej, ale z drugiej strony, skoro robimy to od piętnastu lat na jakimś tam poziomie i sprawia nam to przyjemność, to takie przemyślenia muszą człowiekowi przyjść do głowy. Oczywiście zdarzyło nam się resetować alkoholem, ale to nie rozwiązuje problemu. Rozmowy po procentach nie pomagają, nie ratują świata, niewiele wnoszą. Po alkoholu mówi się dużo dziwnych rzeczy.

Jesteście z Michałem przyjaciółmi?

Myślę, że nie. Smutno to zabrzmiało. Może trochę tak, ale jesteśmy specyficznymi przyjaciółmi. Cholernie się lubimy, szanujemy się, cenimy, natomiast do przyjaźni jeszcze brakuje. Kiedyś było nam do tego bliżej niż dziś. Teraz każdy z nas, oprócz tego, że funkcjonujemy w jednej grupie, ma swoją rodzinę, swoje sprawy, swoich znajomych. Dużo czasu odpoczywamy od siebie. Nie zdarzyło mi się w ciągu tych piętnastu lat, żeby Michał zadzwonił do mnie albo ja do niego z pytaniem: „Co tam słychać?". W pierwszych latach działalności zdarzało nam się gdzieś razem wyjechać, spotykać na imprezach, ale teraz już nie. Nie mogę powiedzieć, że go nie lubię. To jest superfajny facet. Ma mnóstwo wad, ale i mnóstwo zalet. Ale ja mam innych przyjaciół. Jednak z drugiej strony, gdybym do Michała zadzwonił z Bangkoku i powiedział, że mnie okradli z pieniędzy, to jestem pewien, że Michał byłby pierwszy, który by do tego Bangkoku przyjechał. I tak samo ja byłbym pierwszy przy nim, gdyby miał problemy. Klimat naszej pracy i nasze charaktery sprawiają, że dobrze się czujemy, spędzając tyle czasu z daleka od siebie. Ta przyjaźń na niwie prywatnej jest niepełna.

Przyjaźnisz się z kimś z branży?

Raczej nie. To jest taka sama sytuacja, jak z Michałem. Z Góralem spędzam mnóstwo czasu, ale też do siebie nie dzwonimy, nie pytamy, co tam się działo ostatnio. Żaden z nas tego nie oczekuje. Ale dogadujemy się świetnie. Nie mam przyjaciół w branży. Najbliżej jestem z Kołkiem, wiem o nim najwięcej, on wie najwięcej o mnie, bo jesteśmy na wyciągnięcie ręki, najczęściej ze sobą gadamy. Ale nie odwiedzamy się w domach. W Lublinie częściej widuję się z nim niż z Michałem. Przegadujemy więcej czasu, konsultuję z nim dużo rzeczy, zarówno tych związanych z kabaretem, jak i tych spoza niego. Przyjaciół mam poza pracą. Być może relacja w kabarecie przeszkadza w rozwinięciu się prawdziwej przyjaźni. Tu się bawimy, spotykamy, konkurujemy. Jest fajnie, ale te więzi z ludźmi z branży są niepełne. Dla mnie przyjaźń to jednak coś innego. Nie mam pojęcia, jak jest u innych, ale nie sądzę, żeby w Moralnym Niepokoju spotykali się ze swoimi rodzinami czy jeździli razem na narty.

Ale do Górala ci najbliżej? Oczywiście pomijając chłopaków z Ani Mru-Mru.

Myślę, że tak. Ja go strasznie podziwiam, bo to jest jeden z najbardziej płodnych i błyskotliwych ludzi w tej branży. Nie powiem, że najbardziej, bo bym obraził na przykład bardzo twórczego i inteligentnego Andrzeja Poniedzielskiego, którego uwielbiam. Do Górala jest mi najbliżej z powodu jego poczucia humoru. Świetnie się dogadujemy, fajnie zgrywamy. Kiedy tylko go poznałem, od razu między nami zaiskrzyło. Potem zauważyło to parę osób w telewizji i stwierdziło, że żal byłoby tego nie wykorzystać, więc pojawiły się wspólne projekty z Robertem. Świetnie nam się współpracuje, zresztą od niego też usłyszałem, że poza jego kabaretem, ze mną pracuje mu się najlepiej.

Kilka razy był wsadzony na minę i musiał coś sam poprowadzić. Na przykład jedną z Nocy Listopadowych. On prowadził, a ja występowałem z kabaretem. Później mi mówił, że to nie było to, że brakowało mu mnie u boku. Lubię z nim pracować, bo oprócz tego, że jest tytanem pracy, to ma jeszcze taką lekkość, bardzo chce i lubi pracować. Robota z nim była dla mnie taką odskocznią od Ani Mru-Mru. Bo tu sam musiałem coś wymyślać, pracować i potem pokazać skecz.

Pamiętam, jak kiedyś mieliśmy wystąpić na Ryjku; do imprezy zostały dwa tygodnie, i nic nie było zrobione. Mieliśmy się wycofać, ale powiedziałem: „Ni chuja, nie wycofamy się, będziemy to grać. Macie się wziąć w garść i musicie to zrobić". I oni, przyparci do muru, musieli przygotować występ.

To są ciężkie momenty, ale z Góralem jest inaczej. Jemu się chce, mnie się chce, razem wymyślamy jakieś rzeczy. To jest też odskocznia od pracy ciągle z tymi samymi twarzami. Bo i w jego kabarecie, i w moim były opory, żebyśmy coś razem robili. Być może pozostali czuli się zagrożeni, że zechcemy odejść i stworzyć nowy zespół. Ale ja jasno ustaliłem, że na pewno nie zrezygnuję z mojego zespołu. Michał się bał, że moja para pójdzie w ten drugi gwizdek i nie będę już tworzył dla Ani Mru-Mru. Tymczasem okazało się, że praca z Góralem mnie napędzała, odświeżała, pozwoliła mi wrócić do naszego kabaretu z nowymi pomysłami, które wpadały podczas pracy z Robertem.

Za co najbardziej go cenisz?

Jest świetnym autorem, pisze kapitalne teksty. Ktoś może powiedzieć, że nie są to teksty wybitne, ale mnie bawią, a to jest najważniejsze. Często mu ich zazdrościłem, oczywiście w tym pozytywnym znaczeniu. Słuchałem jakiegoś skeczu albo pokazywał mi przed wspólnym programem jakiś tekst i wtedy sobie myślałem: „Cholera, kolejna petarda". Ja siedzę w domu, główkuję, a on pokazuje mi coś, co sobie gdzieś tam wymyślił. Poza tym cenię go za to, że jest taki normalny. Ktoś mógłby powiedzieć, że to najlepszy kabareciarz w Polsce, a mimo to on jest zawsze skromny. Nigdy nie dał mi odczuć, że jest lepszy ode mnie, że jego kabaret jest lepszy od naszego. No i nigdy na znajomości z nim, i na pracy z nim, nie sparzyłem się. Zawsze dzielimy się robotą po równo, pomagamy sobie.

Te rzeczy, które robicie razem, to są wasze wspólne dzieła? Na przykład *Posiedzenia rządu*.

Za *Posiedzenia rządu* odpowiadał Góral, on je pisał. Ale zawsze wcześniej wysyłał mi teksty i bardzo chętnie wysłuchiwał wszelkich moich uwag. Tu coś skrócić, tam coś dodać. Ja potrafię napisać skecz, ale z łatwością przychodzi mi też poprawianie cudzych tekstów. Już po wstępnym przeczytaniu jestem w stanie przewidzieć, w którym miejscu będzie fajnie, a gdzie będzie lipa. Te teksty nie były nigdy sprawdzane na publiczności. Po prostu wychodziliśmy i graliśmy. Góral zawsze wierzył mojemu wyczuciu sceny, akceptował moje sugestie. On pisał *Posiedzenie*, a ja pisałem piosenki, bo to akurat mi wychodzi, zwłaszcza przerabianie. Podczas wspólnych występów bywało różnie, czasem on, czasem ja.

A jak ci się pracuje z „cywilami"? W *Spadkobiercach* **miałeś okazję pracować z kilkudziesięcioma.**

Nie wszystkich miałem okazję potem obejrzeć po nagraniu. Ale olbrzymie wrażenie zrobiła na mnie Monika Dryl. Pozamiatała w *Spadkobiercach*, po prostu wyszła i zrobiła, co trzeba. Na plus są osoby, które nie boją się improwizacji: Maciej Stuhr, Emilian Kamiński. Natomiast największe problemy były z aktorami. Byli za sztywni, a co gorsza wcześniej sobie coś powymyślali i trzymali się tego. Czyli nie szli w pełną improwizację, tylko wymyślili sobie, że będą szli jedną drogą i niezależnie od tego, jak scena się rozgrywała, to oni brnęli dalej. Improwizacji nie da się nauczyć. Ja tego od aktorów nie wymagam, tak samo jak nie wymagam tego od Adama Małysza, ale przynajmniej wiem, że będzie naturalny. Aktorzy nie dość, że nie wszyscy potrafią improwizować, to na dodatek boją się, że im coś nie wyjdzie. My, występując w *Spadkobiercach*, mamy taką świadomość, że jak coś nie wyjdzie, to trudno. Nawet jak ktoś powie na koniec: „Coś nie zażarło", to też będzie śmiesznie. Natomiast aktorzy, nie wszyscy, ale bardzo wielu, mają bardzo mały dystans do siebie. Jest taka zależność, że im mniej znany aktor, tym mniej ma tego dystansu. Zdarzało mi się pracować z naprawdę znanymi aktorami. Nie zapomnę, jak byliśmy u Kuby Wojewódzkiego razem z Wojciechem Pszoniakiem. Zrobił na mnie niesamowite wrażenie. Facet z wielką klasą, olbrzymim poczuciem humoru, łatwo, bez wysiłku rzucający zabawne teksty. Ale spotykałem też takich aktorów, którzy za wszelką cenę chcieli wypaść tak, jak sobie wymyślili. I nie mam na myśli tylko *Spadkobierców*, ale także inne programy. Wtedy to jest dramat. My to widzimy i ludzie to widzą. Poza tym zawsze mamy problem z aktorami, bo oni kabareciarzy traktują jak gorszych od siebie. Ale to już ich problem.

Pamiętam odcinek *Spadkobierców*, w którym wystąpił Andrzej Poniedzielski. Dariusz Kamys wymyślił, że Poniedzielski zagra syna Artura Andrusa, czy może odwrotnie. W każdym razie jeden miał do drugiego mówić „tato". Tak się gotowali, że nie byli w stanie grać. Jeżeli ktoś ma naturalne poczucie humoru, jak Wojciech Mann czy Kamiński, to się nie boi wejść w taką konwencję i efekt zawsze jest świetny. Są też aktorzy, którzy próbują być zabawniejsi od Aśki Kołaczkowskiej. To wtedy jest w ogóle dramat. Aśka przestaje żartować, ten delikwent wywraca się na drugą stronę sześć razy i efekt jest tragiczny.

A z którym aktorem chętnie byś się spotkał na scenie? Kogo byś sprawdził w improwizacji?

Na pewno Roberta Więckiewicza, Bartka Topę, Jacka Braciaka, Mirosława Bakę i Janusza Chabiora. Imponują

121

mi aktorzy z warsztatem. Nie jest sztuką wyjść na scenę i się powygłupiać. Każdy może zrobić z siebie błazna. Wydaje się, że ten koleś nic nie robi, a jednak robi. Kiedyś chcieliśmy spróbować się z Agnieszką Dygant. Zaproponowaliśmy jej udział w festiwalu na Pace. Robiliśmy taki program *Ani Mru-Mru z kobietami*, do każdego skeczu zapraszaliśmy kobietę. To były babki z różnych kabaretów, a także kilka spoza. Zagraliśmy z Ewą Drzyzgą, Dorotą Wellman, która prowadziła z nami skecz o terapii dla uzależnionych i wypadła świetnie. Trzeci pomysł był taki, że jesteśmy trójką niesfornych dzieci i byliśmy już dogadani z Dorotą Zawadzką. Wtedy program *Superniania* był bardzo popularny. Pomyśleliśmy, że skoro mamy „supernianię", to zaprosimy też „nianię" z serialu, czyli Agnieszkę Dygant. Ale Agnieszka, kiedy się dowiedziała, że ma zagrać przed żywą publicznością, to zrezygnowała. Bo ona się boi żywej publiczności. Ciekawe.

Bardzo lubię aktorów, którzy grają minimalistycznie. Ale z kolei na drugim biegunie jest na przykład Cezary Pazura, superaktor, z którym prywatnie bardzo dobrze się znamy i lubimy. On ma mnóstwo środków wyrazu i wszystkich ich używa. Taki polski Jim Carrey – czego by nie grał, to zawsze coś od siebie dołoży. Kiedyś Góral zaprosił do skeczu Kabaretu Moralnego Niepokoju Jacka Braciaka. Taka zazdrość mnie brała, gdy patrzyłem, jak on gra. Miał zbudowaną postać od A do Z i nawet się na centymetr poza nią nie wychylił, nie używał żadnych niepotrzebnych środków. Był bardzo zabawny, śmieszny i robił to wszystko z taką lekkością.

My, kabareciarze, nie jesteśmy angażowani do filmów i sztuk teatralnych, bo z aktorstwem nie mamy nic wspólnego i jesteśmy jednoznacznie kojarzeni z błazenadą. Z kolei aktorzy nie grają w kabarecie, bo to są dwa różne światy.

A jak doszło do współpracy z Michaelem Palinem?

W sumie znam to tylko z opowieści, bo ja nie rozmawiałem z Michaelem, dlaczego akurat my. Z tego co wiem, on w cyklu swoich programów podróżniczych miał odwiedzić Europę Wschodnią. Ludzie, którzy robili dla niego research, powiedzieli mu, że Monty Python jest w Polsce bardzo znany, i że u nas bardzo prężnie działa scena kabaretowa. I że to jest taka formuła, której w Wielkiej Brytanii już nie ma. Bo trzeba pamiętać, że Monty Python był grupą kabaretową. To nie byli stand-uperzy, którzy stali na scenie i opowiadali różne rzeczy. To były skecze, wprawdzie telewizyjne, ale jednak skecze. Jak on się dowiedział, że u nas jest sporo kabaretów, to zażyczył sobie próbek różnych grup. Wybrał nas, najprawdopodobniej z powodu Michała. Czyli znowu „jadę na talencie tego chudego". Oprócz tego, że ludzie się zaśmiewali, było to coś, co można pokazać w angielskiej telewizji. Bo to było czytelne. Dostaliśmy propozycję od BBC, skontaktowaliśmy się, omówiliśmy szczegóły i pewnego dnia spotkaliśmy się w Elblągu z Michaelem Palinem. Przyszedł taki człowieczek w skafanderku i wystąpił z nami na scenie w numerze *Arka Noego*. Okazało się, że to bardzo przyjemny facet, żaden gwiazdor. Ale był strasznie stremowany, mówił, że to jest jego pierwszy występ na żywo po dwudziestu pięciu latach. Został wspaniale odebrany przez publiczność. On też się świetnie bawił, po występie przyszedł, podziękował. W Polsce to się odbiło szerokim echem. Mam rodzinę w Anglii i jak oni obejrzeli Michaela Palina występującego z nami w kraju, to się nagle okazało, że ten kuzyn z Polski coś jednak znaczy. Świetna sprawa, zostanie to na zawsze w historii naszego kabaretu i w naszej pamięci.

Wybór skeczu był raczej oczywisty. Michael nie musiał nic mówić.

Najpierw był pomysł, żeby się nauczył jednego zdania po polsku i coś spuentował w skeczu. Trzeba by było jednak wymyślić nowy numer, żeby on wszedł i powiedział swoją kwestię. Ale jak zobaczył tę piosenkę, to stwierdził, że chciałby zagrać dziecko. To on o tym zdecydował.

Teraz Monty Python wrócił na scenę, na kilka występów. Widziałem, było okej, ale oni są już strasznie starzy.

No i tego się obawiam w naszym kabarecie. Będziemy grali, wciąż może będzie śmiesznie, ale ludzie będą mówić: „Cholera, ale oni są starzy".

No dobra, oni mają prawie po osiemdziesiąt lat.

Zawsze tak jest, jak wraca jakaś legenda. Podobnie jest u nas z Zenonem Laskowikiem. Wrócił, jest fajnie, ci ludzie, którzy go pamiętają z Teya, z tamtych lat, powiedzą: „O, wrócił stary, dobry Zenek". Ale ci, którzy teraz oglądają Łowców, Moralny Niepokój, czy stand-up, pomyślą sobie, że to jakiś relikt przeszłości. Oni niekoniecznie łapią ten rodzaj humoru. Studentów na jego występ raczej nie zaciągniesz. Dla nich ikoną kabaretu nie jest Laskowik, tylko Neo-Nówka. Tak właśnie jest z tymi powrotami po latach, czy graniem do późnego wieku. Zenek to superfacet. Poznałem go, zanim ogłosił, że wraca, bo wcześniej był jurorem na festiwalach kabaretowych, na których startowaliśmy. Miałem okazję z nim pogadać i zrobił na mnie świetne wrażenie. Otwarty, szczery, skromny, ale ze swoją wizją kabaretu. Kiedyś był taki wariacki, a teraz ma chęć bycia mentorem, ale w takim pozytywnym tego słowa znaczeniu.

Jak się zarabia w kabarecie? Zbudowałeś dom, masz niezły samochód.

Podejrzanie dobrze. Nie wiem, jak się zarabia w innych kabaretach, ale pewnie na podobnym poziomie. U nas jest fajnie, bo kasę się dzieli na trzy. Są jeszcze inne „pasożyty" – w cudzysłowie oczywiście – które z tego ciągną. Ale jak na polskie warunki zarabiamy bardzo dobrze. Kiedyś, kiedy więcej pracowaliśmy, to zarabialiśmy jeszcze więcej. Ale sami zdecydowaliśmy o tym, że będziemy pracować mniej, żeby nie zaniedbywać rodzin. Ale w kabarecie zarabia się dużo, co też potrafi człowieka spaczyć i zatraca się realne widzenie świata. Mówię to nie tylko z własnego doświadczenia. Kiedyś udzielałem wywiadu i ktoś mnie spytał, ile kosztuje jajko.

Klasyczne pytanie, jakie media zadają politykom, żeby pokazać ich oderwanie od rzeczywistości.

Złapałem się na tym, że nie wiem, ile kosztuje jajko. Po prostu nie patrzy się na cenę, wrzuca się do koszyka i już. Zresztą mało kto wie, ile trzeba zapłacić za jajka. Zwróciłem uwagę na to, że nie patrzę na ceny i stać mnie na wiele rzeczy. Ale od dziesięciu lat mądrze zarządzam finansami. Wiem, że ta świetna passa nie będzie trwała wiecznie, ale nikogo nie okradam, płacę podatki, nagrodą jest dla mnie moja ciężka praca i to, że mi się udało. Nigdy nie narzekałem na pieniądze, nigdy nie mówiłem, że zarabiamy za mało. Mam tyle pokory w sobie, bo doceniam to, że to, co robię, jest moją pasją i mogę żyć na bardzo wysokim poziomie.

Największe pieniądze są z występów?

Tak, podobnie jak w przypadków muzyków ze sceny alternatywnej, disco polo, czy hip-hopu. Oni grają koncerty cały rok i na tym najlepiej zarabiają. W naszym przypadku podobnie, od czasu do czasu pojawiają się też propozycje wzięcia udziału w reklamie – ale to są jednorazowe strzały – które przyjmujemy albo i nie. Ktoś mógłby powiedzieć: „Po cholerę szliście do tej reklamy". Ale to są sprawy, które rozpatrujemy indywidualnie.

Dużo mieliście propozycji reklamowych?

Sporo. Około dziesięciu na pewno. Były prowadzone zaawansowane rozmowy z jednym z czołowych producentów wafelków i już mieliśmy jechać na zdjęcia, ale zmienił się dyrektor i nic z tego nie wyszło. Wzięliśmy udział w reklamach oranżady i banku, do tego takie pojedyncze strzały. Ja wziąłem udział w internetowych kampaniach, między innymi jakichś jogurtów. Głównie są to internetowe spoty, w telewizji była puszczana reklama oranżady. Szczerze mówiąc, nie jestem z niej szczególnie zadowolony, ale taki to był produkt.

Mieliście wpływ na kształt spotów albo na ich scenariusz?

Jakiś tam wpływ mieliśmy. Chcieliśmy wprawdzie zrobić coś inaczej, ale ludzie, którzy zajmują się robieniem reklam, przekonali nas do zmiany. Powiedzieli, że ta reklama ma się podobać nie nam, tylko ludziom, którzy kupują oranżadę. Ja nie kupuję codziennie tego typu napojów, więc mam świadomość, że ta reklama podoba się ludziom, którzy tę oranżadę kupują. Producent zadecydował o kształcie spotu, a my wzięliśmy tę robotę. Część ludzi mówi, że jest beznadziejna, że stać nas na więcej, ale realia reklamy są takie, a nie inne, więc się zgodziliśmy i już.

Ale te spoty internetowe są w waszym stylu.

Internetowe tak. Ale to zupełnie inna historia. To my je pisaliśmy i one były lepsze i gorsze, ale były bardziej nasze. Problemy też były, bo albo tu nie można było użyć jakiegoś słowa, albo tam coś było za mocne. Ale te spoty telewizyjne, w stylu *Zabiorę cię właśnie tam*, to trochę mniej. Pomysł, żeby się pojawiały dzieci, które miały nas przypominać, był fajny, ale sama realizacja już niekoniecznie wyszła jak należy. Gdyby to ode mnie zależało, to bym to zrobił lepiej. Ale miałem tam tylko wystąpić. Najważniejsze, że tamta strona była bardzo zadowolona.

Oczywiście wspomniana oranżada skusiła was swoim doskonałym, niepowtarzalnym smakiem.

Doskonałym smakiem i biletami Narodowego Banku Polskiego. Kampania przyniosła też całkiem niezłe efekty i mamy propozycję, żeby w przyszłości zrobić coś jeszcze. Czyli się sprawdziło. Na tej samej zasadzie ludzie boczą się na reklamę z Eweliną Lisowską, że śpiewa: „Włączamy niskie ceny", ale ta reklama jest bardzo skuteczna. I o to chodzi. Ona nagrała tylko piosenkę, a jak to się potoczyło dalej, to już nie jej wina.

MRU

Jabbar od małego rozśmieszał ludzi w parkach, na ulicach i w sklepach.

Marcin świadomą karierę zaczynał w ósmej klasie podstawówki na klasowych prywatkach.

Waldek był jedynym harcerzem w Polsce, który na „Czuwaj" odpowiadał „...czuwam, cały czas czuwam".

Tofik urodził się w 2000 roku w Lublinie, w Winiarni u Dyszona.

Winiarnia u Dyszona. Początki Ani Mru-Mru, skecz „Porodówka". Listopad 2000.

Bruce Lee to drugi, po Chaplinie, największy idol Michała.

Waldek jest byłym gitarzystą takich zespołów jak: KNOT, HUFIEC, BATON i Z DESZCZU POD TĘCZĘ.

Pierwszy skład Ani Mru-Mru: Michał Wójcik, Joanna Kolibska, Marcin Wójcik i Waldemar Wilkołek.

Grand Prix w Lidzbarku, 10 000 PLN podzielone zostało na pniu.

Nikt nie wiedział, w którą stronę to wszystko pójdzie.

„…jak się panom podobało w… ???"

Chójnik

Mel Gibson i Ani Mru-Mru. Szkocja 2011.

Licheń, jedno z niewielu miejsc, w którym nie graliśmy.

Podbój Ameryki zaczynaliśmy od pakowania naszego DVD w pudełka. Obóz pracy przymusowej w Toronto.

Po raz pierwszy na Florydzie
najpopularniejszy polski KABARET

"ANI MRU MRU"
wystąpi w Auditorium Polskiego Centrum
im. Jana Pawła II-go w Clearwater

w dniu 17 lutego 2008 r.o godz. 5 p.m.
Zapraszamy!   wstęp: $ 25.00.

Tel. 298 - 8609.

Takie plakaty mieliśmy na Florydzie. Po występie przyszła starsza pani i dała nam po 20$ … wielki świat.

Kwintesencja Zakopanego…

Patrzę na ściany i widzę te wszystkie mutli-platynowo-diamentowo-złote płyty. Rozumiem, że zyski ze sprzedaży waszej pierwszej płyty pozwoliły na zbudowanie jednego piętra domu?

Na pewno zarobiliśmy nieźle na pierwszych dwóch czy trzech płytach. To były naprawdę dobre pieniądze. Można by z nich zbudować całe piętro. Byliśmy pierwszym kabaretem, który wydał płytę profesjonalną DVD w Polsce, która okazała się strzałem w dziesiątkę. Sprzedała się w nakładzie ponad stu trzydziestu tysięcy egzemplarzy i cały czas się sprzedaje. Ogromny nakład, pieniądze były naprawdę spore, każda następna płyta szła już gorzej. Mamy z tego jakieś profity, ale rejestrujemy to bardziej dla ludzi, którzy zbierają płyty Ani Mru-Mru z naszymi kolejnymi programami. Dla nas też jest to ważne, możemy dać komuś płytę w prezencie. Ale największe pieniądze zarabia się nadal na występach.

A w telewizji?

Z tym bywa różnie. Zależy od negocjacji z telewizją. Jak nam nie zależy, to zarabiamy więcej. Jak nam pasuje, to zarabiamy mniej. Jak po przyjacielsku, to mniej, a jak musimy coś zrobić, to więcej. Jeden występ w telewizji to równowartość trzech występów na żywo. Wszystko też zależy od rangi i wielkości imprezy. W programach telewizyjnych jest tak, że nie jest ważne, co pokaże Ani Mru--Mru czy Kabaret Moralnego Niepokoju. Ważne, żeby

w zapowiedziach tego programu mówić głośno i wyraźnie, że pojawi się to i tamto. Ludzie włączają telewizory
i oglądają. I o to właśnie chodzi. My czasem pokażemy
numer gorszy, czasem lepszy, to jest nasza decyzja i to na
nas spada potem ewentualna krytyka. Ale wyczuwamy
dobrze, kiedy, jak i co sprzedać. Kiedy jest program pod-
sumowujący trzydziestolecie Paki, to wiadomo, że zrobimy to za mniejsze pieniądze, bo liczy się też przyjemność
spotkania z innymi kabaretami. Natomiast jeśli ktoś,
kogo nie znamy, proponuje nam występ, bo robi jakiś
kabareton, to żeby mógł wykorzystać wyrobioną markę,
którą oprócz nas ma jeszcze kilka innych kabaretów, żeby
zadziałał efekt „konia pociągowego", to musi nam odpowiednio zapłacić. Wówczas zarabiamy więcej. Czasem
gramy za nieduże pieniądze. Czasem w ogóle nie bierzemy pieniędzy, na przykład gdy występujemy na DVD
zaprzyjaźnionego kabaretu.

A kiedy zaczęliście dobrze zarabiać?

Już za czasów naszej pierwszej menadżerki. Ale podej-
rzewaliśmy, że moglibyśmy zarabiać jeszcze lepiej. Na
przykład dochodziły nas słuchy, że graliśmy imprezę –
jakiś kabareton, na który przyszło sześć tysięcy osób – za
którą braliśmy, przykładowo, pięć tysięcy złotych. A po
występie przychodził do nas organizator i dawał nam
kolejne pięć tysięcy jako bonus. To nam otworzyło oczy,
że chyba za mało dostajemy za swoją pracę. Rozstaliśmy
się z Kaśką, związaliśmy się z Arturem. Zaczęliśmy

zarabiać lepiej, i, co ważne, nie zdarzało się, że ktoś nas wyrolował i nie zapłacił. Od dziesięciu, jedenastu lat zarabiamy bardzo dobrze. Artur miał przez chwilę kilka kabaretów pod swoją opieką, ale stwierdził, że jak się skupi tylko na Ani Mru-Mru, to będzie to z pożytkiem zarówno dla nas, jak i dla niego.

Dziesięć lat temu graliśmy jedenaście, dwanaście dni z rzędu po dwa występy dziennie. Ale wtedy byliśmy młodsi. W tamtym okresie zdecydowałem się na budowę domu. Wtedy nigdy nie ma się za dużo pieniędzy. Więc pomyślałem sobie, że skoro zarobiłem – przykładowo – w jednym miesiącu sto tysięcy, to dlaczego w następnym nie mam zarobić sto pięćdziesiąt? Pomnożyłem to sobie przez liczbę miesięcy, dodałem kredyt i coś tam wyszło. A jak wybudujesz dom, kupisz samochód, pojedziesz na wakacje, to wcale już nie musisz zarabiać ogromnych pieniędzy, żeby żyć na dobrym poziomie. Kiedy patrzę wstecz, to jestem w stanie się zrozumieć. Byłem zwykłym nauczycielem WF-u, mieszkałem u teściów, w zasadzie byłem nikim, bez perspektyw na życie na poziomie, na jakim żyję teraz. I nagle zaczynasz grać, zarabiać kupę kasy, jeszcze sprawia ci to frajdę. Zbudowanie domu przychodzi ot tak, kupuję sobie taki samochód, żonie kupuję inny samochód. Każdy, kto był w takiej sytuacji, postępuje identycznie. Widzę to po kabarecie Smile, oni są dokładnie w tym samym momencie kariery, w którym my byliśmy wtedy. Gdyby im się powiedziało: „zagrajcie czterdzieści występów w miesiącu", to by zagrali. Ale ich kariera przebiega inaczej. My wybiliśmy się błyskawicznie, a oni przez pierwsze cztery, pięć lat grali bardzo mało, długo czekali, aż im to wszystko zaskoczy. Nam pomogło też to, że w latach 2003–2004 był taki wielki boom na kabaret. Telewizja mocno wspierała scenę kabaretową, było dużo imprez tego typu. Działało mnóstwo świetnych i bardzo różnorodnych zespołów. Rok po nas pojawili się Łowcy.B, było Mumio, Moralny Niepokój, Krosny, działała Grupa MoCarta.

W tamtym okresie telewizja nie puszczała składanek, tylko pełne programy. Nasz program *Wieszak*, ten pierwszy, był pokazany w *prime time* w TVP w sumie kilkadziesiąt razy. Kiedyś nawet policzyłem i wyszło mi, że sześćdziesiąt dziewięć razy.

Jak ci się współpracuje z Arturem?

Nie będę kłamał, że jest idealnie. To jest cały czas droga przez mękę. Bywało gorzej, bywało lepiej. Spowodowane było to jakimiś tam problemami osobistymi Artura. Ale nigdy nie było tak, że nam czegoś nie wypłacił. Zdarzało się czasem, że zalegał nam z kasą i to powodowało różne spięcia. Co jakiś czas wszystko prostujemy i obecnie jest okej.

Chodziło tylko o pieniądze, czy były też problemy natury organizacyjnej?

Jeśli chodzi o te sprawy, to jesteśmy bardzo zadowoleni. Gdybyśmy nie byli, to już by Artura z nami nie było.

Było kilka takich momentów, w których myśleliśmy o zakończeniu współpracy, ale to było mówione w nerwach, ponosiły nas emocje i nigdy nie padły rzeczowe argumenty. W takich sytuacjach zadawałem jedno pytanie: „Jak nie Artur, to kto?". I do dziś nie ma na nie odpowiedzi. Doskonale się z Arturem dogadujemy prywatnie, świetnie się bawimy w samochodzie podczas trasy. No, ale każdy ma swoje wady i zalety. Czasem trzeba pilnować Artura, pytać, dlaczego coś nie zostało załatwione. Ale prze te lata tych plusów uzbierało się dużo więcej. Jest bardzo profesjonalny, świetny w negocjacjach i ma w sobie coś takiego, że ludzie go lubią. Dla kontrastu, podczas współpracy z Kaśką Jasińską, naszą pierwszą menadżerką, często słyszeliśmy, że jest profesjonalna i twarda w rozmowach o pieniądzach czy występach, ale z nią nie da się pracować. Że my jesteśmy fajni prywatnie, a ta babka to jakieś nieporozumienie. Ludzie jej nie lubili. To był jeden z powodów, dlaczego się z nią rozstaliśmy. Artura też wszyscy w branży znają, znają jego wady i zalety, ale wszyscy lubią z nim współpracować. Ma świetne kontakty z organizatorami w Polsce i za granicą.

Trzeba pamiętać o tym, że jego praca jest równie stresująca co nasza. Atakowany jest z zewnątrz i od wewnątrz. Z jednej strony obcy ludzie z tysiącem spraw, z drugiej strony my. Najciężej ma chyba jednak z Michałem. Ja i Kołek nie mieszamy życia prywatnego z zawodowym, ale Michał, jak ma wezwanie do urzędu skarbowego, dostanie mandat, nie działa mu karta kredytowa albo zgubi telefon, to przychodzi do Artura i mówi: „Artur, masz problem..."

Pieniądze idą na trzy równe części?

Nie. Jeśli chodzi o nas trzech, to jest podział procentowy 40:40:20. My z Michałem mamy więcej, Waldek mniej. Waldek akceptuje ten układ. Te umowy zostały skonstruowane jeszcze zanim Waldek zaczął występować na scenie. Teraz występuje niemal po równo z nami i nawet były ostatnio rozmowy o tym, czy nie zmienić podziału tak, żeby każdy dostawał jedną trzecią pieniędzy, ale Kołek powiedział jedną rzecz: że źle by się czuł, gdyby zarabiał tyle co ja. On zna swoje miejsce w szeregu. Zmiana obecnego układu spowodowałaby niezły mętlik w kabarecie. Jesteśmy wciąż postrzegani jako ci dwaj plus Waldek, ale wiem, jaką on pracę wykonuje w zespole. Mam na myśli pracę koncepcyjną. Wiem, że jak wsiądziemy do samochodu, będziemy jechać przez pięć godzin i ja mu powiem, że mam pomysł na skecz, napisałem połowę, ale nie wiem, co dalej, to on mi pomoże. Czasem ma więcej pomysłów niż Michał, ale na scenie oczywiście Michał jest siedem razy lepszy. A jeśli chodzi o ZAiKS, to całość biorę ja, jako autor tekstów. Nie oczekuję od chłopaków, żeby przynieśli skecze, bo od tego jestem ja i biorę ZAiKS. To mi wynagradza tę samotną pracę koncepcyjną.

Waldek, mimo że zaczynał od tego, że był odpowiedzialny za dźwięk, od zawsze coś wnosił do zespołu.

Czasem odrobina jego zaangażowania bardzo mi pomaga w pracy nad skeczem. A kiedy zaczął występować na scenie, to uczestniczy w tym jeszcze bardziej. Wiem, czym to jest spowodowane. Chodzi o to, żeby jak najmniej angażować się na scenie, bo on jest najbardziej leniwy z całej naszej trójki. Kiedy Waldek dostaje nowy program i się dowiaduje, że zagra w pięciu czy sześciu nowych numerach na osiem, to jest załamany. A jeszcze jak ma coś mówić, to już jest katastrofa. Więc często wyskakuje z pomysłem, że on będzie gościem w śpiączce albo zagra trupa. Tylko że ja też mam takie marzenie. Ale skoro to ja wymyślam skecze, to prędzej siebie obsadzę w takiej roli.

Piątym do brydża jest u was Emil...

Emil jest dźwiękowcem, człowiekiem od światła i kierowcą. Ale kierowcą jest każdy oprócz Michała. Michałowi nie bardzo pozwalamy siadać za kółko. Bo uważamy, że jak ktoś zrobił prawo jazdy w wieku trzydziestu ośmiu lat, to nie można mu do końca zaufać. Po tym, jak zrobił papiery, pojechaliśmy do Torunia i daliśmy mu przejechać trasę z hotelu do hali, w której graliśmy. Niby tylko trzy kilometry, ale każdy się trochę bał. Wprawdzie udało mu się dojechać, ale jak parkował, to walnął w drzewo. Do dziś rzadko mu pozwalamy prowadzić.

Emil pojawił się w kabarecie po to, żeby odciążyć Artura. Artur narzekał, że ma za dużo zadań. Bo oprócz tego, że był menadżerem, to jeszcze puszczał dżingle na występach.

Emil został przyjęty, żeby Artur nie musiał jeździć na każdy występ. To było w okresie, kiedy Artur zaplątał się w jakieś swoje sprawy i powiedzieliśmy mu, żeby się nimi zajął. Doszliśmy do wniosku, że stać nas na to, żeby kogoś zatrudnić i bez skrupułów powierzyć mu pewne zadania. Kiedy wracamy z trasy, Emil zajmuje się samochodem. Poza tym dba o to, jak spektakl wygląda i może załatwić jakieś sprawy gdzieś tam dalej. Jego zatrudnienie okazało się strzałem w dziesiątkę. Jesteśmy zadowoleni, on chyba też, zwłaszcza że ostatnio dostał podwyżkę.

Dubbingowałeś w kilku filmach, ale jako aktor w filmie się nie pojawiłeś. Nie miałeś propozycji?

Nie miałem. Ale mam zabawną historię z Czarkiem Pazurą. Spotkał się ze mną i mówi, że ma fenomenalny pomysł na film i ja będę w nim grał. To już urosło do anegdoty, bo już „zagrałem" chyba w szesnastu filmach Czarka. Ale chłopaki już występowali – Michał z Kołkiem w *Weekendzie*, a Kołek jeszcze w *Rysiu*.

Żałujesz, że nie ty?

Mógłbym spróbować, ale nie dostałem propozycji. Widocznie nikt nie uznał, że zasługuję na jakąś rolę. Nigdy też nie myślałem, żeby samemu napisać scenariusz, nigdy nie miałem pomysłu. Jakoś nic do głowy nie wpadło. Góral coś tam pisze, nie widziałem niczego konkretnego, ale opowiadał mi, że ma kilka koncepcji. Ale gdyby mi ktoś powiedział, że mam coś napisać, to może bym spróbował. I obsadził siebie, ale nie w roli wesołka, tylko jakiegoś czarnego charakteru, psychopatycznego mordercy.

A do *Baśni o ludziach stąd*, filmu zrobionego przez brać kabaretową, nie chciano cię zaangażować?

Wtedy jeszcze nie byliśmy zintegrowani z tym środowiskiem. Na Pace Grand Prix zdobyliśmy w 2003, dopiero zaczęliśmy jeździć na festiwale. A zdjęcia już wtedy były nakręcone.

Zagrałem za to kiedyś w teatrze. Jako zastępca. To było na Konfrontacjach Teatralnych w Lublinie i teatr z Lublina wystawiał sztukę, *Trzeci żołnierz*, tak to się chyba nazywało. Grałem tam postać, która jest pół-pompką, pół--człowiekiem. Niezmiernie dużo mnie to kosztowało. Miałem malutką rolę, ale reżyserzy strasznie zawile mi to tłumaczyli. To się działo w czasie, gdy jeszcze nie byłem znanym kabareciarzem. Ciekawe doświadczenie, odbywały się próby, z rozgrzewką, bieganiem, psychoaktywnymi zadaniami w rodzaju „wyobraź sobie środek swojego ciała". Zagraliśmy spektakl dwa razy i tyle. Byłem ubrany jak angielski rowerzysta, w czapeczce, bryczesach. I chodziło o to, że jestem pół-człowiekiem, pół-pompką i mam się poruszać w charakterystyczny sposób. I sam miałem ten sposób wymyślić. Wykonywałem jakiś taki „przyruch", co jakiś czas wydając dźwięk jak pompka.

Miałeś też wypadek na nartach.

Tak, doznałem typowo narciarskiej kontuzji – zerwania więzadła krzyżowego. Do dziś, choć może nie cierpię, ale to pamiętam. Od tamtej pory przestałem tak naprawdę jeździć na nartach, bardziej się ślizgam niż jeżdżę. I odkąd moja córka zaczęła jeździć, moje narciarstwo polega na długich zjazdach. Długim skrętem, cztery zjazdy, herbatka, cztery zjazdy, kawka, cztery zjazdy, piwko. Czysta rekreacja, żadnej napinki. Miałem taki okres, że naprawdę zapieprzałem na nartach. Kiedyś we włoskich Dolomitach zjechaliśmy z Sass Pordoi trzy tysiące metrów poza trasą, nachylenie stoku prawie siedemdziesiąt procent. Nie wiedzieliśmy, że tam nie ma trasy i wzięliśmy ze sobą kolegę, który wcześniej nie jeździł na nartach. On tam stanął i się rozpłakał. Powiedział, że jak zjadę, to i on będzie musiał. Zaliczyłem kilka ekstremalnych tras i naprawdę śmigałem. Ścigaliśmy się kiedyś z wagonikiem, który przed chwilą zawiózł nas na górę. Wysiadaliśmy z już zapiętymi nartami i od razu zjeżdżaliśmy. To było dziewięć kilometrów, i jak dojechaliśmy na dół, to nam skipassy nie działały. Za wcześnie przyjechaliśmy. Raz nas chcieli z Austrii ze stoku wyrzucić, bo tam się tak nie jeździ, jak my wtedy – strasznie szybko, jeden za drugim.

Ostatecznie zerwałem więzadło, przy prędkości trzy kilometry na godzinę. Wyjechałem na płaską polankę, śnieg był zmrożony. Z tą śmieszną prędkością wyjechałem z lasu i czekałem na kolegów. Sunąłem powolutku, jedna narta złapała mi grudkę, ale była za mała prędkość, żeby mi wypięło but. Zrobiła się dźwignia i zerwałem wiązadła. Miałem przerwę ze trzy lata. Potem pojechałem z córką, założyłem stabilizatory i zjechałem. I trochę też mi ochota odeszła. Jak nie pojadę, to nie żałuję. A jak się jedzie czarną trasą, to więcej jest walki niż przyjemności.

Zerwałem więzadło krzyżowe przednie. Po powrocie z Włoch miałem konsultację w Katowicach, ale mam też kolegę lekarza w Lublinie. Były dwie alternatywy – albo zostawić jak jest i funkcjonować bez więzadła, albo rekonstruować. Kolega powiedział, że jest marzec, trzeba poczekać ze dwa miesiące, żeby się trochę podgoiło, i potem zoperujemy. I trzy tygodnie przed zaplanowaną operacją pojechaliśmy na kabareton do Krakowa. Na Rynku Głównym. Padała mżawka, scena była mokra i śliska. Na próbie poślizgnąłem się na zdrowej nodze, zaasekurowałem się tą kontuzjowaną i już nie wstałem. W kabaretonie nie wystąpiłem, ktoś mnie zastąpił, a ja leżałem w hotelu. Od razu do szpitala, środki przeciwbólowe, dwa dni później miałem operację w Warszawie. Śruby, które mi wstawili, miały być najnowsze, niemieckie, nasączone jakimś specjalnym środkiem. Ale potem się okazało, że jest reakcja alergiczna na ten płyn, pojawił się stan zapalny, druga operacja, wymiana śrub. Przez miesiąc nie ruszałem nogą. Występować zacząłem we wrześniu, pierwsze występy grałem jeszcze o kuli.

Teraz przeszkadza?

Noga mi się nie zgina do końca, ale da się biegać, grać w piłkę, w golfa.

W przeciwieństwie do Michała masz jedną żonę i jedno dziecko.

Faktycznie, mam jedną żonę i jedno dziecko, ale różne zawirowania mnie nie ominęły. Nie mam wielkich oporów, żeby o tym opowiadać, bo to już za mną. Ale o szczegółach mówić nie będę, bo to chyba zbyt prywatne sprawy. Ale zawirowania były. Miało na to wpływ kilka czynników, ale głównie wynikało to z mojej głupoty. Zapłaciłem sporą cenę za lata bycia w tym wszystkim. Nie tylko lata wspaniałych występów, ale także różnych pokus, którym człowiek nie zawsze miał okazję powiedzieć „nie". Pojawiły się zakręty, ale udało mi się to wszystko wyprostować. W pewnym momencie, już dosyć dawno temu, dotarło do mnie, co jest w życiu najważniejsze. Nie tylko poklepywanie się po plecach, splendor i uwielbienie. Ale byłem bardzo blisko tego, żeby zostać z niczym, być samotnym człowiekiem. I nie mówię o rzeczach materialnych, ale o emocjonalnych. Udało mi się tego uniknąć i jestem szczęśliwy. Przez moją głupotę mogłem wszystko stracić. Ale dostałem drugą szansę i ją wykorzystałem. I robię to do dziś. To jest dla mnie bardzo ważne. Dużo ważniejsze niż kabaret.

To była chyba jedna z największych nauczek, jakie w życiu dostałem. I wiem, że mnie zmieniła. Czy żałuję pewnych rzeczy? Pewnie, że tak. Gdybym mógł cofnąć czas, to do pewnych sytuacji bym nie dopuścił, ale na chwilę obecną od paru lat jestem szczęśliwym człowiekiem. Cieszę się, że udało mi się wszystko poukładać. Większość energii wkładam w to, żeby znowu czegoś nie popsuć.

Z Magdą znamy się od liceum. Zaczęliśmy nasz związek od pójścia na studniówkę, to moja przyszła żona mnie zaprosiła.

Romantycznie, niczym w amerykańskim filmie dla młodzieży.

Romantycznie, a jak. A nawet jeszcze bardziej, bo oświadczyłem się żonie pod wodospadem podczas zaćmienia Słońca. Prawdziwa wenezuelska telenowela. (*śmiech*) To był wodospad na rzece Krka w Chorwacji. Byliśmy na wczasach i pomyślałem sobie, że w tym miejscu będzie romantycznie, jak tam dopłyniemy. Magda się wtedy o mało nie utopiła.

Z wrażenia?

Nie, nie. Ciężko było tam dopłynąć. Siła tego wodospadu była taka, że trzeba było się nieźle namachać, żeby tam dotrzeć. Ale jak już dopłynęliśmy, to zaczęło się zaćmienie Słońca. Na dodatek okazało się, że nie wziąłem pierścionka, więc wyszło komicznie. No i tak od kilkunastu lat tworzymy podstawową komórkę społeczną, mamy kilkuletnią córkę.

A jak żona znosiła wasze wyjazdy w trasę?

Momentami ciężko, a czasem pewnie było jej miło. Doceniała to, co robię, zresztą nadal tak jest. Ja zaś cenię to, że nigdy nie dała mi odczuć w domu, że jestem jakąś gwiazdą. Tak jak w skeczu kabaretu Smile: „To nie hotel, tu ci nikt pod ryj nie podstawi". To najlepsze, co mi się mogło przytrafić. Bo łatwo można się zatracić. Grasz w Krakowie dwa występy dla łącznie dwóch tysięcy ludzi. Jest wspaniale, świetny odbiór, autografy, zdjęcia, kochają cię. Wsiadasz w samochód, po czterech godzinach jazdy wchodzisz do domu, a żona mówi: „Miałeś zapłacić wczoraj rachunek, a nie zapłaciłeś". W Stanach, jakbym był gwiazdą, to bym powiedział: „Weź sama zapłać" albo „Poproś o to asystenta". Wielokrotnie rozmawiałem z żoną o tym, że ciężko jest się przestawić, gdy się wróci z trasy. Musi być ten jeden dzień na odpoczynek, żeby móc wejść w domowy rytm. Ale nie wyobrażam sobie, że wracam z trasy i nie odwożę córki do szkoły. Uwielbiam to, uwielbiam być ojcem. Chodzę na wywiadówki, angażuję się i sprawia mi to wielką frajdę. Żona i córka nigdy nie dopuściły do tego, żeby mi sodówka uderzyła do głowy i żebym był nie wiadomo kim w domu. Dla mojej żony wciąż jestem bardziej wuefistą niż kabareciarzem.

A kiedy pojawiła się córka, to zmniejszyliście intensywność pracy?

No tak, oczywiście. Potem jeszcze przechodziłem chorobę córki. Ciężko zachorowała w wieku trzech lat. Ja wtedy rzuciłem wszystko i zająłem się córką, nawet spałem na podłodze w Centrum Zdrowia Dziecka i innych szpitalach. Wsiadłem w nocy w samochód i pojechałem do Słowenii na seminarium bardzo znanego energoterapeuty. Nigdy nie było tak, że kabaret jest ważniejszy od rodziny. Jak się urodziło dziecko, to zwolniliśmy z występami, ale budowaliśmy dom, więc trzeba było znaleźć kompromis między jednym a drugim. Pewnie przez kilka pierwszych lat nie spędzałem z żoną i córką tyle czasu, ile bym chciał. Córka, kiedy zaczęła mówić, powtarzała: „Tato, nie wyjeżdżaj". Nie jest łatwo, gdy stoisz z walizką, a dziecko mówi, żebyś nie jechał. Potem przechodziła taki moment, że jej się podobało, kiedy widziała tatę w telewizji, a koleżanki jej mówiły, że mnie oglądały. Później miała okres buntu i bardzo się denerwowała, że tata jest popularny. Strasznie się irytowała, jak ludzie przychodzili po autografy. Bo zabierali mi czas, który powinien być dla niej. I robiła mi na złość. Jak gdzieś podjeżdżaliśmy, na przykład pod OBI, to potrafiła wysiąść z samochodu i na cały głos krzyczeć, że przyjechał kabaret Ani Mru-Mru. To była reakcja typu „chcesz, to masz". Od tamtego czasu mam zasadę, że jak jestem z żoną czy córką, to nie rozdaję autografów, nie udzielam wywiadów, nie pozuję z nikim do zdjęć. Czas spędzany z rodziną to taka nasza świętość. Córka była zazdrosna o takie chwile.

Coś za coś. Musiałem poświęcić czas na pracę, żeby mieć efekty, finansowe i marketingowe. Kiedy córka podrosła, widziałem, że żona źle to znosi. Do tego doszły problemy natury osobistej, więc została podjęta decyzja o znacznym ograniczeniu występów. I całe szczęście, że tak się stało. Od kilku ładnych lat jest bardzo dobrze.

Chcieliście mieć więcej dzieci?

Nie myśleliśmy chyba o tym. Ale nie mówię nie. Jesteśmy jeszcze młodymi ludźmi i może trzeba by jeszcze spróbować. Ale nic na siłę. Córka nas cisnęła o rodzeństwo. Ale nie było rozmów, ani takich, że chcemy, ani takich, że na pewno nie. Funkcjonujemy na zasadzie, że jak się zdarzy, to będzie.

Ale pokusy są cały czas?

Oczywiście, że tak. Ale to już mnie nie dotyczy. Taka jest specyfika życia w trasie. Pokusy mają też zwykli faceci z banku, którzy wyjeżdżają w delegacje. A artyści pokusy mają potrójne. Spotykamy mnóstwo kobiet. Są wśród nich i takie, które pojawiają się wyłącznie dlatego, żeby spotkać kogoś znanego. Poznajemy mnóstwo ludzi: normalnych, nienormalnych, wartych poznania, niewartych poznania. Pokusy to nie tylko kobiety, ale też alkohol i inne używki, których szczęśliwie mi się udało uniknąć.

Poza alkoholem i papierosami w żaden nałóg nie wpadłem. Dwa razy spróbowałem marihuany, jeszcze w czasach studenckich, nie zadziałało. A mam kolegów, którzy do dzisiaj popalają. Nie jest mi to potrzebne do funkcjonowania. Żeby się wyluzować, wystarczy mi drink albo whisky. Boję się narkotyków, za dużo w życiu widziałem, za dużo czytałem. Dla mnie takim sygnałem ostrzegawczym są papierosy. Skoro ich nie mogę rzucić, to z prochami byłoby jeszcze gorzej.

Próbowałeś rzucić palenie?

Oczywiście, nawet rzuciłem, osiemnaście razy w życiu. Rzucasz i nie palisz, proste, aż do następnego papierosa. Raz mi się udało nieco dłużej, nie paliłem przez cztery miesiące. Ale potem sobie pomyślałem: „Jak to? Już nigdy nie zapalę?". Może zrobię tak, jak mój ojciec, który długo palił, aż mu lekarz powiedział: „Dość, panie Waldemarze". Stanął przed wizją końca. Ja przed taką wizją jeszcze nie stanąłem, ale myślę o tym coraz częściej, bo się starzeję. Chciałbym mieć to za sobą.

Do pokus dochodzi hazard. Bo się pojawia. Ja uwielbiam chodzić do kasyna, ale na zasadzie zabawy. Bardziej mnie bawi samo granie, a nie wygrywanie. Znam osoby z branży kabaretowej, które sporo czasu spędzają w kasynie. Lubię to, ale nie chodzę często. Ostatni raz byłem rok temu. Ale w Las Vegas udało mi się wygrać dziewięćset dolarów. Wygrałem i wyszedłem. Zainwestowałem chyba czterdzieści, wygrałem dziewięćset.

A ile razy byłeś na Pudelku?

Ani razu. Raz mnie szantażowali. Nie wiem, czy z Pudelka, czy z jakiejś gazety. Zadzwonili do mnie dzień po imprezie, to był festiwal TOPtrendy w Sopocie. Ostro się nagrzmociłem tego dnia ze znajomymi i o szóstej rano poszliśmy na molo. Były dwie kobiety, dwóch facetów i ja. Później jakiś facet zadzwonił do Artura, że chce wywiad ze mną. Artur mówi, że nie poda mojego numeru, ale za godzinę będę obok i będzie można zadzwonić. Zadzwonił, przedstawił się, powiedział, z jakiej jest gazety i mówi, że ma zdjęcia z wczorajszego wieczoru i poranka. I rozwija się z tego taka dosyć chamska rozmowa:

– Kto jest z panem na tych zdjęciach?

– Nie wiem, bo tych zdjęć nie widziałem.

– Czy dużo pan wydaje na alkohol?

– Pewnie nie więcej niż pan.

– A mógłby pan polecić jakieś kluby w Sopocie?

– Dla mnie klub nie jest ważny, ważniejsze jest towarzystwo.

– Często pan pije?

– Pewnie nie częściej niż pan.

– No to kto jest z panem na tych zdjęciach?

– Nie wiem. Ale jak mi pan je prześle, to panu powiem.

Facet przysłał zdjęcia do menadżera. Ja dokładnie wiedziałem, kto na nich jest. To było pięć zdjęć zrobionych z dużej odległości. Na pierwszym zdjęciu siedzę na molo i piję colę. Na drugim podaję tę colę koledze. A na trzech kolejnych stoję i łapię taksówkę. Totalna kompromitacja! Więc napisałem gościowi, że na tych zdjęciach są dwa zaprzyjaźnione małżeństwa i ja. Nazwisk podać nie mogę, ale to moi znajomi. Więc dla tej gazety to było gówno warte. Odpisałem mu: „Tak, na tych zdjęciach jestem pijany. A na piątym łapię taksówkę. Pozdrawiam. Marcin Wójcik".

Raz byłem na Pudelku, jak mnie pomylili z Michałem. Pojechałem z Magdą na Telekamery. Zrobili nam zdjęcia. I dali podpis: „Marcin Wójcik ze swoją żoną Agnieszką Kałużą". Agnieszka Kałuża to była żona Michała. A na zdjęciu – moja.

Żona stroni od bywania?

Raz była ze mną na Telekamerach. Ja zresztą też nie bywam. Ona ma zdrowe podejście. Ma swoją pracę, swoje zajęcia. Na naszych występach była może ze cztery razy i to zawsze w Lublinie. Raz była z koleżanką i córką w Dolinie Charlotty. I powiedziała, że zrobiło to na niej wrażanie, te osiem tysięcy ludzi na widowni. Nigdy też mi nie mówiła, co mam robić w pracy. Ona ma swoją, ja mam swoją, spotykamy się w centralnym miejscu, czyli w domu. Ale zna się z żonami innych kabareciarzy. Najbliżej jej do dziewczyn z kabaretu Smile. Znamy się z nimi także poza pracą. Z Kaśką Kołkową się przyjaźni. Z Ritą, żoną Artura, ma wspólny biznes – klub fitness. Przyjaźni się z Patrycją, czyli matką Kuby, syna Michała. Ja zresztą z Patrycją znam się od dawna, chodziliśmy razem do liceum. Kiedy braliśmy ślub, Michał był z Patrycją, potem im się urodziło dziecko, później się rozstali, a ponieważ Patrycja nadal mieszka w Lublinie, wciąż jest naszą przyjaciółką.

Z tego powodu też były różne zawirowania. Rozstanie Michała z Patrycją było burzliwe, trwało kilka lat i również wpłynęło na nasze relacje. Być może Michał dlatego się w sobie zamknął, bo Magda przyjaźni się z Patrycją. Najmniej znam się z Ewą, obecną partnerką Michała, bo mieszkają w Katowicach.

ROBERT GÓRSKI
(Kabaret Moralnego Niepokoju)

Nie lubię kabaretu Ani Mru-Mru, bo nie dysponuję takimi umiejętnościami ani takim zespołem jak oni. Mają chociażby Michała, który jest absolutnym fenomenem i skecze można pisać dokładnie pod niego. Jest niepowtarzalnym wykonawcą. Nie znam drugiego człowieka, może poza Irkiem Krosnym, ale to też inna kategoria, który byłby tak giętki i miałby taką wyobraźnię dotyczącą tego, co można zrobić z własnym ciałem. Marcin i Michał stworzyli kabaret pod hasłem „jeden mówi, drugi pokazuje". Nikt wcześniej tego nie robił, nikt nie miał takiej wyobraźni, żeby do tego dojść.

Zazdroszczę im pomysłów i fantazji, bo znajdują humor tam, gdzie ja nawet nie zaglądam i nie zdaję sobie sprawy, że tam jest jakieś życie. Teraz już nie są nowością, ale w momencie, gdy się pojawili, to było coś niesamowitego, wręcz eksplozja. Byłem nawet tego świadkiem. Działo się to w Koszalinie, odpalili dwa numery i z dnia na dzień stali się zjawiskiem. Inaczej niż to było w naszym przypadku. My zdobywaliśmy uznanie powoli, a ich droga na szczyt była dużo krótsza, imponująco szybka. To jest też kabaret, który bardzo polubiła telewizja. Nasz kabaret jest bardziej radiowy, Ani Mru-Mru są bardziej telewizyjni. Język kabaretu się zmienił. Oni sprawili, że stał się bardziej wizualny, bardziej dopasowany do takich środków przekazu, jakimi są telewizja i Internet. No więc z tych właśnie powodów nie znoszę kolegów z Ani Mru-Mru.

JAK
PRZEŻYĆ...
Z FANAMI

Jesteśmy tak lubiani przez ludzi, zwłaszcza Michał, że nawet gdyby przejechał kobietę na pasach, to pojawiłyby się komentarze w rodzaju: „A po co tam lazła?".

Chcecie tylko rozśmieszać, czy uważacie, że możecie przekazać coś więcej?

MARCIN: Naszym założeniem było to, żeby sprawiać ludziom przyjemność. Ale po jakimś czasie okazało się, że takie drobne gesty, jak zrobienie sobie z kimś zdjęcia, danie autografu czy odwiedzenie kogoś w szpitalu, sprawiają tym ludziom ogromną radość. Nie mieliśmy o tym pojęcia, dopóki nie zaczęliśmy tego robić. I są rzeczy, które bardzo utkwiły mi w pamięci. W ramach współpracy z Hospicjum Małego Księcia w Lublinie dwa razy spotkaliśmy się z młodymi osobami, które żegnały się z tym światem. To było olbrzymie przeżycie dla obu stron, dla nas nawet większe. Dziewczyna, z którą się spotkaliśmy, zmarła następnego dnia. Bardzo długo chorowała. Ale jej rodzice mówili, że spełniło się jej marzenie, że te ostatnie chwile były dla niej łatwiejsze. Kiedyś spotkaliśmy się w Puławach z chłopcem, który ciężko chorował i zostało mu kilka miesięcy życia. No i tak niestety było. Zobaczyliśmy się z nim, zostawiliśmy różne gadżety i jego rodzice po jakimś czasie przyszli na nasz występ. I powiedzieli, że niestety syn zmarł i kazał się pochować w koszulce z naszym logo. Nie chciał być inaczej ubrany. To są takie momenty, na które nie jesteśmy nigdy przygotowani.

Zawsze reagujemy bardzo emocjonalnie. To daje nam świadomość, że możemy być kimś ważnym w czyimś życiu i nie można o tym zapominać. Czasem traktujemy życie i pracę, jako kolejny występ, kolejny autograf, kolejne zdjęcie, a przecież dla kogoś to może być niesamowicie ważne. Kiedyś czytałem taką historię o Jacku Nicholsonie, który w latach, kiedy stawał się bardzo popularny, poszedł do muzeum, oglądał jakiś obraz i w pewnej chwili zorientował się, że ludzie dookoła patrzą nie na ten obraz, tylko na niego. I więcej nie poszedł do galerii. Takie coś spada na człowieka jak grom z jasnego nieba. Są ludzie, którzy zaczepiają cię na ulicy, żeby pozdrowić albo żeby pobić, ale są też tacy, dla których zwykły uścisk dłoni jest bardzo ważny, a autograf potrafią traktować jak coś niezmiernie cennego. Staramy się o tym nie zapominać.

Często się udzielacie w takich akcjach? Robicie coś na przykład dla WOŚP?

MARCIN: Jeśli chodzi o imprezę Jurka Owsiaka, to mamy niepisaną umowę, że nie występujemy podczas finałów WOŚP, ale każdego roku przekazujemy mnóstwo rzeczy na licytacje. Zostawiamy na przykład podpisane rekwizyty z występów, zwłaszcza zagranicznych, które potem są licytowane dla WOŚP. Często bierzemy udział w różnych akcjach charytatywnych, jednak tego nie nagłaśniamy, bo nie jest nam to potrzebne. Jeżeli możemy komuś pomóc, to po prostu to robimy. Ponoć nasza obecność podczas takiej imprezy dużo daje. Nie wiem dokładnie, jak to się przekłada na wymierne korzyści, ale mam nadzieję, że efekt jest znaczny.

Czy zdarza się, że teksty z waszych skeczy pojawiają się w jakichś absurdalnych sytuacjach? Jakiś zasłyszany dialog? W kolejce, urzędzie, restauracji?

MARCIN: Nie, chyba nie. Ale ludzie zwracają się do nas, zaczepiają na ulicy i mówią do nas naszymi tekstami. Nigdy nie wiem wtedy, czy odpowiadać tak jak w skeczu, czy normalnie, jak w życiu.

To jest przyjemne czy irytujące?

MICHAŁ: To zależy od okoliczności. Mieliśmy na jakimś wyjeździe taką sytuację, że podczas obiadu przyszła babka i dała mi jedzenie z karteczką, na której był napis: „Klient nasz pan". I potem ciągle słyszałem w tej knajpie: „Klient nasz pan".

MARCIN: To są miłe rzeczy. Jeżeli ktoś fajnie pokombinuje i potrafi to dowcipnie zrobić, to doceniamy. Ale od piętnastu lat firmowym zagajeniem rzucanym w naszą stronę jest: „No, panowie, ale ani mru-mru".

WALDEK: Każdemu, kto to mówi, wydaje się, że jest oryginalny, że pierwszy wymyślił ten tekst, ale jak to słyszymy kilka razy dziennie... No, musimy to przyjąć z uśmiechem.

MICHAŁ: Ale też bardzo dużo osób myli nas z Kabaretem Moralnego Niepokoju i mówi: „Będzie pan zadowolony". Był taki moment, że non stop nas mylono z tym kabaretem.

MARCIN: Są ludzie normalni i są wariaci kabaretowi. Może teraz jest tego mniej, ale był taki okres, kiedy kabaret bardzo mocno wchodził do mediów, telewizji, Internetu i ludzie masowo oglądali numery w sieci. I jak ktoś ogląda na raz pięćdziesiąt numerów w Internecie, to nie jest w stanie zapamiętać, który kabaret zrobił jaki skecz. I jak mu się jakiś tekst spodoba, a potem widzi nas na ulicy, to próbuje błysnąć. To jest okej. Ważne, że ludzie odnoszą się do nas z sympatią. Nie przypominam sobie, żeby ktoś był do nas wrogo nastawiony. Można nie lubić naszego poczucia humoru, ale to nie jest tak, że ktoś podejdzie i powie: „Ja panów nie lubię".

WALDEK: To, że często słyszymy: „No, panowie, ale ani mru-mru", jest irytujące, ale mamy świadomość, że to jest jakaś forma okazania sympatii. Dobrze, że nasz kabaret nie nazywa się na przykład Chcesz w ryj?. To wtedy byłoby gorzej. Nie wiedzielibyśmy, czy to jest objaw sympatii, czy jakaś prowokacja.

MICHAŁ: Raz w miesiącu dostawalibyśmy w ryj. Jeszcze chciałem dodać, że osobami, które mogłyby być do nas wrogo nastawione, to tylko członkowie innych kabaretów. Ale to z innych względów.

MARCIN: I to mnie najbardziej irytuje. Poprzez rozgrywki ambicjonalne różnych menadżerów niektóre kabarety przestały się lubić. Jednym się wmawia, że są najlepszym kabaretem w Polsce i nie powinni brać udziału w gównianych kabaretonach z Ani Mru-Mru albo programach telewizyjnych z innymi kabaretami. Drudzy traktują nagle wszystkich z góry i sami skazują się na ostracyzm środowiska. Ja do dziś, jak występuję z Halamą, Górskim, Kołaczkowską, Laskowikiem, Andrusem, Poniedzielskim czy Marylką, to mam poczucie, że to oni są gwiazdami, a nie ja, i tak ich traktuję. Niestety nie wszyscy tacy są. I jeśli ktoś pyta, dlaczego Neonówka i Paranienormalni nie zagrają razem, dlaczego w Płocku nie występuje Ani Mru-Mru albo Moralni, dlaczego w programach, które prowadzę z Góralem nie ma Kabaretu Skeczów Męczących, Neonówki, Paranienormalnych, choć byśmy tego chcieli, to niech się zastanowi i sobie odpowie. Ja w tym miejscu chciałbym ich wszystkich i tak pozdrowić i z szacunkiem pogratulować dobrej roboty.

Wykorzystywaliście jakoś swoją popularność?

MARCIN: W pewien sposób tak. Ale poważnie. Ja na przykład nie lubię tego robić. Czasami w gronie moich znajomych czy przyjaciół niekabaretowych utarło się, że Jabbar jest „ryjem", a na „ryja" wszystko można załatwić. A skoro można, to często próbuję. Ostatnio załatwiłem dla mojej rodziny bilety na Robbie'ego Williamsa. Zadzwoniłem, przedstawiłem się, jak zazwyczaj robię w takiej sytuacji, mając nadzieję, że to coś ułatwi. I często ułatwia. Nie chodzi tu o wymierne korzyści. Jak dzwonię do hotelu, to nie pytam o zniżki, bo przyjeżdża znany pan. Bardziej chodzi o załatwienie sprawy. Wczoraj się upiekło, akurat jak jechaliśmy samochodem, bo policjant był znajomym mojego szwagra. Nagrywałem filmiki wyborcze dla szwagra przed wyborami. Ja nie lubię tego wykorzystywać, ale jest mi miło, jeżeli od czasu do czasu coś takiego się zdarza.

MICHAŁ: Czasami może i nie chcemy tego wykorzystywać, ale samo jakoś tak wychodzi. Ludzie są milsi, sympatyczniejsi, bardziej pomocni.

MARCIN: Są takie sytuacje, że jak gdzieś dzwonię, to mam nadzieję, że ktoś mnie pozna. Albo jak zawalam jakąś sprawę, na przykład czegoś nie zapłaciłem, mówię, że nie miałem czasu, wtedy często się zdarza, że jakieś odsetki uda się umorzyć. Ale byłoby nieprawdą, gdybyśmy mówili, że na to nie liczymy. Na przykład podczas kupna samochodu. Chciałbym zmienić samochód i kolega mi mówi, że w Mercedesie czy Audi jest taki program VIP i jak jesteś znaną mordą, to dostaniesz dużą zniżkę. Wiadomo, że człowiek skorzysta. Jest to próżność, ale przecież nie będę się przed tym bronił.

WALDEK: Czasami to pomaga. A jak pomaga, to czemu nie skorzystać?

MARCIN: Ale daje to też inne możliwości. Będąc kiedyś w Wiśle na jednym balu sylwestrowym z Apoloniuszem Tajnerem, mocno po północy zgłębiliśmy tajemnice techniki skoków narciarskich. Już byliśmy w kurtkach i pewnie by się udało, gdybym nie zapytał, jaki jest obecnie rekord na Malince? Pan Apoloniusz zrozumiał, że nie żartujemy, i na szczęście nie zatoczyliśmy się na skocznię tej nocy.

A z negatywnymi skutkami też się spotykaliście?

MARCIN: To Michał niech opowie. Kto się najczęściej naparza?

MICHAŁ: Na szczęście ten etap mam już za sobą. Ale to jest pozostałość po podstawówce. Chudy z odstającymi uszami, więc musiał być gnębiony. Trzeba było się bronić.

WALDEK: To ja mam zupełnie inaczej. Mnie po podstawówce zostało, że ja ciągle jestem ten przystojny.

MARCIN: Na swój sposób jesteś.

MICHAŁ: Możesz się spodobać. Po wódce.

MARCIN: Są takie momenty, że ktoś próbuje się ze mną konfrontować. Chce sprawdzić, na ile tę granicę da się przesunąć. Najczęstsze, co mnie spotykało, to pijani mężczyźni i pytanie: „Co, myślisz, kurwa, że jesteś taki zabawny?". I co ja mam na to odpowiedzieć?

MICHAŁ: „Wyjdź z mojego łóżka!"

MARCIN: Podejrzewam, że inne popularne osoby mają większe problemy. My jesteśmy raczej lubiani.

WALDEK: Gorsze jest to, że ludzie oczekują, że zawsze będziemy zabawni. Wsiadam do windy w Złotych Tarasach, obok mnie rodzina oczekuje, że jak mamy chwilę w tej windzie, to muszę opowiedzieć jakiś kawał.

MARCIN: Oczekiwanie, że będziemy kogoś bawić, to jeszcze mały pikuś. Jeszcze gorsze jest to, że ludziom się wydaje, że my cały czas jesteśmy w doskonałym humorze. Niedawno umówiłem się z kolegą z innego kabaretu na małą wódeczkę. Byliśmy w knajpie i pierwsze, co mnie spotkało, to pijany do nieprzytomności koleś, który zrobił ten trik z dotykaniem nosa. W normalnej sytuacji zareagowałbym mało sympatycznie, ale pomyślałem, że nie będę się konfrontował z pijanym. To tak jak z bokserami, którzy raczej nie biją się w knajpach. Z drugiej strony wiemy, jak upierdliwi potrafią być pijani ludzie.

Dochodziło do starć fizycznych?

MARCIN: Kilka razy było blisko, sprawa wisiała na włosku, ale nie chciałbym się konfrontować. Nie te lata.

Miewaliście gruppies?

WALDEK: Chyba grubbies. W dosłownym tego słowa znaczeniu. Takie to miewaliśmy.

MARCIN: Dlaczego pytasz, czy miewaliśmy? Wciąż miewamy! Ale poważnie. Mówisz gruppies, czyli dziewczyny, które chcą się znaleźć najbliżej artysty, czyli najlepiej w jego łóżku. Mamy grono oddanych fanek, ale mieliśmy też gruppies. Kabaret, który mówi, że nie miewał gruppies, po prostu kłamie. Wiadomo, że w jakimś tam stopniu jesteśmy atrakcyjni. Występujemy w telewizji, mamy poczucie humoru, więc dziewczynom się wydaje, że jesteśmy fajnymi facetami. Takie osoby się zdarzały, ale nie mieliśmy z tego powodu problemów, a trzeba powiedzieć, że są kabarety, które miały, i to poważne. Nie mówię o takich sytuacjach, że ktoś tam się przespał z dziewczyną i miał z tego powodu nieprzyjemności, ale niektóre takie przygody kończyły się policją i sprawami w sądzie. Jedna dziewczyna konfabulowała – miała dwa telefony i z jednego wysyłała esemesy na drugi, a twierdziła, że dostawała je od kabareciarza. To była poważna sprawa. Kolega o niczym nie wiedział, a ona prowadziła bloga, zamieszczała jego zdjęcia. Po występie przychodziła do niego, prosiła o zrobienie fotki, on ją obejmował i stawali do zdjęcia. A potem na blogu pojawiało się zdjęcie z podpisem: „To jestem ja i mój chłopak. Jesteśmy po kolacji, ja jestem szczęśliwa, a on się nie uśmiecha, bo go ząb boli". To była klasyczna psychofanka. Mówiła, że byli razem na wakacjach, zamieszczała wspólne zdjęcia. Sprawą zainteresowała się agentka kolegi, zgłosiła to na policję. Jak o wszystkim dowiedziała się matka tej dziewczyny, to była zdziwiona, bo była przekonana, że faktycznie ten kolega wysyła esemesy jej córce.

Ale tak naprawdę te gruppies, o których mówimy w tym typowym znaczeniu, to były dziewczynki w wieku 13–18 lat. To jest taki wiek, w którym się szuka idoli, jest się zafascynowanym jakąś znaną osobą. To nie jest tak, że fanką zdecydowaną na wszystko jest trzydziestopięcioletnia kobieta. Ona ma poukładane w głowie i zdaje sobie sprawę, że ten artysta ma żonę, dziecko. Mieliśmy gruppies, mieliśmy fanki, które przyjeżdżały i nas nagabywały na pewne rzeczy. Mało tego, mieliśmy takie fanki, które właśnie matki pchały nam do garderoby. Różne sytuacje z tego wychodziły, ale na szczęście bez konsekwencji. Zawsze w drzwiach do garderoby stał Artur i te wszystkie fanki nie przechodziły takiego sita. Jeśli kiedykolwiek powstanie o nas film, to będzie miał tytuł „Artur Korgul – zemsta sita".

WALDEK: Ja nie miałem żadnych gruppies. Nie trafiła się żadna, która by przyjechała na występ, a potem chciała ze mną robić „te" rzeczy. A jak przychodziły, zagadywały i już myślałem, że do czegoś dojdzie, to one mnie prosiły o numer do tego blondyna. Marcin oczywiście nie był zainteresowany. To ja do nich, że to zwykły cham i w ogóle. Próbowałem je zbajerować na pocieszyciela, ale też nie wychodziło.

MARCIN: Z dziewczynami ci nigdy nie wychodziło, ale za to z chłopakami szło ci jak po maśle.

MICHAŁ: Był taki czas, że Waldek chciał się przefarbować na blondyna. Na Marcina.

MARCIN: Jak jakaś dziewczyna pytała Waldka, czym tak ładnie pachnie, to odpowiadał, że Jabbarem.

WALDEK: Mamy taką najwierniejszą fankę, Asię. Asia ma dwadzieścia trzy lata, przyjeżdża na nasze występy od bardzo dawna. Zaczynała chyba w wieku piętnastu lat. Na początku przywoziła ją mama, bo Asia była młoda i nie miała prawa jazdy. Mama pierwsze kilka razy znosiła bez bólu. Ale co ona musiała przeżywać, widząc nasz program po raz trzydziesty? W przeciwieństwie do córki, która bawi się do dziś. Asia prowadzi też bloga o nas.

wywiad z Asią

Asia jest najwierniejszą fanką kabaretu Ani Mru-Mru. Od dziewięciu lat jeździ na występy w całej Polsce, na początku z rodzicami, potem sama. Wszystkie „zaliczone" przez nią występy są skrupulatnie liczone, a okrągłe rocznice dodatkowo świętowane. W Rybniku miała zobaczyć chłopaków na scenie po raz dwusetny.

Kupiła z tej okazji tort, mając nadzieję, że po występie „grzecznie usiądą i będą świętować". Ale jej ulubieni kabareciarze mieli zupełnie inny pomysł...

Na szczęście wszystko zostało zarejestrowane. Film można obejrzeć na profilu Ani Mru-Mru na Facebooku: https://www.facebook.com/video.php?v=101526992 75688230&set=vb.227805393229&type=2&theater

Jak ci się podobało świętowanie dwusetnego występu, na którym byłaś?

ASIA: Jestem bardzo zaskoczona. Kupiłam tort, żeby się podzielić z chłopakami, ale nie sądziłam, że zostanę wywołana na scenę i jeszcze oberwę tym tortem. Myślałam, że po występie grzecznie usiądziemy i zjemy tort.

Od ilu lat jeździsz na występy Ani Mru-Mru?

Od 2006 roku. W lipcu będzie dziewięć lat. Pamiętam dokładnie, że pierwszy raz miał miejsce dokładnie 23 lipca 2006 roku, w Ustroniu.

Dlaczego właśnie ten kabaret?

W wieku czternastu lat interesowałam się wszystkim po trochu. Zawsze lubiłam kabarety. Na urodziny dostałam DVD z ich programem. Nie znałam wielu skeczów, ale jak już zaczęłam oglądać, to oglądałam kilka razy dziennie. Nie miałam Internetu, chodziłam do mamy do pracy, oglądałam ich numery w sieci. A kiedy poszłam na ich występ – to był mój pierwszy kontakt z kabaretem na żywo – to oniemiałam. Nie wiedziałem, że można dawać tak wielką radość widzom.

Masz jakiś ulubiony skecz?

Z tych starszych to zdecydowanie *Czerwony Kapturek*. Lubię też *Sędziów*, z tego późniejszego okresu. Bardzo pomysłowy i kolorowy jest *Cyrk*. To są niezbyt znane skecze, ale dla mnie ich pomysłowość jest niesamowita.

Gdzie najdalej pojechałaś na występ Ani Mru-Mru?

Do Londynu. Na prapremierę nowego programu, na początku listopada. Premiera miała być tydzień później w Lublinie, ale ja chciałam zobaczyć pierwsza. Nigdy wcześniej nie leciałam samolotem, nigdy w życiu nie byłam w Anglii. Poleciałam specjalnie na cztery dni, żeby zobaczyć ich występ. Nie zawiodłam się.

A w Polsce gdzie byłaś?

Nad morzem. Co roku jeżdżę do Szczecina na Wakacje z Kabaretem, jako statystka. Tam zawsze jest Ani

Mru-Mru, więc oczywiście jestem tam ze względu na chłopaków. W zeszłym roku byłam we Władysławowie na Półwyspie Helskim. Jak tylko miałam wolne, to dostosowywałam swój wolny czas do występów Ani Mru-Mru. Czasem przeszkodą był termin albo brak możliwości powrotu, ale nigdy mi nie brakowało zaangażowania czy zapału. Dzięki temu zwiedziłam prawie całą Polskę.

Inne kabarety też oglądasz? Jeździsz?

Jak tylko mogę sobie na to pozwolić, to jeżdżę. Ale zdecydowanie rzadziej. Bo nie zawsze mam czas albo pieniądze, a pierwszeństwo zawsze ma Ani Mru-Mru i dla nich jestem gotowa pojechać wszędzie. Inne kabarety widziałam w sumie może sto pięćdziesiąt razy. Na kabarecie Smile byłam około dwadzieścia pięć razy, jeżdżę też na występy Hrabi i Kabaretu Młodych Panów. Ich skecze też są zabawne, ale atmosfera na występach Ani Mru-Mru jest niespotykana. Widzę, jak się angażują, co pokazują, podziwiam ich podejście do występów i fanów. To nie tylko bawi, ale też sprawia, że takich ludzi się docenia. A kiedy oni doceniają moją obecność na ich występie, to sprawia, że jeszcze bardziej się angażuję.

Czyli teraz co? Będziesz dobijać do pięćsetnego występu Ani Mru-Mru?

Jeśli chodzi o kabaret Ani Mru-Mru, to marzy mi się, aby w przyszłości być ich menadżerem. Albo drugim menadżerem, bo pan Artur jest bardzo dobry. Mam nadzieję, że moja pasja będzie trwała co najmniej tak długo, jak ich występy.

MARCIN: Inna fanka, Marta, prowadzi nam fanpage na Facebooku. To jest taki rodzaj zaangażowania typowy dla fanów. Dla mnie to jest fascynujące i trochę ich podziwiam, że nie tracą zainteresowania z wiekiem. Dziewczyny zaczynały, mając szesnaście lat i wciąż nie straciły tego zapału. Widzę po swojej córce, że idole się zmieniają. Jednego dnia wisi plakat One Direction, dwa tygodnie później Robbie Williams. Mało tego, te nasze fanki nie tracą zainteresowania nawet po tym, jak poznają nas, czyli swoich idoli.

Ale psychofanki też mieliście?

MARCIN: Mieliśmy. Ja dostawałem dziwne paczki. Zaadresowane nie na mój adres domowy ani na adres agencji czy menadżera, tylko na adres amfiteatrów, w których mieliśmy grać. Przyjeżdżamy do Kołobrzegu, a pani na recepcji mówi, że jest tu jakaś paczka dla pana Marcina. Tych paczek było cztery. To świadczyło o niezłej psychozie, bo raz w tych paczkach była flaszka wódki, odżywka do włosów i coś jeszcze. W drugiej była prezerwatywa i jakieś gacie z sex-shopu. Były też liściki. Prezenty to pół biedy, ale po charakterze pisma w tych liścikach można było poznać, że coś jest nie tak. Takie jakieś koślawe było to pismo i chaotyczne wypowiedzi. Pojawiały się tam jakieś zarzuty, na przykład: „Dlaczego mówisz o mnie w telewizji, że jestem brzydka? Ale ja przecież nie jestem brzydka". Na jednej z paczek był adres zwrotny. Sprawa się zakończyła w ten sposób, że mam znajomego prokuratora, a on te paczki zabezpieczył. Nie wiem, czy coś z tym zrobił, ale sprawa po jakimś czasie przycichła.

Raz miałem taką sytuację, że zaczęła do mnie pisać maile dziewczyna, miała może trzynaście lat. I dałem się wciągnąć, bo najpierw poprosiła o tekst skeczu. Wysłałem, ale zaraz potem dostałem kolejne dwa maile i jeszcze jeden. Nie odpisywałem, bo tych maili było coraz więcej. I pewnego dnia dostaję maila, w którym jest napisane, że jak jej nie odpiszę, to ona się zabije. Bardzo mnie to przestraszyło. Na szczęście ona gdzieś podała swój adres. Zadałem sobie trud, żeby ustalić jej numer stacjonarny. Zadzwoniłem, odebrała jej matka. Przedstawiłem się, opowiedziałem o wszystkim. Ona mówi, że córka jest naszą fanką. Odpowiedziałem, że jak ma adres mailowy, to jej prześlę listy, które dostaję od jej córki. Kiedy je wysłałem, to cała sprawa się zakończyła. Nie chciałbym się znaleźć w sytuacji, że ktoś sobie robi krzywdę, bo ja nie odpisałem na jego maila.

MICHAŁ: U nas jest taka sytuacja, że rolę amanta wziął na siebie Marcin.

Bywacie jeszcze z kimś myleni?

MARCIN: Ja czasami z George'em Clooneyem. Jak stoję nago, odwrócę się tyłem i schylę.

Pewnie po tym jak *Spadkobiercy* dostali nominację do Oscara.

MARCIN: Pewnie tak. Bywałem mylony z Piotrem Kupichą, a kiedy miałem jasne włosy, to z Wojtkiem Cugowskim. Kiedyś zostałem pomówiony o to, że prowadzę jakiś program w MTV – przyszła dziewczyna i powiedziała, że uwielbia, jak prowadzę programy w tej stacji. A my, kabareciarze, w takich sytuacjach natychmiast wchodzimy w konwencję i udajemy tego kogoś, z kim nas pomylono.

WALDEK: Mnie raczej z nikim nie mylą, ale najczęściej mają problem z rozpoznaniem. Marcin i Michał to wiadomo, ale na mnie się patrzą i główkują: „Skądś pana znam". Wtedy mówię, że mam warzywniak przy Kunickiego. „Aaa, faktycznie".

MARCIN: Kiedy miałem jasne włosy, to ludzie natychmiast mnie rozpoznawali. Blondyn, znajoma twarz, od razu wiadomo. Wtedy nieważne, kto ze mną był – mógł to być ktokolwiek – z miejsca był brany za Michała. Taki nasz znajomy, Kamil, ile on się autografów narozdawał jako Michał. A jak nie dał, to się ludzie od razu obrażali. Teraz, jak jestem z Michałem i obok nas jest trzecia osoba, to zawsze jest to Waldek.

A wciąż jesteście brani za braci?

MARCIN: Cały czas. Umrzemy jako bracia.

ARTUR: Wieczorami odbieram mnóstwo telefonów od ludzi będących na bani, którzy się zakładają, czy Marcin i Michał to bracia, i w związku z tym dzwonią do menadżera, żeby to potwierdzić.

WALDEK: Wina jest też po naszej stronie, bo mieliśmy dwa skecze, w których Michał i Marcin zagrali braci. I tak już zostało.

MARCIN: Długi czas też utrzymywałem, że Michał jest moim ojcem.

MICHAŁ: Nawet jeżeli odpowiadamy komuś, że nie jesteśmy, to i tak nam nie wierzą. Nie ma sensu dyskutować.

Pewnie doświadczacie zmory ludzi zajmujących się zawodowo rozśmieszaniem, czyli że zawsze musicie być zabawni. Nawet podczas kupowania jajek w sklepie.

MARCIN: Przestaliśmy na to zwracać uwagę.

WALDEK: Każdy człowiek ma gorszy dzień. Czasami, gdy nie jestem roześmiany, to od razu słyszę: „A pan z kabaretu jakiś taki smutny".

MARCIN: Skoro to jest książka, która ma mówić prawdę, to trzeba koniecznie napisać, że Kołkowi tylko czasem zdarza się mieć lepszy dzień. On generalnie ma wyłącznie gorsze dni. Bo ja sobie nie wyobrażam, żeby on był wesoły.

WALDEK: Koledzy mnie głównie postrzegają przez pryzmat trasy, jak się nie wysypiam w hotelach. Zawsze mam dobry dzień, jak prześpię spokojnie osiem godzin.

MARCIN: Osiem w dzień i osiem w nocy. Ale wracając do pytania: ludzie postrzegają nas przez pryzmat telewizji albo sceny. I myślą, że skoro tam jesteśmy sympatyczni i zabawni, to tacy będziemy też spotkani na ulicy. Staramy się tacy być, ale każdy z nas boryka się ze swoimi problemami – a to samochód ukradli, a to ktoś z rodziny się rozchorował, a takie rzeczy raczej nie nastrajają do żartów. Ale przyjmujemy takie oczekiwania normalnie. Czasem ludzie jednak przesadzają, miewają pretensje, na przykład potrafią powiedzieć: „Ale pan jest nieprzyjemny".

MICHAŁ: Ciekawe, czy ktoś wie, jak prywatnie zachowuje się Louis de Funès?

WALDEK: No, ja wiem, jak się teraz zachowuje. Rozkłada się.

MICHAŁ: Ale wcześniej.

MARCIN: Ja jeszcze mam taką teorię. Jak się jest w towarzystwie osoby, która zawodowo zajmuje się rozśmieszaniem, to wystarczy ją zostawić na trzy minuty w spokoju, w ogóle się nią nie interesować. Po tym czasie na pewno zacznie zabiegać o uwagę, popisywać się, bo to leży w naszej naturze. A jak wszyscy patrzą i czegoś oczekują, to my się raczej wycofujemy. Chyba że w grę wchodzi alkohol, to wtedy cały proces jest przyspieszony.

Zmienili się wasi fani przez te piętnaście lat?

MARCIN: Nasza publiczność się zestarzała. Dorosła. Publiczność kabaretowa się zmienia, bo zmienił się dostęp do wszelkiego rodzaju dóbr. Wszystkiego jest więcej i łatwiej do tego dotrzeć.

Publiczność jest bardziej wymagająca?

MARCIN: Myślę, że tak. Bo konkurencja jest większa. Ludzie mają możliwość porównywania nas z innymi. Kiedy zaczynaliśmy, nie było wszystkiego w Internecie. Teraz, jeżeli ktoś się interesuje formą kabaretową, to może sobie porównać polskie kabarety do zagranicznych. Albo do innych polskich. Cały czas jesteśmy z kimś porównywani, ludzie mają taką potrzebę wartościowania. Ktoś idzie na występ Kabaretu Moralnego Niepokoju, a potem pisze w sieci, że jak ostatnio był na Grupie MoCarta, to się lepiej bawił. Choć to są nieporównywalne kabarety, to on właśnie je porównał, bo tu się bawił lepiej, a tu gorzej. Taki znak czasów, że ludzie chcieliby, żeby każda następna rzecz była lepsza niż te wcześniejsze. Każdy nowy numer czy program kabaretu Ani Mru- -Mru musi być dwa razy lepszy niż poprzedni. Jedną z oznak zmian jest też to, że publiczność na bieżąco recenzuje to, co robimy. Widzowie stawiają sobie za punkt honoru, żeby do nas dotarło, co o nas myślą. Mimo tego, że słyszmy po brawach, jak się podobał skecz. Internet stał się pokojem zwierzeń.

Pogrzebałem trochę w Internecie, na forach. W dobie wszechpanującego hejtu macie bardzo mało negatywnych komentarzy. Nie wiem, jak są odbierane inne kabarety, ale wy jesteście bardzo lubiani.

MARCIN: Kabareciarze, ludzie zajmujący się kabaretem, są dobrze postrzegani przez społeczeństwo. Bo to tacy pozytywni wariaci, są sympatyczni na scenie czy w telewizji, potrafią rozbawić ludzi. Gdyby więcej ludzi poznało nas prywatnie, to tego hejtu byłoby mnóstwo. Przecież do każdego można się przyczepić – bo ma brudne włosy, żółte zęby. Ale to i tak lepiej, niż w przypadku Joanny Krupy, o której jakaś jej przyjaciółka, powołując się na znajomego powiedziała w wywiadzie, że (i tu cytat z gazety): „Joannie Krupie śmierdzi z cipy". Żenada. I weź się przed czymś takim obroń. Długo dyskutowaliśmy w busie, jak można zareagować na taki artykuł. Ale ja wymyśliłem obronę. Powinna powiedzieć, że kolega się pomylił. Że jej nie śmierdzi z cipy, tylko z dupy. A to już jak

173

każdemu człowiekowi. Welcome to Polish Szołbiznes. Jesteśmy w lepszej sytuacji niż aktorzy czy muzycy. Prasa brukowa w ogóle się nie zajmuje kabareciarzami.

Może nie sikacie na ulicy?

WALDEK: Aleź sikamy! Tylko my nie gwiazdorzymy, tak jak celebryci. Oni najpierw muszą być sławni, a dopiero przy okazji śpiewają, czy co tam robią innego. A my robimy swoje i nic poza tym. Nie mamy czasu. Ludziom łatwiej się przyczepić do kogoś, kto tak strasznie się sili na bycie gwiazdą, że czuje się lepszy od reszty, jest lepiej ubrany, ma lepszy samochód. Tabloidy nie latają za kabareciarzami też dlatego, że ludzie mogą im nie uwierzyć. Bo nie wiadomo, czy to, co akurat robimy, nie jest prowokacją, czymś zamierzonym, żeby ich wkręcić.

MARCIN: Jeszcze coś à propos hejtu. Gdy Michał się rozwodził, to pisano o nim w bardzo nieprzyjazny sposób. Podejrzewamy, że te informacje były prokurowane przez drugą stronę. I znamienne jest to, że jak Michał się pojawił z nową partnerką i pisano, że zostawił żonę, że ma dziecko, to spora część komentarzy była taka, żeby się do niego nie przypierdzielać, żeby go zostawić w spokoju. A jeśli już się wyżywali, to raczej na jego nowej partnerce. Mam wrażenie, że żyjemy w jakiejś szklanej bańce, jesteśmy tak lubiani przez ludzi, zwłaszcza Michał, że nawet gdyby przejechał kobietę na pasach, to pojawiłyby się komentarze w rodzaju: „A po co tam lazła?".

A dostajecie zaproszenia na takie celebryckie imprezy?

WALDEK: No właśnie nie.

MICHAŁ: Ja dostawałem, jak mieszkałem w Warszawie. Całkiem sporo. Może dlatego, że miałem żonę celebrytkę. Ale mnie nie ciągnęły pompowane imprezy. Byłem może ze dwa razy. Takie to sztuczne, nadymane.

MARCIN: Ja może byłem ze dwa razy na ściance. Jak byliśmy na festiwalu TOPtrendy, czy mieliśmy nominację do Telekamer, to się pojawialiśmy. Ale to było straszne.

WALDEK: To jest czysty marketing. Jak się pojawia nowa piosenkarka, to najpierw musi zaistnieć na Pudelku, żeby ktoś chciał posłuchać jej piosenki.

MICHAŁ: Poza tym to się u nas nigdy nie sprawdzało. Jak mieliśmy nową piosenkę, robiliśmy specjalnie jakiś skandal, to i tak nikt się nie zainteresował. Ani jednego fotografa nie było.

Są momenty, kiedy zaskakuje was coś na widowni?

WALDEK: Kiedyś na występie, pierwszy raz w mojej karierze, pojawili się ludzie z upośledzeniem ruchowym czy z porażeniem mózgowym. Oni śmieją się trochę inaczej. Wychodzę na scenę, coś gadam, sala się delikatnie śmieje, a tam gdzieś z piątego rzędu słychać głośne „Eeeaaa".

Za pierwszym razem nie wiedziałem, o co chodzi, bo miałem światło w oczy. Nie wiem, czy ktoś się wygłupia, albo jaja sobie robi, a tymczasem on po prostu tak reaguje. W taki sposób się śmieje. Teraz jestem mądrzejszy i cieszę się, że takie osoby pojawiają się na naszych występach.

MARCIN: Kiedyś, podczas występu w Dąbrowie Górniczej, w skeczu o klinice uzależnień na scenę weszła kobieta z widowni – przebrana, z rekwizytem i mówiła teksty wierszem. Najpierw myśleliśmy, że to taki żart przygotowany przez miejscowy kabaret Dno, ale po siedmiu minutach wiedziałem już, zresztą publiczność też, że kobieta jest psychicznie chora. Dramat. Na szczęście nasz akustyk zachował się wtedy po mistrzowsku – stanął za kurtyną, wyczekał na minimalną pauzę, wszedł na scenę i mówiąc: „Ciociu, to nie oni" i zabrał ją ze sceny.

MICHAŁ: Inna sytuacja jest wtedy, gdy na widowni pojawia się tak zwany „Pan Dupa", który chce być śmieszniejszy i lepszy od nas. Przychodzi ze znajomymi, krzyczy, czymś rzuca, próbuje zwrócić na siebie uwagę. Wówczas jedyną metodą jest ignorowanie, bo pójście na jakieś słowne potyczki nie ma sensu, utrudnia nam tylko robotę. Nie mamy na to wpływu i trzeba sobie jakoś radzić.

WALDEK: Muszę tu opowiedzieć o bazie wojskowej w Świętoszowie, gdzie występowaliśmy, jak się okazało, głównie dla żon i dziewczyn żołnierzy. Wychodzę na scenę, a na widowni przy samej scenie siedzi grupka kilkuletnich dziewczynek. Przyszły z zabawkami, kucykami Pony i zupełnie nie były zainteresowane tym, co się dzieje na scenie. Próbuję bawić ludzi, a przez godzinę na krawędzi sceny pod moimi nogami sześć koników zmienia sobie uczesanie i zastanawia, gdzie pojedzie na wakacje. Dorosłemu wiedziałbym, co powiedzieć, ale dzieciom?!

To jest też różnica między publicznością polską a polonijną. W Polsce ludzie przychodzą jak do kina czy teatru, siedzą i oglądają. W Wielkiej Brytanii dzieje się coś nieprawdopodobnego. A to są ci sami ludzie co u nas, tylko rok wcześniej tam wyjechali. Non stop łażą, cały czas te drzwi od sali są otwierane i zamykane. Chodzą po alkohol, do kibla.

Nigdy nie tracicie cierpliwości, gdy na widowni jest taki koleś, który za wszelką cenę chce być królem widowiska?

MARCIN: To zależy kiedy. Teraz mamy takie momenty w ostatnim programie, że wręcz czekamy, aż ktoś coś powie. Tak jak w numerze kończącym cały występ, czyli w *Wieczorze poezji*. Mamy w tym skeczu sporą dowolność, bo to jest na tyle improwizowana rzecz, że podejmujemy wyzwanie. Niedawno jakiś facet zagwizdał. Powiedziałem mu, że go znajdę. Zrobię wąskie gardło przy wyjściu, będę kazał każdemu gwizdać i go znajdę. Mamy kilka patentów na to, żeby spacyfikować takie osoby przeszkadzające w niepożądanych momentach skeczu. Ale z oczywistych powodów nie możemy ich zdradzać. Czasami zdarzają się tacy, co to z uporem maniaka chcą się zmierzyć, ale na takich po prostu przestajemy zwracać uwagę. W wielu przypadkach publiczność sama ich ucisza.

Nigdy nie zrobicie czegoś takiego jak Morrissey, że ktoś mu coś przykrego powiedział na koncercie, a on się wkurzył i zszedł ze sceny?

MARCIN: Nigdy. Uważamy, że jeśli artysta sobie nie radzi z czymś takim, to lepiej niech nie występuje przed publiką. Ten przykład Morrisseya był żenujący i zdumiewający. Facet leci przez pół świata, ludzie kupują bilety, a on się obraża i wychodzi.

WALDEK: Najgorsza w takim przypadku jest odpowiedzialność zbiorowa. Jeden coś powiedział, artysta uciekł, a co z resztą? Z tymi pozostałymi dwoma tysiącami ludzi? To jest chore. Powinien pogadać z tym gościem i tyle.

MARCIN: Nigdy nie możemy sobie pozwolić na utratę kontroli nad spektaklem. Ludzie cały czas muszą mieć świadomość, że to my rządzimy na sali i nawet jeśli próbują coś zrobić, muszą się liczyć z tym, że dostaną po głowie.

Grywacie darmowe występy? Wiadomo, że na takich publiczność jest raczej przypadkowa i różnie bywa z odbiorem.

MARCIN: Darmowych nie, ale grywamy charytatywnie. To znaczy trzeba kupić bilet, ale pieniądze są przeznaczane na szczytny cel. Darmowe granie niesie ze sobą niebezpieczeństwo. Tak jak plenerowe granie przez muzyków. Grzegorz Halama miał taką przygodę. Dał się namówić na występ sylwestrowy, bodajże w Cieszynie. Przed występem widzi rozbawiony tłum. Miał wyjść za piętnaście dwunasta na kilka skeczów i był pewien, że pierwsze co usłyszy, to: „Spierdalaj". I próbował sobie wymyślić jakąś inteligentną ripostę. Wyszedł na scenę, oczywiście usłyszał to „spierdalaj" i odpowiedział: „No dobra, to dwa, trzy skecze i spierdalam". Publiczność kupująca bilet na dany kabaret wie, czego się spodziewać i wie, dlaczego chce iść na występ. Inna sprawa to tak zwane firmówki. Tam też jest przypadkowa publiczność i różne rzeczy się zdarzają. Często są to ciężkie występy, ale czasem są lepsze niż klasyczne. Nie ma reguły.

ARTUR: Najgorzej jest, jak dzwoni ktoś z jakiejś branży i oczekuje, że będziemy mieli skecze dotyczące tej dziedziny. To jest nienormalne. Ktoś tam pracuje kilka czy kilkanaście godzin dziennie przez pięć dni w tygodniu, na przykład jako lekarz, i jeszcze w weekend, zamiast się oderwać od pracy i rozluźnić, miałby wysłuchać dowcipów o lekarzu. Zawsze mam takie dyżurne pytanie: „A kto jeszcze występuje?" I zwykle słyszę nazwisko znanej gwiazdy. Wtedy pytam, czy ona też śpiewa o lekarzach albo blachodachówce? Podobnie jest z dziennikarzami telewizyjnymi – najczęściej zapraszają na wywiad

i pada to sakramentalne pytanie: „A czy na koniec możecie coś pokazać? Wystarczy jeden skeczyk". Wtedy odpo-
wiadam: „Z przyjemnością, ale mamy umowę z Adamem
Małyszem i nie możemy...". „Ooooo... a jaką umowę?"
„Taką, że my po wywiadzie nie gramy skeczu, a Adam po
wywiadzie nie skacze!"

Dla jakiej najbardziej egzotycznej firmy graliście?

MICHAŁ: Trudno powiedzieć, ale występowaliśmy dla firmy
produkującej silikon i dla innej, która robiła maszyny
górnicze. Graliśmy dla przedsiębiorstwa, którego nazwy
nie kojarzę, produkującej jakieś ciężkie maszyny. To była
trzydniowa impreza w najlepszym hotelu w Polsce.
Występowaliśmy my, prowadził Krzysztof Ibisz, potem
śpiewały Kayah i Katie Melua. Firma, której nazwy
nawet nie znamy, zorganizowała występ dla swoich stu
klientów.

MARCIN: Kiedyś graliśmy w jakimś hotelu pod Piotrkowem
Trybunalskim. Salka była malutka, patrzymy na nią i nie
wierzymy, że mamy tu występować. Większą część
pomieszczenia zajmowała scena, a przed nią stało dwanaście krzeseł. Na pytanie, dla ilu osób mamy grać, pada
odpowiedź, że dla dwunastu. I pytamy, co to za impreza.
Okazało się, że firma Microsoft urządziła ją dla prezesów
KGHM. Bawili się doskonale, my też. Kiedyś znajoma
Waldka wymyśliła sobie, że zrobi imprezę dla lekarzy. Ale
to było lato, weekend, ciepło, więc wszyscy wyjechali.

I zamiast sześćdziesięciu osób przyszło kilkanaście. Wymyśliliśmy szybko, że nie będzie występu, tylko usiądziemy razem przy stole, pogadamy, poopowiadamy dowcipy. Byli przeszczęśliwi. Jesteśmy elastyczni w tego typu sprawach.

MICHAŁ: Ale Łowcy.B mieli jeszcze lepszy występ. Pojechali w sześciu, żeby zagrać dla ośmiu osób.

WALDEK: Czasem organizatorzy działają zupełnie irracjonalnie. Kiedyś graliśmy razem z Maleńczukiem dla widowni, której siedemdziesiąt procent stanowili Francuzi. Chyba się nie ubawili.

Rozumiem, że wobec bariery językowej Michał musiał nadrabiać sobą.

MICHAŁ: Ja nawet nie wiedziałem, że to byli obcokrajowcy. Nikt nie wiedział.

MARCIN: Michał nawet w ogóle nie wiedział, że tam był. Ze zdjęć się dowiedział.

Co robicie, gdy publiczność jest nie do ruszenia? Pierwszy, drugi, trzeci numer, a oni nic?

WALDEK: Doskonale się bawimy.

MARCIN: Im gorzej się bawi publiczność, tym my lepiej. To jest jakaś chora zależność. Takie występy zdarzają nam się na szczęście bardzo rzadko, ale jednak się zdarzają. Najgorzej jest, jak jesteśmy w pięciodniowej trasie, w trakcie której gramy dziesięć występów, po dwa dziennie. I dziewięć jest dobrych, a ten jeden, gdzieś w środku, kompletnie z Księżyca, ludzie nie reagują na żarty. I zawsze w skeczu, w którym zazwyczaj jest bardzo mocna reakcja – z wybuchem śmiechu, brawami, które trzeba przeczekać – pada to kluczowe słowo i... Nic. Cisza. To nas zawsze okropnie śmieszy. Nie wiem, dlaczego.

WALDEK: To nas śmieszy, ale też wybija z rytmu. I wciąż nie wiemy, z czego to wynika. Dobrze by było, gdyby ktoś to zbadał. Ten sam program, miejscowość oddalona o trzydzieści kilometrów od tej, w której były salwy śmiechu, a tutaj kompletny brak reakcji.

Może to był jakiś flash mob?

MARCIN: Flash mob jestem w stanie wyczuć na kilometr. Była kiedyś taka próba, na imprezie firmowej. My o tym oczywiście nie wiedzieliśmy. To była impreza dla młodych pracowników o ile dobrze pamiętam, z jakiegoś call center. Sala pełna ludzi w wieku między dwadzieścia a czterdzieści lat, czyli nasz idealny target. Wychodzi konferansjer, zapowiada nas, wychodzę ja, mówię: „Dobry wieczór", zaczyna się występ. Leci jeden żart, drugi, trzeci i widzę, że oni siedzą jak mumie. I już wiem, że to ustawka, bo to nie jest możliwe, żeby dwieście osób siedziało na sali i nawet kąciki ust im nie drgnęły. Oni siedzą, siedzą, siedzą i wreszcie mówię: „Hmmm, taka sytuacja". Oni wtedy krzyczą: „Mamy cię!" i tak dalej.

MICHAŁ: Zdarza się, że gramy dla tak zwanej publiczności teatralnej. To też jest ciekawe doświadczenie. Ludzie, którzy chadzają do teatru, są przyzwyczajeni do mniej żywiołowych reakcji. Jest śmiech, ale nie ma braw, nie przerywają występu. Oglądają cały numer i dopiero na końcu cieszą się i wiwatują.

MARCIN: Kiedyś graliśmy w teatrze. Produkujemy się na scenie, ludzie śmieją się we właściwych momentach, ale szału nie ma. Dajemy sobie znaki między numerami, żeby zwolnić albo przyspieszyć. A tu nic. Gramy, kończymy, a tu nagle *standing ovation*.

Najgorzej jest wtedy, kiedy publiczność nie bawi się i nie reaguje w momentach, w których my jesteśmy przyzwyczajeni do gorącej reakcji. Nawet tempo skeczu mamy przygotowane pod ten moment, oczekujemy go. A tu nic. Jest za to wybuch śmiechu w miejscu, w którym nikt, w żadnym miejscu w Polsce, nigdy się nie zaśmiał. Myślę sobie, że ktoś musiał wtedy rozpylić gaz. Bo tego się nie spodziewaliśmy. To nas bardzo śmieszy. I wówczas jeszcze coś dorzucamy do tego skeczu. Dopiero wtedy zaczyna się akcja. Ostatnio nie wypalił tekst, który zawsze działa. W skeczu *Biuro matrymonialne* mówię, że moja żona tam krzyczy, Michał stwierdza, że tylko pozazdrościć, ja na to: „Wie pan, to jest jednak balkon". I tu zawsze jest reakcja, jest śmiech. I ostatnio graliśmy to w Wadowicach i po tym tekście zapadła kompletna cisza.

Zdziwiliśmy się, popatrzyliśmy na siebie. Nie wiedzieliśmy, o co chodzi, nadal zresztą nie wiemy.

WALDEK: Może w Wadowicach nie mają balkonów.

A może, wiecie... Wadowice, balkon, okno. TO okno.

MICHAŁ: A myśmy zażartowali z TEGO balkonu. No to mamy przechlapane.

Więcej was tam nie zaproszą.

MARCIN: Zaproszą, zaproszą. Teraz mają nowego prezydenta. Od Palikota. Zmienia się w Wadowicach.

MICHAŁ: Mamy też takie powiedzenie „skafandry na sali". Wzięło się to z występów w Zakopanem. Było tam takie kino Sokół, graliśmy w nim kilka razy w okresie świątecznym. Mieliśmy tam specyficzny rodzaj publiczności, „skafandry" właśnie. Ludzie przychodzą na występ po całym dniu na stoku, zmęczeni, do tego zimno na zewnątrz. W kinie też nie ma ogrzewania, więc oni siedzą w kurtkach i skafandrach. Po dwudziestu minutach grania, choćbym wychodził z siebie, stawał na uszach i rzęsach, widzimy, że publika odpływa. Siedzą, robi im się ciepło, przyjemnie i zaczynają zasypiać.

MARCIN: To samo spotkało Artura w Bukowinie Tatrzańskiej. Gramy występ, Artur jako akustyk, mała sala, na zewnątrz minus piętnaście stopni, a w sali czterysta osób w kurtkach. Po piętnastu minutach robi się plus dwadzieścia sześć. Stół akustyków stał przed samą sceną, więc Artura widzieliśmy z odległości dwóch metrów. Gramy piosenkę, do której ma wypuścić podkład muzyczny, ale widzimy, że śpi......Odliczam: trzy, dwa, jeden i... zadziałała automatyka. Obudził się dokładnie w punkt i nacisnął przycisk. Był trzeźwy, ale atmosfera sali go ululała.

MICHAŁ: Kiedyś po występie w Teatrze w Poznaniu przyszła pani z kwiatem i powiedziała, że nasz występ to była toaleta słowna.

EMIL: I że na tej scenie występowali nie tacy artyści. A tu biega goły facet i lecą wulgaryzmy.

MARCIN: Czyli jak w nowoczesnym teatrze. Dużo golizny i kurwy.

WALDEK: Ale ja wiem, dlaczego tak było. To było w Teatrze Wielkim w Poznaniu. Bilety sprzedawał nie organizator, tylko Teatr. Przyszła pani, która chadza regularnie do teatru, zobaczyła nas w programie między *Królem Learem* a *Hamletem* i pomyślała, że powinna zobaczyć ten znany kabaret.

MICHAŁ: No i zobaczyła. A ja tam na golasa, z fiutem prawie na wierzchu.

JAK PRZETRWAĆ...
W TRASIE

P o naszym występie przyszedł dyrektor festiwalu razem z menadżerem klubu. Przepraszali: „Nie zdawaliśmy sobie sprawy, że jesteście jakimś pieprzonym U2 z Polski".

Czy zdarzyło wam się odwołać występ?

WALDEK: Mieliśmy kiedyś wystąpić w Zielonej Górze. Okazało się, że wtedy też Telewizja Polska robi jakiś program i zależało im, żebyśmy wystąpili. Dyrektor z TVP zaprosił nas i próbował przekonać do występu. Nie mieli argumentów, a my tłumaczyliśmy, że nie może być tak, że odwołujemy występ w Zielonej Górze i tego samego dnia pojawiamy się w telewizji. Ludzie powiedzą, że to obciach, a po drugie będą posądzenia, że daliśmy się skusić pieniędzmi i publiczność z Zielonej Góry mamy gdzieś. Obiecywał nam złote góry, gruszki na wierzbie, nie wiadomo co. Ostatecznie nie zgodziliśmy się. A kilka tygodni później koleś przestał być dyrektorem.

MARCIN: Kiedyś była też podobna sytuacja. Mieliśmy jednego dnia spektakl w Płońsku, a wieczorem krótki występ w polsatowskim programie „Zabij mnie śmiechem". Ale Michał miał zapalenie krtani i stracił głos. No i do Płońska nie pojechaliśmy. Wystąpiliśmy w Polsacie, ale akurat tam Michał miał rolę niemą. To był skecz *Lokomotywa*.

ARTUR: Pani dyrektor z Płońska do mnie zadzwoniła i powiedziała, że dopóki będzie dyrektorem, to nigdy tam nie zagramy. Próbowaliśmy to odkręcić, ale do dzisiaj w Płońsku nie zagraliśmy.

WALDEK: My i tak mieliśmy zdążyć z Płońska do Polsatu, bo nasz występ był planowany na końcu. Mieliśmy się pojawić jako gwiazda wieczoru, ale ponieważ Michał nie mógł wystąpić w Płońsku, to nas przesunięto wcześniej. Nie na koniec, tylko gdzieś w środku. I nikt jakoś nie zarejestrował, że Michał w tym skeczu w ogóle się nie odzywał. Zrobiła się afera. Długo potem jeszcze nasłuchaliśmy się o tym Płońsku, ale czasem są sprawy, o których ludzie nie wiedzą. Wtedy najłatwiej napisać, że się wypięliśmy na widzów. A to nie było tak, że wybraliśmy telewizję.

Czyli miewacie „zawodowe niedyspozycje"?

MARCIN: To nie było pierwszy raz, gdy Michał stracił głos. Kiedyś to się zdarzyło w Zakopanem. Przyjechaliśmy na sztukę i nagle okazało się, że Michał nie mówi. Bilety były dawno sprzedane, więc nie chcieliśmy robić syfu. Staliśmy przed wejściem do kina, gdzie mieliśmy wystąpić, ludzie przychodzili, a my wszystkich informowaliśmy, że Michał nie mówi. I to nie było tak, że wcześniej gdzieś zapiliśmy. Po prostu stało się. Michał stał przed wejściem, charczącym głosem przepraszał, a ludzie w kasie odbierali pieniądze za niezagraną sztukę.

WALDEK: W sumie bardzo rzadko zdarzało nam się odwołać występy. Na te kilka tysięcy sztuk przez kilkanaście lat to może z dziesięć razy. Kiedyś było tak, że przyjechaliśmy do jakiegoś miasta, gdzie mieliśmy wystąpić w amfiteatrze. To było pierwsze granie w tym miejscu po całej zimie. Ktoś wymyślił, że otworzy ten amfiteatr dziesięć minut przed naszym występem. Po całej zimie. To był jakiś koszmar, kosmiczny syf, nieprzygotowana betonowa scena, liście, śmieci. Powiedzieliśmy, że nie zagramy w takich warunkach. To był kompletny brak szacunku dla nas i dla widzów. Ale ostatecznie zagraliśmy. Ludzie już nas widzieli i gdybyśmy odjechali, to znowu by się pojawiły głosy, że artyści mają jakieś kaprysy.

ARTUR: Raz odwołaliśmy też z powodu ostrego zapalenia wyrostka Jabbara, to było w Busku Zdrój. Natomiast w Elblągu Kołek zemdlał tuż przed występem z Michaelem Palinem.

WALDEK: Dzień wcześniej dostałem gorączki, miałem ze czterdzieści stopni, kaszlałem, byłem chory. Przyjechał lekarz, dał leki. Miało być lepiej, ale nie bardzo się pozbierałem. Przed występem z Palinem poszedłem do toalety i tam straciłem przytomność. Osunąłem się na podłogę. Był wtedy z nami Tomasz Alber i mówił potem, że niemal zawału dostał, kiedy zobaczył, jak mi się gałki oczne wywróciły. Zadzwonił na pogotowie. Przyjechał lekarz, zbadał mnie i nic nie stwierdził. Żadnego podwyższonego ciśnienia. Pamiętam, że jak odzyskałem przytomność i zaczęli mnie badać, nie miałem temperatury i czułem się świetnie. Mam taką teorię, że organizm poczuł, że jest coś nie tak, wyłączył mi ważniejsze funkcje i się zresetował. Po tym zdarzeniu byłem już w świetnej formie. Sztuka się odbyła, normalnie zagrałem na scenie, a przecież pół godziny wcześniej leżałem nieprzytomny.

ARTUR: Rozmawiałem wtedy z ratownikami, którzy mówili, że bez powodu człowiek nie traci przytomności. Chcieli go zabrać na badania do szpitala. A my zaraz mieliśmy wyjść na scenę z Michaelem Palinem. To miał być wyjątkowy występ. I nie zgodziłem się na zabranie Kołka do szpitala. Powiedziałem, że czuje się lepiej i musi zagrać.

WALDEK: Faktycznie dobrze byłoby mnie poobserwować, ale wszystko było git.

ARTUR: Marcin miał przez jakiś czas chroniczne problemy z głosem. Jeździł do szpitala na jakieś wlewki, ale występ z tego powodu nigdy nie został odwołany. Nawet, mimo tych problemów, śpiewał.

MARCIN: Tak, i raz usłyszałem, że mam się wystrzegać napojów zimnych i gazowanych. Kiedyś po występie przychodzi do mnie – jak się potem okazało – lekarz. Myślałem, że przychodzi po autograf, a on mówi, że jest laryngologiem. „Jak słuchałem dzisiaj pana na scenie, to postanowiłem panu pomóc. Proszę do mnie przyjść, zrobię panu inhalację sterydową, bo inaczej jutro pan nie będzie mówił" – powiedział. Poszedłem na tę inhalację. Po zabiegu on do mnie mówi: „Panie Marcinie, teraz po tej inhalacji nic zimnego ani gazowanego". W perspektywie zbliżającego się wieczoru nie bardzo mi to pasowało.

MICHAŁ: Zepsuł mu cały wyjazd.

MARCIN: Ale okazało się, że wino idealnie wpasowuje się w te zalecenia, bo nie jest zimne i nie jest gazowane.

WALDEK: A z lekarzem się zakumplowaliśmy.

Zdarzyły się inne ciekawe znajomości „w trasie"?

ARTUR: Tak, Waldek nawet zawarł znajomość z Zygmuntem Solorzem.

WALDEK: To było na TOPtrendach. Mówili mi ludzie z Polsatu, że Solorz od początku istnienia TOPtrendów jest na wszystkich kabaretonach.

MICHAŁ: Raz nie był, bo była walka bokserska w hali obok.

WALDEK: Poszedł na walkę, ale na koniec wrócił. Kiedyś zdarzyło mi się zjeść z nim śniadanie. To było akurat po narodzinach mojego syna. Poprzedniego wieczora był bankiet. Ja na bankiet nie poszedłem, bo byłem wykończony po tych wszystkich akcjach porodowych i musiałem odespać. W hotelu nocowali wszyscy ludzie z TOPtrendów. Rano schodzę na dół, a tam pusto. Wszyscy balowali do rana i nikt nie przyszedł na śniadanie. Był tylko Solorz. Zaprosił do stolika, posiedzieliśmy, pogadaliśmy. Bardzo sympatyczny facet.

Jesteście jednym z tych kabaretów, które zaliczyło tournée po Stanach.

MARCIN: Nie przepadamy za wyjazdami do Stanów Zjednoczonych, jest za daleko. Pierwsze dwa, trzy razy były w porządku, bo było zwiedzanie, zakupy, a potem to już nic ciekawego.

ARTUR: Jak się słyszy, że ktoś z polskich artystów odbywa tournée po Stanach, to patrzy się na to przez pryzmat wielkich zespołów rockowych, wielkich tras i występów na stadionach. Polacy grają w pubach, klubach, hotelach, restauracjach, salach przy kościele. Występują między bingo a loterią. To bardzo często jest strasznie pompowane.

MARCIN: Czasem czytam, że ktoś wybrał się na tournée po Stanach. Dokładnie po dwóch stanach. Connecticut i jakimś drugim.

ARTUR: Najgorsze problemy techniczne, jakie mieliśmy w historii, to właśnie w Stanach. Najgorszy dźwięk, sprzęt, brak kabli do mikrofonów.

A jakieś fajne wspomnienia?

MARCIN: Jak byliśmy w Stanach, to kiedyś przejechaliśmy się z Las Vegas do Wielkiego Kanionu. A w Las Vegas? Wiadomo – co się dzieje w Las Vegas, zostaje w Las Vegas.

MICHAŁ: Ja dostałem taką rozpiskę, co trzeba zrobić w Las Vegas, i to zrobiłem.

MARCIN: Byliśmy na jakimś przedstawieniu, potem wiadomo: alkohol, kasyno.

ARTUR: A w kasynie drinki dla grających są gratis. Nie czuje się upływu czasu, hostessy donoszą szklaneczki.

MARCIN: Następnego dnia wsiedliśmy do busa.

KOŁEK: Kto wsiadł, ten wsiadł. Michała wrzuciliśmy.

MARCIN: Wsiedliśmy do busa i kierowca mówi, że w drodze do Wielkiego Kanionu jest wielka atrakcja, czyli tama Hoovera. Wtedy największa tama na świecie. I Michał, wielki entuzjasta tamy, mówi „Tama Hoovera to jest zajebista rzecz! Tam kręcili Bonda, Transformersów. Ja widziałem wszystkie filmy z tamą Hoovera. Jestem jej wielkim fanem. Ale się cieszę!"

MICHAŁ: I tu musi być cięcie.

Robi się ciekawie...

MARCIN: Jak spał na tej podłodze w busie, to gasł coraz bardziej, aż ktoś przekręcił wajchę i mu wyłączył prąd. I jak dojechaliśmy nad tę tamę, to go budzimy, krzyczymy: „Michał, wstawaj! Tama Hoovera!". A Michał tylko nieprzytomnie „Mhm, mhm". I... nigdy w życiu nie zobaczył na żywo tamy Hoovera. Chociaż był od niej jakieś sto metrów.

WALDEK: My tam byliśmy z godzinę. Pochodziliśmy, porobiliśmy zdjęcia. I pojechaliśmy dalej tą słynną amerykańską, prostą jak w mordę strzelił, drogą. Zatrzymaliśmy się po jakimś czasie w takim fajnym, malowniczym miejscu, żeby porobić zdjęcia. Michał się budzi, widać, że kompletnie nie ma pojęcia, gdzie jest, i pyta: „No, gdzie ta tama?"

ARTUR: W Wielkim Kanionie kiedyś doświadczyliśmy zmian klimatu. Zatrzymaliśmy się tam, pooglądaliśmy, zrobiliśmy zdjęcia, w nocy pojawiła się burza śnieżna, rano odkopaliśmy samochód z grubej warstwy śniegu, a kilka godzin później w Phoenix opalaliśmy się na basenie. Ta zmiana klimatu była niesamowita.

Czyli można powiedzieć, jesteście zespołem o światowej sławie?

MARCIN: Jest taka fajna historia o tym, jak pierwszy raz graliśmy w Irlandii. Graliśmy w Cork, w czasie boomu emigracyjnego Polaków do Irlandii. Występ miał być w wielkim namiocie cyrkowym, bardzo profesjonalnym, w centrum miasta. To był jakiś dwutygodniowy festiwal kulturalny, występowali artyści różnych sztuk. Organizator znalazł dla nas miejsce jako dla gwiazdy z Polski. I jak przyjechaliśmy, to organizatorzy traktowali nas z góry, bardzo niesympatycznie. Nie mogliśmy zrobić próby, nikt dla nas nie miał czasu. Nie mogliśmy poprosić o krzesło, sprawić, żeby było głośniej, żeby było ciszej. A po nas miał wystąpić zespół muzyczny, w którym grał gitarzysta z Jamiroquai. Wielka gwiazda, jednym słowem. Nie było fajnie, ale co tam. Mieliśmy zagrać, to będziemy grać. W namiocie na krzesłach można było posadzić osiemset osób. Dwie godziny przed naszym występem stała kolejka na dwa i pół tysiąca osób, sami Polacy. Oczywiście nie wpuścili wszystkich, ale i tak nabili ten namiot na maksa.

ARTUR: Ludzie siedzieli wszędzie, w przejściach. Nie mogli wpuścić mniej, bo mogło dojść do jakiejś zawieruchy na zewnątrz.

MARCIN: Po naszym występie przyszedł dyrektor tego całego festiwal razem z menadżerem klubu. Przepraszali: „Nie zdawaliśmy sobie sprawy, że jesteście jakimś pieprzonym U2 z Polski". Po czym na muzyka Jamiroquai przyszło 300 osób.

ARTUR: Facet był pod niesamowitym wrażeniem.

WALDEK: Zagraliśmy wtedy znakomity spektakl. Ludzie bawili się doskonale. Organizatorzy mówili nam, żebyśmy pilnowali czasu, bo po nas miał być kolejny zespół. Musiał zrobić próby, przygotować się. Ale ludzie nie chcieli nas puścić – jeden, drugi, trzeci bis. Po tym występie rura mu naprawdę zmiękła.

ARTUR: Na Kubie też odnieśliśmy spektakularny sukces – tam odbył się jedyny wykonany przez Michała skok ze sceny.

MICHAŁ: To były moje urodziny! Poszliśmy do klubu z muzyką na żywo. Była tam zawodowa, normalna scena, mniej więcej na wysokości metra. Kiedy muzycy skończyli grać, postanowiłem, że skoczę ze sceny. Artur i Marcin byli ochotnikami do łapania mnie. Krzyczeli: „Skacz! Skacz! Złapiemy cię!". A byli lekko wcięci. No więc elegancko skoczyłem, ale oni nie obliczyli, że mogę ich trochę pociągnąć. Skoczyłem, złapali mnie, ale przy tym doznali obustronnego nokautu.

ARTUR: Michał ziemi nie dotknął, ale my się tak zderzyliśmy głowami, że ja na ułamek sekundy straciłem przytomność.

MARCIN: Ja wtedy nie straciłem przytomności, bo przytomność straciłem godzinę wcześniej...

ARTUR: Pamiętam też fajny występ w Egipcie. Byliśmy tam my, kabaret Smile i Łowcy.B. Obok sceny były otwarte garderoby z kostiumami, w których działo się wszystko.

MICHAŁ: Dodatkowo tam była wolna amerykanka w kwestii kompletowania sprzętu. Kable były sztukowane, za krótkie, przez co mikrofony stały gdzieś z boku.

ARTUR: A na scenie pojawiały się hurysy, sułtani i mnóstwo innych postaci. Co kto znalazł w garderobie, to wynosił.

Czyli na obczyźnie jesteście mistrzami improwizacji?

ARTUR: A żebyś wiedział! Zdarzało się, że wyjeżdżaliśmy wspólnie na wypoczynek. Kiedyś pojechaliśmy na narty do Włoch ze sporą grupą przyjaciół. Przed powrotem do kraju poszliśmy na kolację do hotelu, w którym mieszkaliśmy. Okazało się, że jest to dzień karaoke. Towarzystwo było międzynarodowe – Szwedzi, Norwedzy, Niemcy, oczywiście Polacy i przede wszystkim Włosi.

Zaczęło się karaoke. Siedzimy przy stoliku większą grupą – osiem, może dziesięć osób. Pijemy różne specyfiki - grappę, wódkę, drinki. A Włosi śpiewają swoje szlagiery, również międzynarodowe. Mija pierwsza godzina, druga godzina, śpiewali już prawie wszyscy. Nawet dziewczyna na wózku, która kilka dni wcześniej połamała się na desce. Tylko Polacy siedzą i łoją alkohol, kelner donosi kolejne drinki. Pozostali zaczynali już z niesmakiem patrzeć na nasz stolik. Byliśmy grzeczni oczywiście, ale nie przyłączaliśmy się do zabawy. Zapytałem Jabbara, czy nie chciałby zaśpiewać. „Nie, nie, jeszcze chwileczkę". Po kilkunastu minutach pytam znowu. „Jeszcze jedna kolejka i możesz iść mnie zgłosić". Poszedłem do Włocha, który odpowiadał za podkład muzyczny i pytam, czy ma Franka Sinatrę, konkretnie „My Way". „Oczywiście, mam taki numer". Powiedziałem więc, że po następnej piosence przyjdzie mój przyjaciel i zaśpiewa. Mówiłem dość sprawnym angielskim, ale słychać było, że jestem już lekko zrobiony.

Po chwili wstaje Marcin i podchodzi do mikrofonu. Ruchowo sprawny, ale ślady ostatnich dwóch godzin biesiadowania trochę widać. Pytają go o imię. „My name is Frank Sinatra" – zażartował Marcin, po czym zapowiedział, że zaśpiewa „My Way", z dedykacją dla żony, która siedziała przy stoliku. Wyświetlił się tekst na ekranie, poszła muzyka. Marcin nawet nie zerknął na ekran, zaczął śpiewać plecami do tekstu. Ja tylko obserwowałem reakcje Włochów, którzy wcześniej byli najbardziej rozśpiewani. I widzę, jak im powoli opadają szczęki. „My Way" to popisowy numer Marcina, tekst zna na pamięć. Zaśpiewał to z pełnego gardła, tak pozamiatał, że słychać było, jak Włochom po kolei kopary spadały na stoły. Gdy skończył, zapanowała cisza. Włosi pewnie myśleli wcześniej, co to za pijani kolesie z Polski, którzy nawet śpiewać nie potrafią, a Marcin skasował całą salę jednym kawałkiem. Jakby samuraj przeciął mieczem całą salę. Najpierw była cisza, a potem burza oklasków. Przyszedł organizator i pyta, co to za człowiek. Powiedziałem, że to taki znany w Polsce facet z telewizji.

Potem były dalsze potyczki wokalne. Marcin zaśpiewał nawet coś Erosa Ramazzottiego, mimo że słowa po włosku nie zna. Włosi byli w pełnej ekstazie.

A czy zdarzają się niespodzianki na scenie?

WALDEK: Kiedyś podczas występów w Stanach przyjechaliśmy w pewne miejsce. A tam jedno światło było ustawione przed sceną, a drugie pojedyncze na scenę. Nam było potrzebne pełne oświetlenie sceny. Okazało się, że kilka miesięcy wcześniej, może nawet pół roku, występował jakiś zespół ludowy. Nie mieścił się na deskach i występował przed sceną. I te światła tak zostały. Mówimy, że musimy mieć oświetloną scenę. Oni mówią, że nie ma takiej możliwości, bo nie ma tego pana, co ustawia światła. Więc w tajemnicy dali mi klucze, wszedłem po drabinie i po prostu przestawiłem światła. „Inżynier" z Polski dał radę. Bo tam autentycznie do takiej roboty jest potrzebny inżynier, nie może tego zrobić byle kto. I jeszcze związki zawodowe muszą wyrazić zgodę.

ARTUR: Zaskoczyła nas jedna sytuacja w Bergen, w Norwegii. Tuż przed występem gasną światła. Marcin mówi ze sceny: „Pewnie jakaś awaria, ale nie widzę, żeby ktoś się tu kręcił z obsługi technicznej". Nie wynikało to z tego, że wszystko było pod kontrolą, ale wynikało z natury Norwegów. Tam nikt nie biegnie, bo jak jest awaria, to jest awaria. Nie ma prądu, to nie ma prądu. Ostatni numer dostał dograny tylko dlatego, że znaleźliśmy jakieś gniazdko, które miało zasilanie, przepięliśmy kable i dokończyliśmy występ na pojedynczym spocie. A widzowie podeszli do tego bardzo spokojnie. „Coś się zepsuło". U nas wszyscy by się zerwali i szukali usterki. Może korki, może kabel, może zasilanie na zewnątrz?

WALDEK: Teraz mamy rider techniczny. Artur o to dba, ale kiedyś to był dramat. Na początku naszej działalności miewaliśmy zaproszenia typu: „Panowie, przyjedźcie i zagrajcie". Gdzieś tam, na przykład w hotelu. I pytaliśmy, czy jest światło, dźwięk, mikrofony, statywy. „Tak, tak, wszystko jest". Przyjeżdżamy, pytamy: „Gdzie jest scena?". „Tutaj". Okazuje się, że to jest po prostu sala w hotelu, normalna płaska podłoga, bez podwyższenia. No więc sami przytargaliśmy skądś scenę. „A światło?". „Jest". Przyszedł pan i włączył światła w całej sali. To teraz nagłośnienie. „Jest?" „Jest". I dostajemy dwa mikrofony do ręki. „Fajnie, a skąd ten dźwięk idzie?". „To ja się zaraz dowiem". I człowiek prowadzi mnie na drugi koniec hotelu i pokazuje szafę w ścianie. A tam dźwięk był wyprowadzany do całego hotelu. To teraz statywy. „Oczywiście, są". I koleś wyciąga takie statywy do mikrofonów konferencyjnych. To wszystko wyglądało jak jakiś skecz. Ani światła, ani mikrofonów, ani statywów. Ale trzeba sobie jakoś radzić. Na szczęście później miała być dyskoteka i uratował nas DJ, który nam pożyczył swój sprzęt.

WALDEK: Kiedyś graliśmy w Nowym Sączu na imprezie studenckiej. Cztery godziny walenia wódy, potem kabaret, a potem znowu wóda. Generalnie wszyscy mieli nas gdzieś. Nie było statywów i jeden człowiek się zadeklarował, że będzie stał cały czas i trzymał te mikrofony. Jabbar do dziś nie może sobie darować, że się na to nie zgodził. Ile on by tak wytrzymał? Dwie minuty?

Rozmowa z Emilem Karwackim,
AKUSTYKIEM

Jak ci się pracuje z chłopakami?

Bardzo dobrze. Dla mnie to idealna praca, idealny pracodawca. Pracuję krótko, dziesięć dni w miesiącu. Jest wesoło, ciekawie i na pewno nie nudno. I jeszcze spełniam się w tej robocie.

Od kiedy współpracujesz z Ani Mru-Mru?

Na tym stanowisku, na którym jestem, pracuję od marca 2012. Wcześniej z nimi jeździłem jako technika estradowa w firmie Artura. Najpierw byłem człowiekiem od wszystkiego – od wieszania plakatów po sprzedawanie biletów. I tak poznałem chłopaków.

Potem powstał pomysł założenia techniki estradowej. Głównym akustykiem był Grzesiek Kowal, ale była potrzebna pomoc. Wciągnąłem się w to, jeździłem z chłopakami, robiliśmy dużo imprez. Potem była krótka przerwa, ale jak Artur miał wypadek, chłopaki wpadli na pomysł, żeby mnie zatrudnić na stałe.

Technika estradowa to była specjalna komórka obsługująca imprezy, którymi zajmował się Artur. Stworzona po to, żeby nie było żadnych niespodzianek. Bo dawniej, zanim pojawiły się pieniądze unijne, niektóre sprzęty w miejscach, gdzie graliśmy, miały po kilkadziesiąt lat. A sprzęt, który mieliśmy, był kupiony głównie z myślą o kabarecie. To było niezbędne minimum do obsługi występów kabaretowych, z którym jeździliśmy. A potem weszły pomoce unijne i w domach kultury pojawił się niezły sprzęt.

Powiedziałeś, że czasem spotykaliście się z archaicznym sprzętem. Zdarzały się jakieś niespodzianki techniczne?

Czasem naprawdę było dziwnie, ale zawsze dawałem radę. W USA mnie zaskoczyła jedna rzecz. Obsługa świateł było na scenie, a stół akustyka stał 40 metrów dalej. Pytam, dlaczego światła nie są też obsługiwane na sali. Okazało się, że dwa lata wcześniej wiewiórki przegryzły kable i od tamtej pory tak to wygląda.

Przypominam sobie też, że w Kielcach kiedyś cały czas wywalało bezpieczniki od świateł. Więc ciągle siedział tam techniczny z deską podpierającą te bezpieczniki, żeby ich nie wywalało. To w sumie była bardziej fizyczna praca niż techniczna. Ale teraz bardzo rzadko zdarzają się niespodzianki. Sprzęt jest na poziomie i ludzie odpowiednio przeszkoleni. Optymalnie jest, jak na miejscu jest akustyk i oświetleniowiec. Wtedy mogę tylko powiedzieć, czego potrzebuję, a oni to robią. Ale czasem nie ma innej możliwości i muszę stawać za gałami. Ale staram się tego unikać, bo wtedy trzeba robić długą próbę, a nasze próby najczęściej są kilkuminutowe.

Chłopaki ufają ci bezgranicznie, jeśli chodzi o sprawy techniczne, czy raczej wtrącają się?

Mają pewne przyzwyczajenia. Na przykład Marcin lubi mieć dużo w odsłuchu. Czasem może to generować problemy technicznie, bo zaczyna się wszystko sprzęgać. Na mikroportach, na których pracujemy, najlepiej jest, gdy używa się znikomych monitorów, ale Marcin lubi, żeby się słyszeć bardzo głośno. I tak jest najczęściej wszystko ustawione. Oni pracują bardzo dużo głosem. Jak są jakieś emocje w skeczu, zaczynają krzyczeć, na przykład w *Wieczorze kawalerskim*, to wiem, że trzeba być czujnym, bo wtedy wszystko podjeżdża bardzo wysoko na skali. Z ich punktu widzenia lepiej jest, jak oni się bardzo dobrze słyszą, z mojego trochę mniej, bo to się sprzęga. Ale jak to w życiu, trzeba iść na kompromis.

Widziałem, że lubią się czasem z ciebie ponabijać.

Nie odczuwam tego jakoś dotkliwie. Ostatnio miałem jedną wtopę, więc trochę po mnie pojeździli. I może dlatego wydawało się, że tak jest cały czas. Ale nabijają się głównie z Waldka. On na szczęście wyrobił już swoją blokadę i nawet tego nie słyszy. Ogólnie jest zasada, że nie ma litości dla nikogo. Jak ktoś się wychyla, wystawia piłkę ponad siatkę, to trudno nie ściąć.

Obecny tryb pracy Ani Mru-Mru, dziesięć dni w miesiącu w trasie, chyba jest przyjemny?

Z mojego punktu widzenia jest świetny. Mam dwuipółletniego syna. Mogę go wychowywać, w pozostałe dni zajmuje się nim moja partnerka i tak naprawdę potrzebujemy pomocy do niego tylko kilka dni w miesiącu. To jest naprawdę super, że mogę tyle czasu nim się zajmować, zrobić coś fajnego. Te dziesięć dni w miesiącu z kabaretem jest idealnie wyważone. Mam czas dla rodziny, czas dla przyjaciół. Wszyscy są do tego przyzwyczajeni i czasem nawet widzę u swojej partnerki delikatną zazdrość, że pracuję na tyle mało, że mam na wszystko czas. A nawet jak pracuję, to tak naprawdę nie pracuję, tylko się bawię.

W sumie ma sporo racji.

Zdecydowanie. Robię to, co lubię. Przez to, że znałem się z chłopakami od dawna, była jakaś chemia między nami i czuliśmy, że możemy sobie zaufać. Wcześniej akustykiem był Grzesiek Kowal i mimo że znali go wcześniej, okazało się, że chcą pracować ze mną. Czuliśmy, że będzie nam się dobrze współpracowało i jak na razie nie narzekam ani ja, ani oni.

Mieszkasz w Warszawie, Marcin, Waldek i Artur w Lublinie, a Michał w Katowicach.

Nie mam żadnych problemów logistycznych. Zwłaszcza, że moi rodzice, którzy są już dość wiekowi, mieszkają pod Lublinem. I dzięki temu, że muszę tam jechać, bo gdzieś ruszamy z kabaretem, przy okazji odwiedzam rodziców. A poza tym większość naszych tras biegnie przez Warszawę, więc przy obecnych autostradach wszędzie się szybko dojedzie. A jak wracamy z trasy, ja wyskakuję w Warszawie, a reszta się rozjeżdża do domów.

Jak oceniasz wasz nowy program?

Ja mam trochę spaczone podejście, bo dla mnie żadna premiera kabaretowa nie jest fajna. Każdy nowy program dopiero po dwóch, trzech miesiącach nabiera takiego kształtu, który chciałbym obejrzeć jako widz. Wtedy jest już dopracowany od A do Z. A do tego czasu nigdy nic nie wiadomo. Kombinuje się z puentami, wszystko się nieraz wywraca do góry nogami i tak naprawdę dopóki wszystkiego się nie dopieści, dopóki ten program bawi tylko nas, a nie widzów, to jest taki sobie. A w tym programie są trzy numery, które muszą być petardami. Jak się ogląda z boku Ani Mru-Mru i widzi się, jak to wszystko się nakręca, powstają fajne gagi, fajne sytuacje, rodzi się coś z niczego, to jest magia, coś niesamowitego. Program nabierze ostatecznych kształtów dopiero po ósmym, dziesiątym występie. A były dopiero dwa. I już między tym pierwszym a drugim były zmiany. To nie jest sztuka teatralna, którą grasz od A do Z. Tu się kombinuje, trzeba być elastycznym. Również z mojej strony. Kombinuję ze zmianą świateł, z dżinglowaniem. Marcinowi zdarzyło się zapomnieć jednego skeczu, zmiana odbyła się w trakcie występu. I ja musiałem szybko zareagować, biec od stanowiska akustyka za kulisy i dopytywać się, co się dzieje.

Nad numerami pracujecie cały czas, każdy może coś tam od siebie dorzucić. Masz może swój wkład w jakiś skecz?

Zawsze coś tam się wrzuci. Jak się słucha i ogląda na bieżąco, to zauważa się pewne rzeczy i czasem się podpowie. Coś tam może podpasuje Jabbarowi, on to wykorzysta, ale to nie jest nic zauważalnego czy trwałego. Bardziej na zasadzie burzy mózgów. Ale trafił się jeden taki pomysł podczas Ryjka. Była kategoria „To się nie uda". Wymyśliłem może nie skecz, ale sytuację, że na pewno nie uda się pogrzeb kabareciarza. Jak wszyscy kabareciarze pojawią się na pogrzebie, to nie może się udać, nie będzie na smutno. Wtedy Jabbar to chwycił i zrobiliśmy skecz o pogrzebie Kołka.

Rozumiem, że Kołek był wniebowzięty, bo w skeczu musiał tylko leżeć.

Kołek siedział na widowni i oglądał skecz.

MICHAŁ.
JAK PRZEŻYĆ...
W OGÓLE

Nigdy nie wrócę do pełnej sprawności. Raz, że są braki w organizmie, dwa, że śruby nie pozwalają mi na wysiłek. Nie mogę się podciągnąć, nie mogę podnosić ciężkich rzeczy, szarpać się. Mówi się, że starsi ludzie gadają głupoty o tym, że ich rwie na zmianę pogody. Ja mam tak samo. Boli jak cholera.

Dostajesz propozycje solowych występów jako ten, co pokazuje?

Bardzo rzadko, bo przecież Irek Krosny się tym zajmuje. Jest też wielu zawodowców od pantomimy klasycznej, którzy cały czas są aktywni w teatrze. Solowych rzeczy raczej nie dostaję. Chyba że jakieś prowadzenie. Ale ostatnio Artur dostał propozycję dla mnie, od jakiejś firmy produkującej czy dystrybuującej, która chce wprowadzić na rynek dwie rzeczy. Pierwsza to fotel biurowy, taki super, do pracy, który masuje, robi dobrze, wszystko robi. A druga rzecz to jest taka superekologiczna, nowoczesna, przyjazna dla rodziny wykładzina, która cię wyleczy i wszystko za ciebie załatwi. Dostałem propozycję, ponieważ kiedyś miałem dużo do czynienia z pantomimą, aby przygotować dwie scenki, które miałyby zaprezentować walory tych rzeczy. Dawno czegoś takiego nie robiłem. Pomyślałem chwilę i się zgodziłem. Przygotowałem dwie małe etiudki.

A chciałbyś częściej?

Ja w sumie tak dużo tej pantomimy *vis comica* używam w naszych skeczach, że mi tego nie brakuje. Nie tęsknię za tym, nie marzę, żeby nagle wyskoczyć w getrach na scenę. Dużo tego mam na co dzień. Chociażby w naszym przedostatnim programie gram skecz z koniem. Cały czas ta pantomima jest obecna.

A skecz z koniem to twój autorski pomysł?

Skecz z koniem:
https://www.youtube.
com/watch?v=
H-zDRvOGhoY

Ten skecz powstał z głupoty, z nudy w garderobie. Robiłem to, zacząłem się wygłupiać, chłopaki zaczęli się śmiać i trzeba było to wcielić do programu. Potem nawet parę osób, które uprawiają hippikę, pytało mnie, czy miałem coś wspólnego z końmi. Mówili, że na padoku bym się sprawdził. Nie miałem i nie mam do czynienia z tymi zwierzętami, ale że w takim skeczu nie da się oszukać, musiałem spędzić trochę czasu, oglądając konie w ruchu. Sam miałem z tego ubaw, że siedzę przed komputerem i oglądam rumaki. Ludzie wiedząc, że kiedyś miałem coś wspólnego z pantomimą, cały czas oczekują, że ten chudy wyjdzie i zacznie się wyginać. Zresztą nie uciekamy od tego, to w końcu tworzy charakter naszego kabaretu. Od zawsze był ten podział między mną a Marcinem, że on jest ten starszy i mądrzejszy, a ja ten młodszy i głupszy.

Przeszkadza ci taki wizerunek? Ten chudy jest głupszy, a Marcin to ten mądrzejszy. On mówi, ty pokazujesz.

Kiedyś nawet próbowaliśmy to zmienić, odwrócić role. To się w ogóle nie przyjęło. Jednak ludzie mają już to zakodowane w głowach i oczekują, że ja jestem ten powyginany i głupszy, a Marcin ten mądrzejszy. Nie przeszkadza mi to.

Jesteście chyba wciąż jedynym kabaretem, który tak łączy słowo mówione z elementami ruchu.

Z tego co mi wiadomo, to chyba tak. Przynajmniej u nas w Polsce. Jest taki mim Olo [Aleksander Cezary Adamczyk, OLO MIM – przyp. red.], który się próbuje przebijać z pantomimą, do której dorzuca jakieś ścieżki dźwiękowe. Ponieważ na scenie jest też Irek Krosny, który rozpowszechnił pantomimę klasyczną wśród widzów kabaretu, to ma ciężko. Ale robi fajne rzeczy. Parę jego numerów obejrzałem, bo podrzuca mi czasem, żebym rzucił okiem.

A były jakieś pomysły, żebyście stoczyli z Krosnym pojedynek na pantomimę?

On uprawia zupełnie inny rodzaj pantomimy. Znamy się długo, nawet o tym rozmawialiśmy. On ten klasyczny mimodram zmiękczył, przystosował go tak, żeby był bardzo przyswajalny dla zwykłego widza. Odbiorca często nawet nie ma pojęcia, jak wygląda klasyczna pantomina; trzeba naprawdę lubić ten rodzaj ekspresji czy Teatr Ruchu. On ją zmiękczył, jak to się mówi w teatrze. Każdy ruch wychodzi z toku, kończy się takim łamanym gestem. To byłoby strasznie męczące dla ludzi, widz by wytrzymał jedną etiudę, może dwie, a po trzeciej już by miał dość. Irek zrobił to genialnie. Zmiękczył ją, ale zachował cały *entuorage*: wszystko na czarno, on w getrach i w T-shircie. Ale odszedł od malowania twarzy i białych rękawiczek. Chwała mu za to, że ludzie cały czas chcą oglądać ten rodzaj sztuki. Kiedyś byliśmy w razem w Stanach, my i Irek Krosny. Było to połączenie dosyć egzotyczne, a wyszło rewelacyjnie. Też wywodzę się z teatru pantomimy klasycznej, często go podpatruję.

Podpatrujesz kogoś z zagranicznych komików? The Umbilical Brothers?

No tak, oni są fenomenalni. Ale takie łączenie ruchu i dźwięku jest znane od bardzo dawna. Jest też taki Włoch, który występuje sam, dźwięk podaje sobie przez mikroport i robi to genialnie. A zaczął dużo wcześniej od nich. To jest w końcu uniwersalny język. Krosny jeździ po całym świecie, do Japonii, do Ameryki i każdy go rozumie. W przypadku naszego kabaretu jest bariera językowa. Aczkolwiek, kiedyś dzięki współpracy z Michaelem Palinem mieliśmy propozycję, żeby stworzyć krótki program, trwający mniej więcej pół godziny, w języku angielskim i zaprezentować go tamtejszej publiczności.

No właśnie, jak do tego doszło?

On robił jakiś program o nowych krajach w Unii Europejskiej i przy odcinku opowiadającym o Polsce padła propozycja dla Ani Mru-Mru. Byliśmy strasznie podjarani i zaskoczeni, zastanawialiśmy się, dlaczego my. A w środowisku kabareciarzy rozeszło się pytanie: „Dlaczego oni?".

No i przygotowaliście ten program?

Nasz program opiera się w dużej mierze na rzeczach śmiesznych dla Polaków, dość hermetycznych. Tak jak w PRL-u powiedziało się „ruskie pierogi", to od razu było wiadomo, o co chodzi. U nas tak funkcjonuje chociażby skecz z Chińczykiem. Można by to przetłumaczyć, ale Anglik raczej tego nie zrozumie. Zrezygnowaliśmy. Ale przynajmniej zostaliśmy zaproszeni na oficjalną galę rozpoczęcia programu Michaela Palina.

A dlaczego Palin wybrał Ani Mru-Mru? Czy właśnie dlatego, że sporo gracie ruchem, dzięki czemu wasze skecze są bardziej zrozumiałe dla zagranicznej publiczności?

Prawdę mówiąc, nawet nie wiemy, dlaczego padło na nas. Może ktoś prześledził naszą scenę kabaretową i uznał, że nasze gagi były zbliżone do tego, co robił Monty Python? Trudno mi powiedzieć. Może spodobała im się ta piosenka, w której Palin później wystąpił? Parodia Arki Noego.

Słów nie znał, ale mógł sobie przynajmniej pomachać rękami.

Jezu, jakie to dla nas było przeżycie, ten występ z Michaelem Palinem. Zresztą dla niego też. On nam wtedy powiedział, że nie występował na scenie od dwudziestu pięciu lat. Miał gigantyczną tremę, był cały zestrachany, jak tam z nami stał. Ale się udało. To było wielkie zaskoczenie, bo nikt nie wiedział, gdzie on z nami wystąpi i w jakim numerze. To była tajemnica. Padło na Elbląg. Siedzi publiczność, Marcin wychodzi i mówi, że dzisiaj specjalne wykonanie, że naszym gościem w tym skeczu będzie Michael Palin z Monty Pythona.

Tego nie było wcześniej ani na biletach, ani na plakatach?

Nie było! Ludziom na widowni po prostu kopara opadła.

Pomysł, żeby Michael z wami wystąpił, pojawił się od razu?

Kiedy się przygotowywał do nakręcenia odcinka o Polsce, jedną z ciekawostek o naszym kraju było to, że jest tu bardzo dużo kabaretów. Nie stand-uperów, jakich jest pełno w wielu krajach na świecie, tylko właśnie grup, które tworzą rzeczy zbliżone do tego, co robił Monty Python. Postanowili to pokazać w programie. Palin okazał się przesympatycznym człowiekiem. Patrzyliśmy w niego jak w obrazek, a to normalny facet, w dodatku z wielką tremą. Pamiętam, jak staliśmy w kulisach przed wyjściem na scenę i trzymaliśmy się za ręce. Jezu, jak on mnie mocno ściskał z tej tremy!

Uważasz, że można kpić ze wszystkiego? Zwłaszcza po niedawnym szaleństwie w Paryżu?

Odbieram to na dwa sposoby. Bo to nie jest takie biało-czarne. Atak terrorystyczny jest oczywiście wielkim złem, takich rzeczy nie można robić, ale z drugiej strony trzeba też spróbować zrozumieć tych ludzi, którzy mają swoje przekonania i swoją wiarę. Może faktycznie ta satyra była zbyt ostra, ale nie można za to zabijać. Jesteśmy kabareciarzami, staramy się śmiać z wielu rzeczy i dawać ludziom radość, ale nie możemy kpić ze wszystkiego. Jest w końcu jakaś granica; ona się cały czas przesuwa, ale jednak jest. Żarty, które pojawiały się dziesięć lat temu, teraz są zupełnie inaczej odbierane. My zawsze wychodziliśmy z założenia, że jeżeli będzie choć jedna osoba na sali, która może się poczuć urażona jakimś żartem, to go nie wykonujemy.

Nie ruszacie religii?

Wszyscy się teraz śmieją z księży. To, co się obecnie dzieje w tym środowisku, działo się przecież zawsze. Tylko wcześniej nikt o tym nie mówił, to było lepiej ukrywane, z kościoła nie można było kiedyś żartować. Z księży można się pośmiać, ale z pedofilii to już raczej nie bardzo. Można oczywiście zaszokować, ale po co? Ktoś powie coś mocnego i potem będzie znany tylko z tego, że mocno pojechał po klerze. Po monologu Abelarda Gizy o papieżu narobiło się trochę zamieszania. Przyznam, że tego nie rozumiem. Przecież on tak naprawdę nawet z papieża nie żartował. Ktoś to źle odebrał, opacznie zrozumiał. Przecież to było tylko o tym, że papież też jest człowiekiem, co się przejawia w jego fizjologii. Kobiety też nie są przecież księżniczkami z bajki. Księżniczkami, które nie pierdzą i nie robią kupy, tylko mają taki dozownik z brykietem. Tak samo ich skecz o krypcie z Kaczyńskim. Skecz był całkiem niewinny, ale ktoś usłyszał tylko coś wyrwanego z kontekstu albo w ogóle nie słyszał tego żartu i od razu się zaczął oburzać. To akurat jest problem ludzi, a nie kabareciarzy, którzy opowiadają te dowcipy.

Ale w ważne święta kościelne staramy się nie występować. Nasz naród jest nadal bardzo katolicki, a my przecież nie zbiedniejemy, jak nie wystąpimy tego dnia, za to uszanujemy czyjeś przekonania.

Jesteś wierzący?

Wierzący niepraktykujący.

A pozostali? Waldek, Marcin?

Marcin jest wierzący, Waldek nie.

Czy to w jakiś sposób zmienia postrzeganie przez was pewnych dowcipów czy zjawisk?

Staramy się podchodzić z szacunkiem do przekonań innych, a Waldek, mimo że niewierzący, również potrafi to uszanować. Na pewno nie powie: „Wy jesteście tacy, ja jestem inny i mam to w dupie". Aczkolwiek są czasem zabawne sytuacje z tym związane. Nawet niedawno było coś takiego. Jechaliśmy samochodem, nagle jakieś zwierzę wyskoczyło nam przed maskę i było ostre hamowanie. I kto najgłośniej krzyczał: „O Jezu!"? Waldek! Może wierzył, że jak przed śmiercią przywoła imię Jezusa, to będzie zbawiony? Ale to jest starszy człowiek, więc łapie się wszystkiego. Potem oczywiście sobie tego nie przypominał.

Miałem okazję przejechać się twoim fajnym samochodem, ale podobno dopiero niedawno zrobiłeś prawo jazdy.

No tak. Z lenistwa tak późno zrobiłem, nie miałem kiedy. To raz. A dwa, wcześniej wszędzie byłem wożony. Chociaż prowadzić umiałem. Ale nie wsiadałem za kółko bez prawka.

Jakie było twoje pierwsze wrażenie po spotkaniu z Marcinem?

Bardzo konkretny facet. I bardzo rzeczowy w tym, co chce robić. To nie było tak, że spotkałem się z osobą, która chce coś tworzyć, ale nie ma do tego stuprocentowego przekonania. To nie było na zasadzie: „A, spróbujmy". To już był konkret. Nie było wtedy tak dużo kabaretów, a tu pojawił się ktoś młody, kto chce coś robić. Aczkolwiek na początku miałem nieco inne myśli, chodziło mi po głowie coś, czego nie wypadało mi wówczas powiedzieć. I nie mówię tu o Marcinie, chodziło o zespół, z którym wtedy działał. Powiedziałem to dopiero później.

Postawiłeś się? Że albo ty, albo dotychczasowa ekipa?

Nie, to nie tak. Wtedy grałem już w teatrze. Zresztą po to zostałem zaproszony, żeby im pokazać pewne rzeczy związane z estradą. Gdzie wszystko umieścić, jak należy znaleźć się na scenie, jak się ustawiać do światła. Pokazałem im, porozmawialiśmy. Mnie chodziło o sprawy personalne. Ja umiałem pewne rzeczy i chciałem się rozwijać. Nie chciałem czekać na innych, aż się czegoś nauczą. Powiedziałem, że jak mamy coś tworzyć, to musi to być już na pewnym poziomie. Ale nie wypadało mi powiedzieć: „Słuchaj Marcin, ty jesteś okej, Aśka jest okej, ale tych dwóch to trochę nie bardzo".

Czyli przyszedłeś jako w pewnym sensie techniczny, ale wyszedłeś już jako członek kabaretu?

Mieliśmy z Marcinem wspólnych znajomych. Okazało się, że moi znajomi i jego znajomi bardzo dobrze się znają. Nasze drogi się jednak nie przecinały. I jak Marcin zakładał kabaret, to znajomi powiedzieli mu, że jest taki śmieszny gość, spotkajcie się i pogadajcie. Marcin doskonale wiedział, co chce robić. Założyć kabaret, pisać teksty. Mnie nie wypadało wtedy powiedzieć, że ktoś tam nie pasuje. Później spotkaliśmy się w knajpce; jedna wódka, druga, trzecia i powiedziałem mu. I dwa albo trzy tygodnie później zadzwonił, że chce się spotkać, a z tamtych ludzi zrezygnował.

Działałeś wtedy w teatrze Scena Ruchu. Robiłeś pantomimę, która nie była jeszcze śmieszna.

Dlaczego? Mieliśmy dwa spektakle, które były bardzo śmieszne.

I to wtedy poczułeś, że chcesz sprawiać, żeby ludzie na widowni turlali się ze śmiechu?

Może jeszcze wtedy nie poprzez kabaret. Ta forma *vis comica* bardzo mi odpowiadała. Bardziej mi się podobał spektakl *Kalejdoskop* niż spektakl *Popioły*, który był ponury i poważny. To te spektakle, do których muzykę napisał zespół VOO VOO.

To kiedy pojawiła się myśl, żeby jednak głównie bawić?

Od zawsze byłem pewien, że chcę coś dawać ludziom: uśmiech, zadowolenie, chwilę refleksji. Na początku chodziło o moje uzdolnienia plastyczne. Zawsze dobrze rysowałem, malowałem, chciałem pójść w tym kierunku, nawet miałem zdawać do szkoły plastycznej. Ale moi rodzice zdecydowali, że tam nie pójdę – bo jaki potem niby miałbym mieć zawód– więc wysłali mnie do szkoły elektronicznej. W tamtych czasach elektronika się rozwijała i to była przyszłościowa rzecz. Nie jarało mnie, tak jak mojego brata, siedzenie z lutownicą z tyłu telewizora, ale ta droga została mi narzucona. Moje malowanie zostało odsunięte w kąt, nie rozwijałem się już w tej dziedzinie, choć bardzo chciałem. Wtedy był taki kierunek, który nazywał się dekoratorstwo wnętrz. Teraz to przecież jest genialna sprawa. Ale moi rodzice pytali, że niby co to jest. Miałbym malować ściany? Tapetować?

Malarz pokojowy. Był taki jeden słynny.

No tak. Ale moja przygoda ze sztuką się wtedy zakończyła. A potem to przyszło nagle. Wtedy ludzie wyjeżdżali, uciekali przed wojskiem. Ja też uciekłem, ale okazało się, że niepotrzebnie – dostałem kategorię E, bo miałem rozwaloną nogę po wypadku. Ale o tym później.

Przyjechałem do Lublina, odwiedzić znajomych i koleżankę, która pracowała w nowo otwartej kafejce artystycznej – nazywała się Graffiti. W latach dziewięćdziesiątych w Lublinie były trzy miejsca na krzyż, do których można było pójść i spotkać się ze znajomymi. No więc, jak się coś nowego pojawiło, to trzeba było pójść zobaczyć. Pojechałem spotkać się z Edytą i okazało się, że właśnie w tym samym momencie jest nabór adeptów do pantomimy klasycznej. Ten barek był przy sali widowiskowej. I tam różni ludzie wchodzili i wychodzili. Spytałem Edytę, co tu się dzieje, ona odpowiedziała, że tu jest taki teatr, a tam w środku siedzi dyrektor artystyczny – świętej pamięci Mirosław Olszówka – i przesłuchuje adeptów. I jak się ten nabór skończył, to Mirek przyszedł do baru, a Edyta powiedziała mu, żeby pogadał z tym chłopakiem, który tu siedzi. On jest taki śmieszny, wygina się i tym podobne. Ja mówię: „Nie, to bez sensu". Ale jednak pogadaliśmy, poszliśmy do sali i już nie pojechałem do Holandii. Zostałem w Lublinie. Wciągnęło mnie to okrutnie. Uczyłem się wtedy zaocznie i pracowałem, na dodatek chodziłem na zajęcia z teatru. I jeszcze znalazłem czas, żeby oprócz tych zajęć teatralnych ze dwa, trzy razy w tygodniu przez kilka godzin biegać w rajtuzach po sali. Spodobało mi się to strasznie. I nie chodzi mi tylko o to bieganie w rajstopach.

Teraz trochę biegasz w skeczu o koniu.

Tak się zaczęło to moje bieganie w teatrze, gdzie byłem od 1991 do 1998 roku. Tam pracowałem, potem podczas remontu za barem pierdyknął mnie prąd i wylądowałem w szpitalu.

To ty taki człowiek z przygodami jesteś.

O Jezu, żebyś wiedział. Nie lubię szpitali, bo za dużo czasu w nich spędziłem. Trochę wypadków, kilka złamanych kości.

O wypadku na nartach jeszcze pogadamy, ale opowiedz o tej przygodzie z nogą.

Proszę państwa, jest taki słynny film *Powrót do przyszłości*, a w nim Marty jeżdżący na desce. Byłem jednym z pierwszych, którzy jeździli na deskorolce w Lublinie. Po tym filmie już nie mówili o mnie na osiedlu „ten chudy" czy „ten z odstającymi uszami", tylko „ten, co jeździ na deskorolce". Od razu było wiadomo, o kogo chodzi. Któregoś dnia kolega kupił sobie nową deskorolkę. Wtedy deski były trochę inne niż teraz, każdy miał taką, na jaką go było stać. Tamta to była taka plastikowa decha z kółkami, które nie przypominały kółek; to były właściwie takie czarne beczułki. Deskorolka w kształcie jakby grota włóczni. Masakra totalna, to się rozwalało po jednym sezonie. Mój kolega nic nie wiedział o tym sprzęcie i nie poluzował tych śrub na dole, dzięki którym deska mogła skręcać. Ja ją złapałem, rzuciłem się na nią jak szczerbaty na suchary, pobiegłem do przodu, wskoczyłem na nią, ale jak chciałem zawrócić, okazało się, że ona nie skręca. Ja dalej ją naciskałem i wpadłem w dziurę w asfalcie. Jak wpadłem w dołek, deska mi wyskoczyła spod nóg, a ja spadłem na nogę. Strzeliła mi kość strzałkowa i goleń. Obie kości były złamane, przekręcone i przesunięte względem siebie. Tak mi tę nogę poskładali, że do dzisiaj jest o półtora centymetra krótsza niż druga. No i dzięki temu mam kategorię E. Ale ja o tym nie wiedziałem. Noga krótsza, wielkie rzeczy. Lekarz mówił, żebym nosił wkładkę pod piętę, na komisji potem sprawdzili, zmierzyli i powiedzieli: „O pan ma krótszą nogę, to podziękujemy". Człowiek tak się gimnastykował, latał po lekarzach, a tu proszę, wystarczyło się rozwalić na deskorolce.

A wypadek na nartach?

O, to była poważna sprawa. Tu już nie było żartów. Wpadł na mnie człowiek na stoku. To był Niemiec! Więc na pewno zrobił to specjalnie! Wjechał we mnie od tyłu. To była ewidentnie jego wina, bo ten, kto jest wyżej na stoku, powinien uważać na tych, którzy są niżej. Ja byłem na dole. Był tam taki dołek i tego miejsca nie było widać z wyższej części stoku. Ja tam skręcałem i widziałem kątem oka, jak on wyskakuje zza górki. Ale już było za późno, mogłem tylko uciekać. Więc złożyłem się w lewo, a jak się złożyłem, to on mnie pierdyknął. Tyle pamiętam. Połamał mi żebra, rozbił opłucną, miałem krwotok wewnętrzny, złamany bark i rozbity obojczyk. Teraz nie mam połowy tej główki, co trzyma ramię. Lekarze wstawili tam dwie śruby, żeby mi nie wypadała.

Brzęczysz na lotnisku?

No właśnie nie. Liczyłem na to, ale okazuje się, że tytanowe śruby nie brzęczą. Najpierw mnie przewieźli helikopterem do jednego szpitala, tam reanimacja, potem do drugiego, do Innsbrucka. Tam przeszedłem dwie, trzy operacje, potem cztery dni w śpiączce, walka o życie.

Szybko przyszła pomoc?

Ja tego nie pamiętam, bo dostałem strzał z tyłu i straciłem przytomność. Była tam wtedy ze mną moja obecna, a niedługo już była, żona. Później się mną opiekowała, za co jej chwała. Tego jej nie zapomnę i bardzo dziękuję. Dziwna sprawa, bo gdy wydarzył się ten wypadek, nie było świadków. Nikt nie widział momentu zderzenia. Potem pojawili się koledzy, zadzwonili po śmigłowiec. Dopiero na drugi dzień zjawili się świadkowie, jacyś znajomi tego Niemca. Potem w trakcie procesu się okazało, że ten koleś był jakimś prawnikiem, jego koledzy też i zaczęli ustalać swoją wersję.

Walczyłeś o odszkodowanie?

Walczyłem z nimi bardzo długo o odszkodowanie. On miał tylko stłuczone kolana. Cała sprawa zakończyła się dopiero rok temu. Trwała prawie dziesięć lat, nie pamiętam dokładnie ile, ale bardzo długo. Ja sam powiedziałem, że już dosyć; jeżdżenie w tamto miejsce, retrospekcje, to trwało za długo, za dużo pochłonęło czasu, za dużo nerwów mnie to kosztowało. Miałem długą przerwę w jeździe na nartach. Nie byłem w stanie stanąć na stoku. Kiedy pierwszy raz po przerwie zacząłem zjeżdżać, usłyszałem, jak obok skręca jakiś koleś. To był dla mnie koniec. Dostałem ataku histerii, odpiąłem narty i zszedłem na nogach na stację. Nie byłem w stanie zapiąć nart. Ale wracając do walki o odszkodowanie... Trochę mnie to kosztowało. Wypadek wydarzył się w Austrii, facet Niemiec, ja Polak. Tłumacze przysięgli, papiery, tłumaczenie, częste wyjazdy. Na szczęście podczas wypadku byłem trzeźwy. I miałem ubezpieczenie. Ludzie, pamiętajcie o tym! To prawie nic nie kosztuje, a można wiele zyskać. Jak dostaliśmy papiery z wyszczególnieniem, co ile kosztowało, to okazało się, że sam przelot śmigłowcem kosztował trzydzieści tysięcy złotych. A do tego trzeba dodać operacje i inne rzeczy. Nie życzę nikomu znalezienia się w takiej sytuacji.

Przeleciałeś się śmigłowcem nad Alpami i nawet widoków nie mogłeś podziwiać.

Przekonałem się wtedy, że człowiek na morfinie jest w stanie wymyślić niesamowite rzeczy. Nie żebym kogoś namawiał, ale to było ciekawe przeżycie. Nie jestem w stanie sobie przypomnieć, co mi się śniło przedwczoraj, ale mogę opowiedzieć, co wtedy widziałem po morfinie; po kolei, każdej nocy. To było takie realistyczne, takie mocne... Strasznie mi się wryło w głowę. Coś niesamowitego. Miałem nieziemskie akcje. Kiedyś – we śnie – przyjechał detektyw Rutkowski z chłopakami z kabaretu, żeby mnie odbić z tego szpitala i zabrać do Polski. Kule śmigały dookoła. Na morfinie, gdy miałem odloty, wyświetlały mi się w głowie fantazyjne obrazy, które byłem w stanie opisać. Gdyby ktoś kazał mi je namalować, to byłbym w stanie to zrobić z każdym detalem. To były bardzo fajne obrazy. Potem, na trzeźwo, to znaczy bez morfiny, przypominałem je sobie, opisywałem. Kiedyś przechodziłem obok galerii i zauważyłem książkę, a na jej okładce był ten mój obraz. Nie dokładnie taki sam, ale bardzo podobny. W tych okolicznościach poznałem twórczość Tomasza Sętowskiego. On maluje dokładnie to, co ja miałem w głowie. Może Sętowski coś bierze?...

Wspólne wizje po zażyciu podobnych środków?

Z miejsca chciałem mieć tę książkę. Później zgłębiłem jego twórczość i odpadłem. Zresztą, kiedyś go poznałem, przypadkowo. Fantastyczne spotkanie w jakimś hotelu, gdzieś w Polsce. Ja siedziałem na korytarzu z flaszeczką Jacka Danielsa, a on szedł z buteleczką czegoś innego. Ja go poznałem, myślę: „O Jezu, to Sętowski". On na mój widok mówi: „O Jezu, to pan z kabaretu". I się okazało, że ja jestem jego fanem, a on moim. Od słowa do słowa, poznaliśmy się. Myślę o tym, żeby kiedyś pojechać do niego i opowiedzieć mu mój sen. Z jednej strony chciałbym mieć jego obraz w domu, a z drugiej...

Boisz się.

Strasznie się tego boję. Nie wiem, jak bym zareagował, gdybym powiesił sobie taki obraz. A ponieważ jego obrazy są raczej sporych rozmiarów, to obawiam się, że nie mógłbym przejść obok obojętnie. Za dużo zdrowia by mnie to kosztowało.

Jak długo wracałeś do pełnej sprawności po tym wypadku?

Nigdy nie wrócę do pełnej sprawności. Raz, że są braki w organizmie, dwa, że śruby nie pozwalają mi na wysiłek.

Nie mogę się podciągnąć, nie mogę podnosić ciężkich rzeczy, szarpać się. Mówi się, że starsi ludzie gadają głupoty o tym, że ich rwie na zmianę pogody. Ja mam tak samo. Boli jak cholera.

Czyli takie bardziej wygięte numery kosztują cię trochę wysiłku?

Nie aż tak bardzo. Skecz z koniem nie męczy mnie jakoś szczególnie. Ale jak są rzeczy bardziej akrobatyczne, na przykład stanie na rękach, to już tak. Staram się w takich sytuacjach jakoś oszukiwać. Ale raczej się nie oszczędzam.

Jak długo trwała przerwa w występach Ani Mru-Mru?

Kilka miesięcy. Zresztą mieliśmy kilka takich przerw. Przy zerwanych więzadłach Marcina chociażby, przy mojej ręce.

Jeszcze coś z ręką miałeś?

Tak, ale już nie chcę o tym mówić. Sporo razy byłem w szpitalu.

A czy twoja gibkość pomogła ci jakoś w tych twoich wypadkach?

Na pewno. Organizm, który zna swoją gibkość i plastykę, umie się bronić przy upadkach. Na dodatek jako młody chłopak byłem nękany w szkole za odstające uszy, więc postanowiłem wszystkich pobić i zapisałem się na taekwondo i aikido. Pomogło mi kilka razy. Upadki kontrolowane.

Po tym wypadku na nartach byłeś jeszcze w szpitalu?

No, byłem kilka razy, ale już nie chcę o tym gadać. Powybijane ręce, połamane palce, złamany nos, porozbijane łokcie.

A na scenie przydarzyła ci się jakaś kontuzja?

Miałem jedną. Raz wbiła mi się w rękę potężna drzazga. Taki niemalże kawał drzewa. To się zdarzyło podczas upadku, a tamta scena pozostawiała wiele do życzenia. No, ale na scenie trzeba dać z siebie sto procent, więc dałem. Jak upadałem, to poczułem i nawet usłyszałem taki dziwny dźwięk. Kiedyś rozwaliłem zęby o mikrofon; za blisko stanąłem, przydzwoniłem jedynkami i ułamałem je.

Niebezpieczny zawód uprawiasz.

No ba. Jak się szybko zbiega ze sceny za kulisy i się zapomni, że tam stoi drabina, to można się zdziwić.

Oczywiście jesteście ubezpieczeni od wypadków na scenie? Zwłaszcza ty, po tym wypadku w Austrii.

No tak, na błędach trzeba się uczyć. Z jednej strony dobrze, że miałem ten wypadek na nartach, a z drugiej źle. Niedobrze, że się wydarzył, dobrze, że skoro się wydarzył, to raczej się już nie powtórzy. Później przez dwa lata miałem lęk przed nartami. Nie jeździłem, ale potem pojawiła się deska, na której jeździła Ewa. Myślałem sobie: „Gdzie tam narciarz będzie jeździł na desce. Nigdy w życiu! «Parapeciarze» niech się usuwają". Zresztą do dziś wkurza mnie ten zwyczaj ludzi jeżdżących na desce, że zamiast usiąść z boku stoku, oni siadają na środku. Ale wróćmy do mnie. Ewa jeździła i mnie nauczyła. Sprzedałem narty i teraz nie widzę nic innego poza deską. Jest rewelacyjnie. Ale nie przyszło mi to łatwo. Narty mają ten plus, że jak coś pójdzie nie tak albo nie umiesz zbyt dobrze jeździć, to się ześlizgniesz i jakoś dasz sobie radę. Na desce niestety tak dobrze nie ma. Jak nie załapiesz, to gleba i koniec. Kiedy ja się uczyłem, to po półtorej godziny byłem cały mokry i, choć nie należę do osób nadużywających wulgaryzmów, tak niesamowicie kurwiłem, jak nigdy w życiu. Ale powoli się nauczyłem i dzisiaj tylko deska się liczy. Czekam zawsze na moment, kiedy będę mógł się wyrwać, aby pojeździć. A jak zobaczyłem w Czechach faceta mającego chyba z siedemdziesiąt lat śmigającego na desce, to pomyślałem, że skoro on może, to ja też... Teraz mam trochę mniej czasu, bo mam małe dziecko. Charlie ma kilka miesięcy. Ale mamy sąsiada, który się zajmuje deskami zawodowo i robi imprezy dla maluchów w wieku od czterech lat. Rewelacja, taki maluch na snowboardzie.

Jak ci się udało przeforsować imię Charlie? Nie jest łatwo u nas z takimi imionami.

Oczywiście były problemy w Urzędzie Stanu Cywilnego. Musiałem to jakoś uzasadnić. Powiedziałem, że moja profesja jest taka, a nie inna i jestem wielkim fanem Charliego Chaplina, i być może mój syn będzie chciał studiować za granicą, więc bardzo chciałbym, żeby miał na imię Charlie. A po mnie ma na drugie Paweł. Czyli nazywa się Charlie Paweł Wójcik. Musiałem oczywiście wysłuchać gadania pana urzędnika, ale był w sumie bardzo ludzki. Nie dziwię mu się, że chciał się dowiedzieć, dlaczego wybrałem takie imię, ponieważ jak mi zaczął opowiadać, z jakimi imionami ludzie przychodzą do urzędu, to go zrozumiałem.

Bo ty jesteś tak naprawdę Paweł, a nie Michał.

Ja jestem Paweł Michał, a nie Michał Paweł. Natomiast Marcin ma imiona Marcin Paweł (Kołek też jest Waldemar Paweł). Mam na pierwsze Paweł, ale moja mama stwierdziła od początku, że jestem taki pocieszny i radosny, że Paweł do mnie nie pasuje. Za poważne imię. Więc musi być Michaś. I tak już zostało. Muszę się z tego powodu pilnować w podróżach, bo wszystkie papiery muszę podpisywać jako Paweł. Raz miałem wydrukowane na bilecie Wójcik Michał i dupa.

Jaki jest twój ulubiony skecz?

Nie mam ulubionego. Dlatego że – jak to mówimy – najbardziej się kocha najnowsze dzieci. Uwielbiam wszystkie nasze skecze, bo to moja pasja, sprawia mi to wielką przyjemność. To jest dla mnie cały czas zabawa. Ale na pewno bardzo lubiłem grać *Czerwonego Kapturka*, *Macieja i Smoka*, aczkolwiek w pewnym momencie miałem go dosyć, bo wymagał ode mnie sporego latania. Lubiłem też *Klinikę uzależnień* i skecz *Ojciec ma zawsze rację*. To taki spokojny, bardzo przemyślany numer.

Ale przyznam się, że nigdy nie oglądałem naszych skeczy. Zacząłem dopiero niedawno, jakieś dwa lata temu. Nie chciałbym sobie słodzić czy się chwalić, ale strasznie się śmiałem, widząc siebie na scenie. Ale nie dlatego, że mógłbym powiedzieć: „O Jezu, jaki świetny numer", tylko raczej: „O matko, jaki ty głupi jesteś".

Marcin mówił, że macie kilka skeczy, których popularności nie rozumiecie. Wśród nich wymienił chociażby *Tofika*.

Czy ja wiem? Po tym skeczu staliśmy się naprawdę rozpoznawalni. I tak jak Marcin, nie mam bladego pojęcia, dlaczego on stał się takim hiciorem. Numer jest oparty na postaci z komedii Mela Brooksa *Młody Frankenstein*.

Marty Feldman?

To była dla mnie niesamowicie komiczna postać. Te jego gagi, gra w tym filmie, wszystko. Postanowiłem coś z tym zrobić, przedstawiłem pomysł chłopakom, oni się posmarkali ze śmiechu. Byliśmy młodym, początkującym kabaretem, pokazaliśmy tę postać i chwyciło, okazało się hiciorem. Z mojej strony to jest hołd złożony właśnie Marty'emu Feldmanowi. Jestem jego dozgonnym fanem.

Tofik oczywiście dopadł nas zaraz po tej rozmowie. Wyszliśmy z Michałem z lokalu, on poszedł do kiosku po papierosy. Dwie panie siedzące w środku uśmiechnęły się szeroko na jego widok, a jedna powiedziała: „To pan!? A ja wczoraj właśnie oglądałam *Tofika*!".

Twoim innym idolem jest Charlie Chaplin. Chyba nie macie skeczu, w którym nawiązywaliście do niego?

Nie miałem możliwości zrobienia czegoś takiego w naszym repertuarze, ale raz robiłem etiudę z filmu *Dyktator*, z tej sceny, w której Charlie golił faceta. Pokazaliśmy to z Waldkiem podczas Nocy Listopadowej. On siedział w fotelu, a ja go goliłem. Do muzyki musiałem zrobić całą etiudę. Byłem zaszczycony.

Twoja ulubiona rzecz Chaplina to...? Scena, film?

Wielokrotnie się nad tym zastanawiałem. Nie wiem, czy *Światła rampy*, czy *Światła wielkiego miasta*, czy *Brzdąc*. Jest tego całe mnóstwo.

Nie wiem. W każdym filmie Charlie jest niby ten sam, ale zawsze w innej roli. On był perfekcjonistą. Był zresztą z tego powodu strasznie trudny we współpracy. Jedną scenę potrafił wałkować godzinami, dniami, tygodniami. Nie mam jego ulubionego filmu, ale do dziś oglądam *Brzdąca* i płaczę.

Zagrałeś w *Weekendzie*. Miałeś więcej propozycji?

Miałem jeszcze propozycje ról epizodycznych, ale w związku z tym, że kabaret jest priorytetem, nie było na to czasu ani możliwości. Był taki okres, w czasach naszej największej popularności, że mieliśmy ponad dwadzieścia występów w miesiącu. Kabaret zabierał nam kawał życia. Nie bywało się w ogóle w domu. Nie było czasu na robienie czegokolwiek innego.

A z teatru miałeś jakieś propozycje?

Miałem, ale już jakiś czas temu. W okresie, gdy nasza popularność znacznie wzrosła. Miałem wtedy propozycje, żeby wrócić do teatru, na scenę. Ale nie skorzystałem.

Wystąpiliście w dwóch reklamach.

Jedna reklama była niemal gotowa. Materiał był już przygotowany, swoją pracę wykonaliśmy, ale chyba zmienił się tam dyrektor. I zaczął kombinować, miał inną koncepcję i w sumie to nie poszło. Za to Hellena wypaliła. Ale najczęściej odrzucaliśmy propozycje, bo raz – jak to mawia Mikołaj Cieślak – nie każdy chce być twarzą na workach na odchody, a dwa – trzeba się trochę szanować. I robić to za naprawdę dobre pieniądze. I czasem słyszeliśmy, że to jest reklama danego produktu, ale przecież dla nas to też jest promocja. Super, fajnie, ale my nie potrzebujemy takiej reklamy.

Jesteś człowiekiem po przejściach, nie tylko fizycznych, ale też psychicznych. Chcesz porozmawiać o prywatnych sprawach?

O mojej rodzinie nie. Mam strasznie pogmatwane życie prywatne, jestem kawał łobuza. Zaliczam się do ludzi, którzy uważają, że artysta sceniczny nie powinien zdradzać się ze swoimi poglądami politycznymi, ani wyjawiać szczegółów ze swojego prywatnego życia. Jest od grania, tak jak dupa od srania i nie powinien pokazywać tego, co ma za paznokciami.

Ale miałeś kilka zakrętów w życiu. Musiało się to jakoś przekładać na pracę w Ani Mru-Mru.

No oczywiście. Jeżeli w głowie cały czas jest burza, to nie może to pozostać bez wpływu na pracę. Człowiek wychodząc z domu, powinien mieć czystą głowę, żeby móc pomyśleć nad numerami, tworzyć, pracować, a gdy tego spokoju nie ma, siłą rzeczy przenosi się to na scenę, na relacje z resztą zespołu, stosunki z przyjaciółmi, z kolegami. Nie jest to fajne i przepraszam za to moich kumpli, ale tak niestety było. Życie mnie dopadło.

Dochodziło do krytycznych momentów?

Były takie momenty, gdy mówiłem wprost: „Słuchajcie chłopaki, mam taki problem w domu, muszę odpuścić kabaret". Ale jako inteligentni ludzie nie uważamy, że sprawa przemilczana jest sprawą rozwiązaną. Można było, tak jak w niektórych zespołach, wkurzyć się, obrazić, ale to do niczego dobrego nie prowadzi. Potrafiliśmy więc usiąść sobie przy kieliszku chleba i porozmawiać. Mówiłem: „Jest źle, potrzebuję oddechu, nie wymagajcie ode mnie w tej chwili zbyt dużo". I na szczęście każdy to rozumiał. Przede wszystkim jesteśmy przyjaciółmi, potem jesteśmy kolegami z pracy.

A jesteście przyjaciółmi z Marcinem?

Jesteśmy. Może to nie jest jakaś wielka przyjaźń, ale z mojej strony tak. Może Marcin myśli inaczej, ale ja wiem, że jeżeli trzeba było komuś ściąć głowę, to ciąłem i nie patrzyłem na skutki uboczne. Skoczę za nim w ogień, jeżeli będzie taka potrzeba.

Od kiedy mieszkasz w Katowicach?

Od trzech lat. Nowa rodzina, nowy syn, sześciomiesięczny. Ale jest mi dobrze. Mam poczucie, że ważna jest rodzina, dom, mam takie przekonanie i będę się tego trzymał. Trzeba się ustatkować i uspokoić, aczkolwiek z drugiej strony mówi się, że rekina nie nauczy się żreć trawy.

Z Katowic pochodzi twoja nowa partnerka.

Tak, Ewa jest ze Śląska. Okazuje się, że Śląsk i Ślązacy, bo to oni są tam najważniejsi, to jest niesamowite miejsce. Mówi się, że ten rejon jest brudny, kopalnie, i tak dalej. Ale Śląsk, a zwłaszcza Katowice, bardzo się rozwijają. Dużo się inwestuje, dużo się zmienia na plus. Ale przede wszystkim ludzie. Otwarci, z sercem na dłoni, mają zupełnie inną mentalność niż ludzie w pozostałych częściach Polski. Są serdeczni, inaczej ukształtowani, wynoszą z domu inne wartości. Zupełnie inaczej wychowywane są dziewczyny, inaczej chłopcy. To mnie ujęło. Ewa jest tak wychowana, że dla niej dom jest najważniejszy, pewne obowiązki są oczywiste. Ja nie mam szczególnych wymagań, nie muszę nic mówić, ona daje pewne rzeczy sama z siebie. To właśnie wyniosła z domu. Tradycję i wychowanie. Katowice okazały się miejscem, w którym odkrywam wiele plusów. Poza tym Kraków jest blisko, góry są blisko, Czechy też są blisko.

Przenosząc się do Katowic, chciałeś się odciąć od tego, co było w Warszawie i wcześniej w Lublinie?

Nie da się całkowicie odciąć od rzeczy, które się kiedyś robiło – od dzieci, od przyjaciół. Wyprowadziłem się z Lublina, przeprowadziłem się do Warszawy, poznałem tam kolejną kobietę. W Warszawie chciałem zamknąć pewien etap w swoim życiu. Teraz tworzę nową rodzinę w Katowicach. Wcześniej mi się nie udało, ale przecież z tego powodu się nie zabiję. Próbuję. Nie udało mi się kilka razy, ale próbuję. I za każdym razem daję z siebie wszystko. Jest to wykorzystywane przeciwko mnie, ale jak mawia moja mama, jak ktoś ma miękkie serce, musi mieć twardą dupę.

Jak to się mówi, jesteś kochliwy?

Może nie tyle kochliwy, ile bardzo ufny. Dużo mnie to kosztuje. Głowa, serce, przyjaciel mi mówi, że jestem za dobry, że powinienem być kawałem skurwysyna. No i sporo pieniędzy mnie to kosztuje.

Twoje ostatnie małżeństwo jest już zakończone?

Wciąż nie jest zakończone. Moja już prawie eksmałżonka robi skok na kasę. Cały czas walczy o pieniążki. W końcu niespełniony artysta musi z czegoś żyć. Tak właśnie jest z moją żoną.

Niespełniony artysta żyje ze spełnionego artysty?

No nie, wciąż nie jestem spełniony. Zawsze czuję głód. Bywa, że jesteśmy zmęczeni pracą, chcemy wracać do rodziny, do znajomych, ale już po kilku dniach znowu ciągnie nas w trasę. Chcemy zmęczyć się drogą i odpocząć na scenie.

Czyli nie masz wciąż czystej głowy.

Nigdy nie będę miał. Poukładałem swoje sprawy, powkładałem je do szufladek, ale te sprawy wciąż tam tkwią.

Żałujesz czegoś?

Podobno nie można niczego żałować, ale żałuję. Rozwiązałbym kilka spraw inaczej. Teraz jestem mądry po szkodzie.

Michał Wójcik. Kabareciarz po przejściach.

Mam kilka rzeczy, w które wierzę i to mi pomaga. Wierzę w przyjaźń, wierzę w przyjaciół. Nie wierzę w pieniądze, wierzę w słowo, które powinno być droższe od kasy. A nie zawsze jest.

A to, że od kilku miesięcy w ogóle nie pijesz alkoholu, to też jest element poukładania w szufladkach?

Trochę tak. Na pewno dlatego, żeby moim bliskim lepiej się ze mną żyło. Dwa – żeby zdrowie odpoczęło. A trzy – tak jak powiedział Kołek, każdy ma określoną ilość alkoholu do wypicia w życiu, a ja się pod tym względem nie oszczędzałem. Życie rockandrollowe, zawsze będę lubił alkohol. Może nie lubiłem tego, co po nim robiłem, ale jego smak lubię. Alkohol jest dobry dla ludzi z głową. Ja swoją ilość wypiłem, prztyczek się przełączył, zrobiło się parę złych rzeczy, zdałem sobie z tego sprawę i postanowiłem to zmienić. Cieszę się, że przestałem pić, bo widzę, co robiłem po alkoholu. Sobie też mogłem zrobić krzywdę.

Trudno ci nie pić?

Bywały trudne chwile, szczególnie jak było gorąco, gdy bardzo chciałem się napić zimnego piwa. Ale potrafiłem się powstrzymać. Na imprezach, siedząc na trzeźwo, widziałem, jak ludzie w naprawdę krótkim czasie zmieniają się po alkoholu. To nie jest nawet kwestia godziny czy dwóch. To się dzieje po wypiciu dwóch drinków. Kilka kieliszków i już ich nie dogonisz. Ja w takich sytuacjach mówię: „Dziękuję, do widzenia" i idę do domu.

To dożywotnia deklaracja?

Nieee. Pewnie kiedyś alkohol wróci. Kiedyś pojawi się dobre wino do dobrego mięsa. Nie ma nic przyjemniejszego niż kęs dobrego mięsa w ustach podlany pysznym winem. A jak wróci wino, to wróci pewnie inny alkohol. Kiedy? Nie mam pojęcia. Pofolgowałem sobie w sylwestra. Wypiłem lampkę szampana i jednego drinka.

Szaleństwo.

To było potężne szaleństwo. Kolega przedobrzył i zrobił mi drinka, takiego jak kiedyś robił sobie. Szybko wylądowałem w toalecie, świat mi śmigał przed oczami. No i smutna sprawa, nie smakowało mi. Kiedyś, jak człowiek się upijał, to były ochy i achy, tak teraz to niedobre było.

A palisz papierosy? Bo Marcin pali sporo.

Mam takie fazy, że raz palę, raz nie palę. Potrafię zapalić w trasie, a potem w domu już nie. Teraz palę cztery, pięć papierosów dziennie w trasie. Kiedyś na imprezie mogłem i dwie paczki wypalić do alkoholu. Ale potrafiłem nie palić przez trzy lata. Nie jest to nałóg, który by mnie ciągnął.

A inne używki?

Gandzi próbowałem, nie pasowała mi, nie lubię. Gdzieś tam kiedyś w młodych latach sztachnąłem się i strasznie to odchorowałem. Natomiast inne używki, jakieś wąchanie, to nie, nigdy. Raz, że nie potrzebowałem, a dwa, że za moich czasów młodzież nie miała do tego dostępu. Był alkohol i to wystarczyło. Nie znaliśmy dopalaczy.

Jeśli alkohol, to zapewne Polmos Lublin ze swoim flagowym produktem.

Żołądkowa Gorzka! Uwielbiam. Jak to kiedyś stwierdziły chłopaki z VOO VOO i my zresztą też, to jest jedyny alkohol, który się pije bez zapojki. I na ciepło też da się pić. Tylko rudą, bo miętową już nie. Czapki z głów przed rudą. No i teraz Perełka wróciła. Przecież kiedyś były tylko dwa rodzaje piwa na krzyż. Kiedyś chłopaki ze Śląska mówili: „Tylko przywieź Perłę". I zgrzewka zawsze była wieziona. Ale teraz to już można ją wszędzie dostać. „Perła chmielowa, piw królowa".

A jak twoje partnerki, byłe i obecna, znoszą wasze długie wyjazdy w trasy?

Nie wiem, jak to wygląda u kolegów, ale u mnie to był duży problem i przyczyna rozpadu moich związków. Kobity mogą powiedzieć: „Gówno prawda, co on tam gada". Ale poniekąd tak było. Jeżeli faceta non stop nie ma w domu, to szuka się głupot, wymyśla się głupie rzeczy. Czasami, jak się wraca do domu, to chce się człowiek zrelaksować, a tu czekają problemy do rozwiązania. Konflikt narasta, są kłótnie. Na początku wszystkie moje partnerki mówiły: „Tak, rozumiem, oczywiście, taka twoja praca, tym się zajmujesz". Ale po pewnym czasie było: „Ciebie ciągle nie ma, jak mam to załatwić, jak ciebie nie ma, ja bym chciała, a ciebie nie ma".

Obecna partnerka jest bardziej wyrozumiała?

Przede wszystkim ograniczyliśmy liczbę dni z występami w miesiącu. Na razie jest wyrozumiała, zobaczymy, jak będzie w przyszłości.

A jak się spisujesz jako ojciec?

Powiem tak: nie jestem dobrym ojcem, nigdy nim nie byłem. Bo nie miałem możliwości. Kiedy pojawiło się pierwsze dziecko, to zostało mi zabrane, w dosłownym tego słowa znaczeniu. Chodzi mi o Julkę. Nie miałem możliwości jej wychowywać, bo Kaśka nie chciała być ze mną. Jeździłem, prosiłem, ale nie chciała. Więc nie mogłem być przy jej dorastaniu, uczestniczyć w wychowywaniu. Jeżeli chodzi o Kubę, to też przy nim od początku nie byłem, bo nasze drogi się rozeszły z różnych przyczyn, więc też nie miałem takiej możliwości. Ale teraz zacząłem od początku, jest Charlie, jestem przy nim na tyle, ile mogę być, obserwuję to wszystko. Czasami się śmieję, czasami płaczę. Przeżywam wszystko od początku. Ale nie mnie oceniać, jakim jestem ojcem. Pewnie będę o tym rozmawiał z moimi dziećmi za kilkanaście lat, kiedy usiądą przy mnie i zapytają: „Tato, dlaczego tak było?". Będę musiał odpowiedzieć. Ale będę mówił bez skrupułów, będę mówił o wszystkim. Ja byłem zły, ale nie tylko ja miałem wiele za uszami.

Jeżeli tylko mogę i bywam przy moich dzieciach, to ta druga strona mówi, że jestem zły, bo strasznie je rozpieszczam. Owszem, pozwalam im na wszystko, ale dlaczego

Michał o tatuażach

Dziaram się od 1992 roku, ale tych pierwszych już nie widać, bo są schowane pod nowymi. I wyraźnie zaznaczam, że wszystkie zostały zrobione na trzeźwo, wszystkie są przemyślane. Raz nawet narysowałem projekt tatuaży dla siebie i dla Kołka; dla niego znak Bliźniaka, dla mnie Skorpiona. A ostatni mój tatuaż to urwana głowa kobiety.

miałbym nie pozwalać? Mnie ojciec nie pozwalał, lał mnie w dupę. Jak mnie stać na coś, a moje dziecko tego chce, to dostanie. Pewnie czasem będę mówił: „Hola hola, może to nie jest ci potrzebne".

A stać cię na wiele?

Zarabiamy dobre pieniądze w kabarecie. Nie jestem jednak człowiekiem, który hołubi pieniądze, tylko takim, który je wydaje. Ale jak zakończę te sprawy podatkowe i rozwodowe, to zacznę gdzieś te pieniądze gromadzić. Na dzień dzisiejszy płacę i płaczę. Ale jakieś tam zaskórniaki są. Dla mnie kasa nie jest wyznacznikiem szczęścia. Są pieniądze, to okej. Jak ich zabraknie, to pójdę pracować, żeby były.

JAK PRZEŻYĆ... PICIE

Kiedyś byliśmy jak Metallica.
Zarówno jeśli chodzi o ilość występów,
jak i o picie po.

Zdarzały wam się występy na bani?

MARCIN: Nie. Nigdy nie występujemy pijani. Nienawidzę też występować na kacu. Próbuję się jak najszybciej doprowadzić do stanu używalności. Wiadomo, że jak się zarwie noc, to później jest ciężko, ale nigdy to nie miało wpływu na nasz występ albo na obraz kabaretu. Tak mi się przynajmniej wydaje. Nigdy nie było tak, że z mojego powodu coś się nie odbyło. A znam kabarety czy artystów, którzy swoje występy odwoływali. Ale jeszcze musimy zdefiniować określenie „pijany". Bo zdarzały mi się dni, gdy miałem chore gardło i musiałem wypić pięćdziesiątkę żołądkowej gorzkiej przed wyjściem na scenę, żeby rozluźnić struny głosowe. To mi pomagało. Sprawdziłem też w lecie, jak wygląda sprawa z piwem. Otwieram piwo i w ciągu dwóch godzin je wypijam. Schodzę ze ceny, biorę łyk i tak kilka razy. Ale strasznie źle się potem czułem. Może dlatego, że ja nie lubię piwa.

MICHAŁ: Ja, idąc w ślady Marcina, starałem się cały czas być przygotowany do śpiewania i zdarzało mi się wypić więcej tej żołądkowej gorzkiej. Czekałem na te moje partie śpiewane. One się wprawdzie nie zdarzały, ale byłem cały czas przygotowany i gardło miałem dobrze nawilżone. Czekałem, czekałem, czekałem na ten swój śpiew, nie doczekałem się, więc odstawiłem picie.

WALDEK: Nie zdarzyło nam się odwołać występu z powodu „alkoholowej niedyspozycji", chociaż ze dwa razy nas o to podejrzewano. Że zapili i występ został odwołany. Ale one się nie odbyły z innych powodów.

MARCIN: Ja mam bardzo szybką przemianę materii, bardzo szybko dochodzę do siebie. Następnego dnia rano wstaję w dobrym stanie. To się nie zmieniło.

A jesteście w stanie wychwycić, kiedy ktoś inny jest w słabej formie na scenie?

MARCIN: Za rzadko się widujemy, za rzadko z kimś gramy, żeby stwierdzić, czy ktoś występuje po pijaku. Oczywiście, gdy się spotykamy przy okazji festiwalu czy kabaretonu, to jak jesteśmy razem na imprezie do późna w nocy, oczywiście wiemy, kto z nami balował i czuje się rano tak samo źle jak my. Jednak nie przypominam sobie takiej sytuacji, żeby nagle się okazało, że w innym kabarecie nie ma kto wystąpić, bo artysta leży pijany. Ale nie oszukujmy się, alkohol jest nieodłączną częścią sceny kabaretowej w Polsce. Ale to się bierze z tego, że my jesteśmy normalnymi ludźmi. Po występie pojawia się taka potrzeba odreagowania. Nas przecież nikt profesjonalnie nie przygotowywał do radzenia sobie z silnymi emocjami, ze stresem, który się pojawia na pewnym etapie kariery, wraz z rozwojem kabaretu.

WALDEK: Ja mam inną teorię. Słyszę o różnych aktorkach, teatralnych czy filmowych, że mają problem z alkoholem. Że dla nich występ na scenie to jest wielki stres, wyzwanie, wysiłek. W jakimś stopniu alkohol pomaga im wrócić do normalności. A w kabarecie nie ma potrzeby odreagowywać, kabareciarze po prostu lubią się bawić, a nieodłącznym elementem dobrej zabawy jest alkohol. Zawsze tak było, i nie tylko wśród kabareciarzy.

MARCIN: Ja zatem obalę tę teorię, zresztą na twoim przykładzie. Wszystkie twoje największe upodlenia, jakie ostatnio widziałem, zdarzyły się po najważniejszych wydarzeniach, jak Ryjek czy festiwal w Szczecinie. Jak widać, kosztuje cię to dużo stresu i kończy się resetem.

WALDEK: Potwierdzam. Ale, jak powiedziałeś, po najważniejszych wydarzeniach. Codziennej pracy na estradzie nie muszę odreagowywać.

MARCIN: Ale to picie w kabarecie chyba nie przekracza średniej krajowej. Podobnie piją, żeby odreagować albo się zabawić, lekarze, nauczyciele czy strażacy. Na budowach się pije, w szpitalach się pije. Wszędzie. A ja to jestem podwójnie obciążony, bo byłem nauczycielem, a teraz jestem kabareciarzem. I studiowałem na AWF-ie – czyli nawet potrójnie. I w piłkę nożną grałem – to już poczwórnie.

MICHAŁ: Nauczyciele piją???

WALDEK: A jak! Mnie kiedyś znajomy nauczyciel matmy opowiedział, jaki on ma stres i dlaczego musi odreagować. No bo jak ktoś mu pisze, że $2 \times 2 = 5$, to on musi się napić.

MARCIN: Ale kiedyś, jak wyjeżdżaliśmy w pięciodniową trasę, to przez pięć dni były porządne imprezy. Teraz w pięciodniowej trasie mamy jeden taki dzień. I nie jest to jakaś huczna impreza, po prostu siadamy sobie przy alkoholu, gadamy albo idziemy do jakiegoś klubu. Można wysnuć teorię, że pijemy pięć razy mniej niż kiedyś, co wciąż jest dużą ilością.

WALDEK: Ja mam teorię, że każdy ma swoją ilość alkoholu do wypicia, którą może spożyć bezkarnie. Ja już swoją przydziałową działkę wypiłem dawno. Teraz każda ilość okupiona jest gigantycznym kacem. Ale Jabbar swojego limitu nie wyczerpał.

MICHAŁ: Ja już nie piję od kilku miesięcy. Przestałem, bo po alkoholu zaczęło mi się źle dziać z głową. Chodziłem nawet na terapię.

WALDEK: Był taki moment, że ludzie zaczęli się o nas martwić. Na jakimś festiwalu Aśka Kołaczkowska podeszła i powiedziała: „Zróbcie coś z tym". Nie bardzo wiedziałem, o co jej chodzi. Bo u mnie balanga trwała jeden dzień. W następne dni leczyłem kaca. A Michał i Marcin przez te kolejne dni dalej balowali. Aśka się martwiła, bo spotykała nas na bankietach tylko podczas festiwali, więc to rzeczywiście mogło kiepsko wyglądać. Zawsze wtedy łoiliśmy, ile wlezie i myślała, że stale jesteśmy w ciągu. Ostrzegała, że jeszcze chwila i będzie dramat. Ale na szczęście od tamtego okresu minęło sporo czasu i żyjemy.

ARTUR: Kiedyś byliśmy najlepszym kabaretem w Polsce nie tylko na scenie, ale także w piciu. Mieliśmy zdrowie, jakbyśmy byli z kamienia. Raz nasz kolega wybrał się z nami w trasę. Po dwóch dniach wsiadł w pociąg i wyjechał. Powiedział, że on chce żyć. A teraz już nas nic nie zaskoczy. Wszystkie pijane mordy już widzieliśmy, wszystkie pijackie dialogi już przeżyliśmy.

MARCIN: Ale i uratowaliśmy kilka osób. W Lidzbarku Warmińskim po próbach siedzimy pod parasolami przed hotelem, lekko po północy, wszyscy trzeźwi, ale wszyscy też chcą to zmienić. Ktoś rusza na stację po alkohol i niepowodzenie – święto Najświętszej Marii Zielnej czy coś w tym stylu, prohibicja w całym warmińsko-mazurskim, nigdzie nie można kupić nawet piwa. A pod parasolami grupa WIR w najsilniejszym składzie: my, Moralni, Ciachy, Jurki, Smile. Podjechaliśmy naszym busem pod parasole, otworzyliśmy tylną klapę, trochę poszperaliśmy i wszyscy się porobili na malinowo. Efekt przeszukania naszego busa był zadziwiający... 5 dużych butelek wódki,

6 butelek whisky, 3 szampany i zgrzewka takich koktajli od Sobieskiego.

WALDEK: Kiedyś byliśmy jak Metallica. Zarówno jeśli chodzi o ilość występów, jak i o picie po. Jak się inni dowiadywali, że mamy być na imprezie albo na jakimś zjeździe, to wpadali w panikę. A już nie daj Boże, jak mieliśmy się spotkać z Kabaretem Moralnego Niepokoju. Od razu było wiadomo, że wóda się szybko skończy w barze. Barman był przekonany, że pójdzie kilka butelek, a schodziło kilkanaście. Ale to są czasy słusznie minione. Przypomnę – każdy ma swoją ilość alkoholu.... Piliśmy nie po to, żeby rozładować stres, tylko żeby dobrze się bawić w towarzystwie.

Pamiętam jedną imprezę, chyba w Lidzbarku. Popijawa tradycyjnie, na maksa. Ja na drugi dzień byłem jak zwykle ledwo ciepły. Marcin – jak to on – odespał i w doskonałej formie. A Michała trzeba było nieść na spotkanie. Tam reżyserem był Andrzej Strzelecki. Z różnymi reżyserami mieliśmy do czynienia, ale Strzelecki to klasa – nie sadził się, wiedział, co robi, bez potrzeby się nie wtrącał. Poszliśmy do niego z tym nieobecnym Michałem. Strzelecki popatrzył na nas, na niego, i zadał tylko jedno pytanie: „Da radę do osiemnastej?". Na szczęście dał radę. Przypilnowaliśmy, daliśmy odpocząć. Nawet nie wiem, czy był na próbie.

Kiedyś na festiwalu w Ełku klasyczne spotkanie z Moralnym Niepokojem, co zazwyczaj wywołuje reakcję nuklearną. Dosiadł się do nas Andrzej Poniedzielski. Jak to on, cichy, nic nie mówi i pełna kultura. Jak się już

Waldek na Kubie od razu został rozpoznany przez fanki...

MRU

Marcin zresztą też....

Marcin i Mikołaj, ponadkabaretowa przyjaźń.

Jabbar i Góral, przyjacielski duet, który trzeba hamować na scenie i poza nią.

Początki współpracy z Arturem, byliśmy piękni i młodzi.

Gwiazdorskie zachcianki Waldka w Bydgoszczy.

Jurek Kryszak i my w tournée po stanach… Connecticut i New Jersey.

Gdyby Waldek wtedy się zgodził, być może Robert Gawliński byłby do dziś w naszym kabarecie.

Występ z Michaelem Palinem zapamiętamy do końca życia.

Piesek zakupiony na Florydzie za 4000 $, przynajmniej tak twierdził „Super Express".

Marcin zawsze chciał być żużlowcem, na szczęście Olimpijski Dziesięciobój Lubelski spełnia marzenia. Po operacji lewego kolana sponsor mógł być tylko jeden.

ANI

Stanisław Tym i akustyk młodego zdolnego kabaretu. Gdańsk 2000.

Hokejowa Reprezentacja Artystów Polskich.

Always Blue. Stamford Bridge, 2011. Miłość Marcina do Chelsea trwa już ponad dwie dekady.

Pan Waldemar i jakieś dziewczyny…

ANI

Ze szkockich rzeczy kilt jest na drugim miejscu.

dosiadł, to zmusiliśmy go do kilku kolejek. A jak my imprezujemy z Moralnymi, to się mówi, że przyjeżdża ciężarówka z gównem i wywala. Takiego rodzaju dowcipy i teksty się pojawiają. Same hardkory, raczej nie do powtórzenia. A Poniedzielski siedzi z opuszczoną głową i tylko się uśmiecha. Pojawia się przy stole Piotr Bałtroczyk i głośno zapytuje: „Andrzeju, chłopie, co ty tu z nimi robisz?". A Poniedzielski, trzymając kieliszek, patrząc w buty: „Ale mi bardzo odpowiada ich nieskrępowane towarzystwo". I to chyba było wszystko, co wtedy powiedział.

To teraz powinniśmy płynnie przejść do osoby Pana Waldemara, o którym co nieco słyszałem.

WALDEK: Ale ja nie wiem, o co chodzi. To nie ze mną rozmowa.

MARCIN: Waldek nigdy nie spotkał Pana Waldemara. My go spotkaliśmy kilka razy. Pan Waldemar z zawodu jest spawaczem, najprawdopodobniej spawa wahacze samochodowe, bo zawsze rano ma czerwone oczy i brudną kurtkę na plecach.

WALDEK: Słyszałem, że kilka razy Pan Waldemar dążył do konfrontacji ze mną, ale koledzy go powstrzymali.

MARCIN: Ja znam Pana Waldemara. Pan Waldemar jest tak nieprawdopodobnie wkurwiający i zaczepny, że aż trudno uwierzyć, że to jest możliwe. Mam wtedy wrażenie, że

257

to jakiś żart, że gdzieś jest ukryta kamera. Nie chodzi o to, że Pan Waldemar jest szczególnie agresywny. On jest po prostu poza jakąkolwiek kontrolą. Czasem jest szarmancki wobec kobiet, czasem tańczy, a czasem ktoś mu się nie podoba.

ARTUR: Najczęściej nie podoba mu się największy facet na sali.

WALDEK: Bo Pan Waldemar ma ambicję.

MICHAŁ: I zaznaczmy wyraźnie, że Pan Waldemar nigdy nie przyjmuje odmowy.

MARCIN: I nigdy nie zaczepia słabszych. Jedną z najbardziej spektakularnych historii z udziałem Pana Waldemara, była akcja z Mariuszem Pudzianowskim. Mieliśmy występ w miejscu, w którym odbywały się też zawody strongmanów. I późnym wieczorem bawiliśmy się razem z Panem Waldemarem w lokalu, w którym przebywali też ci krzepcy panowie. W pewnej chwili Pan Waldemar wstał, ruszył chwiejnym krokiem, podszedł do Mariusza Pudzianowskiego rozmawiającego z kolegą strongmanem i zapytał – a sięgał mu do ramienia – „Chcesz w ryj?!". Obawialiśmy się nieco dalszego ciągu, ale Pudzian skierował wprawdzie swój wzrok na Pana Waldemara, popatrzył przez chwilę na niego, ale nawet na sekundę nie przerwał dialogu ze znajomym. Pan Waldemar wystartował też kiedyś do Piotra Zelta.

Pan Waldemar ma specyficzny gust, jeśli chodzi o kobiety. Podobają mu się tylko takie, które mają drugorzędowe cechy płciowe. Im bardziej wyeksponowane, tym lepiej.

WALDEK: Może to taka forma samoobrony. Człowiek się nawali i zaczyna mu się podobać ta kobieta, która nie powinna mu się podobać. To raczej dobrze, żeby ją obraził, żeby nie było szans na cokolwiek.

MARCIN: W historii Pana Waldemara fajne jest to, że Waldek nie pamięta niczego, co zrobił Pan Waldemar.

MICHAŁ: Waldek go nie spotkał, ale zawsze szedł jego ścieżką. Bo jak rano Waldek wyciąga telefon albo kartę kredytową, to wie, gdzie bywał Pan Waldemar.

MARCIN: Zawsze się mijają na imprezach. Waldek wychodzi, Pan Waldemar przychodzi. A kiedy już na imprezie jest Pan Waldemar, to wprawdzie sieje zgorszenie i pożogę, ale zawsze słucha się mnie i Michała. Jak podejdę do Pana Waldemara i powiem: „Dość", to Pan Waldemar zawsze mówi: „Oszywiście, dość". Jest jak karny żołnierz. Co zabawne, Pan Waldemar czasem biega. Waldek nigdy nie biega, za to Pan Waldemar uprawia ekstremalny jogging, parkour i wspinaczkę.

MICHAŁ: Trzeba też podkreślić, że Pan Waldemar nie dba o to, czy uda mu się wrócić do hotelu.

MARCIN: Kiedyś w hotelu w Gdyni, wracając o 5 rano bez klucza, uporczywie twierdził, że nazywa się Andrzej Wajda. Pani z recepcji sprawdziła to na liście gości i pan Waldemar niestety spał na podłodze w holu, a co najzabawniejsze, pod wielkim plakatem z wizerunkiem kabaretu Ani Mru-Mru.

Na waszej stronie internetowej, w zakładce dotyczącej wymagań technicznych, jest zapis, że publiczność musi być trzeźwa. To żart czy efekt jakichś przykrych doświadczeń?

WALDEK: Ten zapis to trochę żart. No bo wyszliśmy z założenia, że na występie chociaż publiczność musi być trzeźwa. Ale poważnie, nigdy, absolutnie nigdy nie zdarzyło się, żeby nasz skład pojawił się na scenie w stanie nietrzeźwości. Na kacu, i owszem, ale też w granicach błędu. Na kilka tysięcy naszych występów było raptem kilka sporadycznych przypadków, że któryś z nas był w takim stanie, że raczej nie powinien występować. Tu nie mamy sobie nic do zarzucenia. Ten zapis o trzeźwej publiczności bardziej dotyczy firmowych imprez. Bo jak jakaś firma zaprasza swoich klientów, to jest okej. Ale jak zbierze się grupa osób z jednej korporacji, które się dobrze znają, na przykład dwustu pracowników zarządu czegoś tam, i oni wszyscy się nawalą, to bywa masakra. Nie daj Boże, jak zejdzie się kilku gości i każdy chce być lepszy od reszty. Zaczynają się popisywać przed dziewczynami, że są śmieszniejsi niż kabaret. My wiemy, po co tam jesteśmy, a oni się wpierniczają. Ale ten zapis to tak naprawdę jest żart, bo przecież nikt tego nie zweryfikuje.

Kiedyś chyba Lucjan Kydryński powiedział, że jak prowadził festiwal w Opolu, to pierwszy dowcip opowiadał już w pierwszym zdaniu: „Witam wspaniałą opolską publiczność".

MARCIN: Mamy podobne doświadczenia, bo braliśmy udział w kilku kabaretonach. Ale to dotyczy raczej starszych czasów. Teraz jest przebudowany amfiteatr, są inne przepisy. Ja wtedy miałem wrażenie, że tam wszyscy przyszli się nachlać, a nie słuchać muzyki, ani tym bardziej oglądać kabaret. Zazwyczaj kabareton zaczynał się o dwudziestej trzeciej, o tej porze większość widowni była tak „zrobiona", że granie było naprawdę ciężkie. Więc w tym dowcipie o wspaniałej publiczności jest sporo prawdy.

MICHAŁ: Dawniej cała korona amfiteatru w Opolu to był jeden wielki bar. Budy z piwem były non stop okupowane.

MARCIN: Teraz w Opolu jest lepiej. Ale my nie dzielimy publiczności na lepszą i gorszą. Natomiast za granicą jest różnica, oni tam bez przerwy wychodzą do kibla.

MICHAŁ: Tam każda sala ma swój bar. I nawet dystyngowane towarzystwo potrafi sobie trochę golnąć przed występem.

MARCIN: Jeśli już mówimy o pijanej publiczności, to bardziej nas irytuje to, że my musimy być trzeźwi. Może to jakaś forma zazdrości?

MICHAŁ: Gdybyśmy byli w podobnym stanie jak oni, to może łatwiej byłoby nam do nich dotrzeć. Byłoby pełniejsze zrozumienie.

MARCIN: Ale poważnie, mnie to nie przeszkadza w występie, dajemy sobie radę. Bardziej nas denerwuje, że innym to przeszkadza. Że nie skupiają się na występie, tylko na przeszkadzających.

Kiedyś zaliczaliście wszystkie knajpy na trasie?

WALDEK: Kiedyś był głód wszystkiego. Jak się pojawialiśmy w jakimś mieście, to trzeba było przejść się po klubach i zbadać teren. Ale po dziesięciu latach człowiek jest już tym znużony. Wchodzisz do jakiegoś lokalu, nieważne, czy on jest w Katowicach, w Bydgoszczy, czy we Wrocławiu. Wszędzie jest tak samo, muzyka taka sama, nawet ludzie są wszędzie tacy sami.

MARCIN: Stworzyłem teraz taką teorię dotyczącą naszego kabaretu. Że dziś dużo fajniej jest pójść do klubu go-go. Przecież i tak siedzimy w swoim gronie, pijemy wódkę i tylko patrzymy na kobiety. Więc chyba lepiej, żeby one były rozebrane niż ubrane. Wszystko powszednieje. Ważniejsze dla mnie jest to, z kim spędzam czas, a nie gdzie go spędzam. Jak się spotkam z fajnymi ludźmi, to mogę z nimi siedzieć nawet na ławce w parku. Nie kręcą mnie już kluby. W Poznaniu byliśmy w modnym lokalu, gdzie loża kosztowała czterysta złotych. Siedzimy, klub jak każdy inny, piękne kobiety, wspaniali mężczyźni, w pięknych toaletach. Kupiłem pięć drinków, posiedziałem i wyszedłem. Zawsze jak mnie ktoś pyta, gdzie idę na sylwestra, to mówię, że ja mam sylwestra przez dwieście dni w roku. Nie muszę nigdzie wychodzić. Ale jak się pracuje w banku i się wychodzi raz w tygodniu na imprezę, to człowiek ma ten głód.

WALDEK: Czasem znajomi dzwonią i mówią, że wynajęli na weekend jakiś fajny pensjonat i czy bym z nim nie pojechał. Oczywiście. Wrócę z trasy i od razu pojadę na drugi koniec Polski, żeby się napić wódki. Pytam wtedy, czy nie mogą przyjść do mnie i się napić.

Kiedyś, dawno temu, pod koniec trasy wylądowaliśmy w jakimś pierdziszewie. Chcieliśmy się napić, ale gość nas wygonił z knajpy o dziewiątej wieczorem, bo zamykał. Więc kupiliśmy alkohol na stacji benzynowej i wypiliśmy go w hotelu. Bo przecież nie mogliśmy tak po prostu, po ośmiu dniach imprezowania, pójść od razu spać. Organizm byłby w szoku.

MARCIN: Są też dni, gdy musimy odreagować. Nasza praca z jednej strony jest przyjemna, ale z drugiej męcząca i stresująca. Mamy czasem problemy: twórcze, organizacyjne, pracujemy nad nowym programem, ktoś się pokłócił, ktoś kogoś wkurza. I nawet jak jesteśmy w jakiejś małej miejscowości, to kupimy sobie tę butelkę i siądziemy z nią w hotelu, żeby się odstresować. To jedyna metoda na wspólne odreagowanie, jaką nam się do tej pory udało wymyślić. Raczej ciężko byłoby mi namówić kolegów na wspólne bieganie jako sposób na odstresowanie.

WALDEK: Mnie byś namówił.

MICHAŁ: Chyba Pana Waldemara.

MARCIN: Pamiętam takie zdarzenie, w naszym gronie określane jako „gol z niczego". Wylądowaliśmy w Łomży i okazało się, że dyskoteka znajdująca się pod naszym pensjonatem jest zamknięta. Poszliśmy więc do takiej małej restauracyjki, w której były raptem cztery stoliki. Do jedzenia były tylko śledzie ze słoika, ogórki i chleb ze smalcem. Usiedliśmy. Jedna, druga butelka wódki, trzecia, czwarta, piąta. Okazało się, że skończyliśmy o siódmej rano, siedząc cały czas tylko w swoim gronie. Ktoś mógłby się zdziwić, że po dziesięciu latach jeżdżenia ze sobą potrafiliśmy siedzieć całą noc i gadać. Ale były problemy, trzeba było coś omówić, przepłakać, prześmiać. Takie rzeczy też są potrzebne.

ARTUR: Na koniec poprosiliśmy o cztery setki. Klasyczny rozchodniaczek. Ale ktoś z nas przytomnie zauważył, że skoro zamawiamy cztery setki, to może od razu weźmiemy pół litra. Właściciel poszedł na zaplecze, wrócił, i mówi, że nie ma pół litra. Jest tylko trzy czwarte. „Możeee byyyć!"

WALDEK: Wróciliśmy do pensjonatu akurat na śniadanie. Zjedliśmy i poszliśmy spać.

WALDEK.
JAK ŻYĆ
W STRESIE

Najlepsze imprezy kabaretowe to takie, na których nie muszę wychodzić na scenę. Jak jest jakiś festiwal i mamy pokazać skecz, w którym ja nie występuję, to jestem wniebowzięty. Bo najpierw są próby, potem jest występ, a po występie IMPREEZA. Ja sobie wtedy odpoczywam i czekam na bankiet. Ale tak na poważnie, to kiedyś była najfajniejsza Paka. Teraz najlepszy jest Ryjek, który niestety jest tak stresujący, że zawsze kosztuje mnie pięć lat życia.

Co absolwent prawa i administracji robi w kabarecie?

Z moją edukacją było dziwnie. Bo ja do wszystkiego dochodziłem późno. Do nauki, do rodziny, do dziecka. Skończyłem szkołę średnią, nie dostałem się na studia ekonomiczne, bo wtedy jeszcze trudno było się dostać na studia, nie to, co teraz. Poszedłem do pracy. Na początku chciałem się załapać gdziekolwiek, więc zatrudniłem się w dziale transportu i zaopatrzenia w szpitalu. Rok później znowu zdawałem na studia i znowu się nie dostałem. Ale niespecjalnie mi na tym zależało. Po prostu pewnego dnia wstałem i pojechałem na egzaminy. W ogóle się nie przygotowywałem i poszło mi całkiem nieźle. Oblałem tylko angielski. Zrobił się z tego jednak problem. Wojsko Polskie zaczęło się o mnie upominać, bo miałem kategorię A1. Znalazłem sposób, jak się wymigać od kamaszy. Napisałem odwołanie, w którym poinformowałem, że jestem pacyfistą i z przyczyn moralnych nie mogę brać udziału w wojnie. Tego dnia, kiedy ponownie stanąłem przed komisją, oprócz mnie było chyba z dwustu chłopaków, którzy chcieli przekonać jej członków o swoim pacyfizmie. Udało się tylko trzem, w tym mnie. Nieźle się musiałem erudycyjnie nagimnastykować. To był taki moment, kiedy w Polsce zmieniał się ustrój i łatwiej było uniknąć wojska. Potem prezydent kapral Wałęsa stwierdził, że wojsko jest super i nie było takiej możliwości.

Koledzy o Waldku

Baliśmy się, że Waldek będzie się za szybko rozwijał. Że kabaret Ani Mru-Mru będzie tylko przystankiem w jego karierze. A okazał się zajezdnią. Końcową.

Zostałem skierowany do służby zastępczej, co oznaczało, że mogli mnie wysłać do wyrębu lasu w Bieszczady do jakiejś Bazy Ludzi Umarłych. Ale przekonałem WKU, żebym wojsko odrabiał w szpitalu, w którym pracowałem. Argumentowałem, że jestem niezbędnym pracownikiem, a szpital i tak jest jednostką budżetową. I moim pracodawcą zostało wojsko. Żołd wynosił trochę mniej niż normalna pensja, ale dało się żyć. Pracowałem później w agencji modelek i w paru równie egzotycznych miejscach, aż w końcu znalazłem pracę w dziale zaopatrzenia hurtowni spożywczej. Krawat, koszula, biurko. To była ostatnia stała praca przed kabaretem.

Cały ten czas, mimo że nie byłem studentem, mocno uczestniczyłem w studenckim życiu. Był taki okres, że częściej nocowałem w akademiku niż w domu. I wszyscy byli przekonani, że ja coś studiuję. Po jakimś czasie stwierdziłem, że może jednak pójdę na te studia, bo ludzie pomyślą, że nie skończyłem. Najpierw przyjęli mnie do Wyższej Szkoły Dziennikarskiej, której filia była w Lublinie. A tu pech – okazało się, że uczelnia ma jakiś problem z legalnością działania. Istniała obawa, że dostanę dyplom szkoły, która tak naprawdę nie miała prawa go wydać. Więc jakieś czterdzieści czy pięćdziesiąt osób zdecydowało, że przeniesie się na UMCS. Tam nas przyjęto, ale musieliśmy wyrównać różnice programowe i w ciągu kilkunastu dni zdawaliśmy osiem egzaminów. Spałem wtedy, kiedy mrugałem oczami.

Udało się i jestem absolwentem Uniwersytetu Marii Skłodowskiej-Curie, ze specjalnością... No właśnie, nie wiadomo jaką. Jak ktoś skończy prawo, to jest prawnikiem, jak skończy chemię, to jest chemikiem. A jak się skończy administrację, to jest się... Wymyśliliśmy takie słowo – administrawistą.

Brzmi szlachetniej.

Może, ale i tak mi to wisi. Nawet nie wiem, gdzie jest ten mój dyplom. Dzisiaj papier nie jest mi potrzebny do niczego. Niedawno w Rock Radiu prowadzący śpiewali o ludziach, którzy nie mają matury. Andrzej Wajda, Zbigniew Hołdys. Nieźle, co? Mistrzowie poradzili sobie bez kwitów. Jak widzę, że ktoś ma na wizytówce napisane mgr jakiśtam, to flaki mi się wywracają. Studia może skończyć każdy. Ja jestem tego najlepszym przykładem.

Do kabaretu zaciągnął cię Michał?

Byłem wtedy dyrektorem biura handlowego Sokołowskich Zakładów Mięsnych. Michał wsiadł mi do samochodu i mówi, że go nosi i coś by porobił takiego z jajem. Znaliśmy się z klubu Graffiti, w którym pracował. Mieliśmy wspólnych znajomych, zresztą Michał chodził z dziewczyną, która mieszkała na mojej ulicy. Wcześniej

bywaliśmy razem na imprezach, na których zabawiali-
śmy towarzystwo. No i wsiada do mojej służbowej nexii
i nawija, że ma pomysły. A mi krawat dynda, komórka
wpięta w zestaw głośnomówiący, wtedy to był
szpan. Zbyłem go, że nie uda mi się znaleźć
czasu na to wątpliwe przedsięwzięcie i że chyba nie bardzo się do tego nadaję. W tamtym
czasie Michał w swoim teatrze nie grał pierwszych skrzypiec, był raczej w drugim rzędzie,
nie miał perspektyw. Występowali, ale niewiele. Nie spełniał się artystycznie. Teraz, wiedząc, jaki ma talent, domyślam się, jak to
musiało być dla niego frustrujące.

**Waldek
o pierwszym
spotkaniu z Ani
Mru-Mru**
Pamiętam, jak byłem
na ich pierwszym
występie. Było to
strasznie żałosne.
Marcin mówił nie swój
monolog i nikt tego
nie słuchał. Szacun za
to, że wytrwał mimo
tego.

Ale przypominam sobie, że miałem już za
sobą debiut w kabarecie. W liceum imienia Sta-
szica. Konrad Korobowicz, obecnie poważny
i znany finansista, założył formację Efemeryda.
Z założenia nie miała istnieć długo, to był taki
jednorazowy strzał. Zaliczyliśmy jeden występ przed dzie-
sięcioosobową publicznością złożoną z naszych znajomych
i... przypadkowo wszystkich nauczycieli. Występ odbywał
się w auli i akurat skończyła się rada pedagogiczna. Nauczyciele zauważyli, że coś się dzieje i przyszli popatrzeć. Pamiętam, jak Konrad wtedy zbladł. Miało być luźno i sympatycznie, a tu nagle pojawiło się całe grono. Skończyło się na tym
jednym występie. Ani nam to nie wyszło, ani nie mieliśmy
pomysłu na to, co dalej. Taki szkolny kabaret. Wszystko napisał Konrad, ja dorzuciłem się może do jednego czy dwóch
numerów, były też piosenki. O czym to było? Nie pamiętam.

Nikt nie zarejestrował, bo nie było komórek.

To było trzydzieści lat temu! Wtedy dużo się działo w Staszicu. Konrad wymyślił jeszcze szkolny festiwal kulturalny Sonda. Rozwinął się z czasem do takiego mini Jarocina. Impreza była tak duża, że szkoła nie mogła nad nią zapanować.

Jak wyglądało twoje wejście do Ani Mru-Mru?

Marcin już działał, ale rozstał się z pierwszym składem. Marcin i ja jesteśmy z jednego osiedla, ale że on jest młodszy o kilka lat, to się wtedy mijaliśmy, bo taka różnica w wieku kilkunastu lat jest znacząca. W kabarecie nie mieli człowieka, który grał na pianinie i potrzebowali kogoś, kto naciśnie guzik i jakimś dźwiękiem wypełni przerwę między skeczami. Ja miałem komputer i wypalarkę do płyt, co miało znaczenie, i przede wszystkim więcej czasu. Fura i komóra trafiły do innego dyrektora. Poszedłem na spotkanie i dołączyłem do składu. Ale moja praca nie polegała tylko na naciskaniu guzika, trzeba było wiedzieć, kiedy zrobić głośniej, a kiedy wyciszyć. Musiałem też opanować mikser i mikrofony. Zaczęły się amatorskie występy w Winiarni U Dyszona. I tak wykrystalizował się skład, nazwijmy to umownie, kabaret na scenie i ich akustyk.

> **Marcin o Waldku**
> Chciałem też zdementować plotki, jakoby Waldek dostał się do kabaretu przez łóżko. Bo pojawiają się takie głosy. To nieprawda, bo dostał się przez parking w lesie.

Pamiętam pierwsze próby skeczu *Chińska restauracja*. Michał na próbach dawał z siebie jakieś trzydzieści procent. Ale jak zaczął się występ, jak wszedł w tę postać, to było coś niesamowitego. Petarda. Powstała rzecz, może nie wielka, ale znacząca. Mam nawet wkład w tekst tego skeczu – „kopytki". To nawet nie mój pomysł, bo usłyszałem go wcześniej w stołówce hali Makro. Jako przedstawiciel handlowy jadałem tam obiady, bo były tanie. Usiadły za mną dwie dziewczyny, jakieś pracownice Makro, i jedna z nich powiedziała: „O, kopytki są dzisiaj".

Czyli dozgonna wdzięczność pracownicom Makro za wkład w jeden z najbardziej znanych skeczów wczesnej ery Ani Mru-Mru.

Potem wybraliśmy się na festiwal Wyjście z cienia do Gdańska. My i liczna grupa naszych znajomych, którzy od początku byli świadkami, jak powstawał kabaret Ani Mru-Mru. Pojechało nas chyba dwadzieścia osób, cała tak zwana grupa dyszonowska. Nie traktowaliśmy tego poważnie, myśleliśmy sobie, że ot, ruszymy w Polskę, zabawimy się, poimprezujemy. Na tym festiwalu zajęliśmy drugie miejsce, choć zdaniem wielu byliśmy najlepsi. Wygrały Strzały z Aurory. Ale zgarnęliśmy kilka innych nagród. Wtedy ktoś ważny zobaczył skecz z Chińczykiem. Dzień później odbywał się w Gdańsku finał cyklu kulturalnego Kataryniarze, gdzie nas ekspresowo zaproszono. Na końcu była wielka gala. Ramówka była bardzo sztywna, Stanisław Tym miał przewidziany półgodzinny występ, ale specjalnie go skrócił, by znalazło się miejsce dla nas. Wtedy pierwszy raz zauważyli nas ludzie z telewizji. I tak się zaczęło.

Zdobywamy pierwsze laury na Pace, pokazuje nas telewizja i jest coraz więcej zaproszeń na różne imprezy. Po roku czy dwóch tych występów robi się naprawdę dużo. Na początku za każdy dostawaliśmy śmieszne pieniądze, ale po zsumowaniu kasy z całego miesiąca okazało się, że było tego więcej niż normalnie zarabialiśmy. Marcin pracował w szkole, więc żeby móc się zająć kabaretem, musiał kombinować zwolnienia lekarskie. Było to trochę dziwne, że wuefista jest tak często chory. Wtedy zdecydowaliśmy, że chcemy robić kabaret na poważnie, co do tej pory traktowaliśmy bardziej jako zabawę. Ja z Marcinem zrezygnowaliśmy z dotychczasowej pracy, Michał jeździł jeszcze w trasy z VOO VOO. Ale w końcu też nie mógł tego pogodzić z występami kabaretu i staliśmy się grupą zawodową.

A twój pierwszy raz już na scenie, a nie z boku? _Arka Noego_?

A właśnie, że nie. Mój pierwszy epizod był w skeczu _Mroczna historia o miłości_. Bardzo fajna rzecz. Powstała, kiedy jeszcze w składzie była Aśka Kolibska. Marcin śpiewał, Michał wokalnie robił bas, Aśka coś tam dośpiewywała. I żeby było jeszcze śmieszniej, ja wychodziłem na scenę, opuszczałem mikrofon na wysokość pasa, podnosiłem koszulkę i grałem na brzuchu. Tworzyłem sekcję rytmiczną z Michałem. On bas, ja perkusję. Potem, już po odejściu Aśki, zaczęliśmy grać *Arkę Noego*. Marcin śpiewał o dzieciach, nie o dziecku, więc byłoby głupio, gdyby Michał stał na scenie obok niego sam. I wtedy pojawiałem się ja.

Koledzy o Waldku

Na początku występował w marynarce i z wąsem. Co prawda tylko raz, a marynarka była pożyczona, ale ponoć jest zdjęcie z tamtego okresu.

Stresowałeś się podczas tych pierwszych występów?

Ja cały czas się stresuję! Jak numer jest sprawdzony, trochę sobie pohula, to trudno mówić o tremie. Można się do tego przyzwyczaić. Ale jak gramy coś pierwszy raz, a nie daj Boże, jak jest festiwal typu Ryjek, to jest koszmar. Ja zresztą cały czas mam problem z uczeniem się tekstu. W sytuacjach stresowych włącza mi się blokada. Pierwszy raz, gdy miałem zaśpiewać dwa zdania w *Arce Noego*, trzymałem w dłoni kartkę z tekstem. Nie byłem w stanie się tego nauczyć. To nawet mogło być śmieszne, bo w końcu grałem dziecko, a dzieci, jak wiadomo, miewają tego typu problemy i muszą sobie zajrzeć do ściągi. Ale stres był gigantyczny. Mało tego, wciąż puszczałem dżingle, a jak trzeba było zagrać *Arkę*, to musiałem wyjść na scenę, a potem wrócić na swoje stanowisko. I tak biegałem. A przecież nie mogłem przebiegać przez scenę, więc czasem zasuwałem dookoła domu kultury. Zima, nie zima, musiałem zapierdzielać w krótkich spodenkach. Potem doszły „role" w innych skeczach i stwierdziliśmy, że tak się nie da, więc dźwięk zaczął obsługiwać nasz menadżer, aż w końcu doszliśmy do wniosku, że trzeba zatrudnić kogoś specjalnie do tego. Kogoś, kto to wszystko pospina. I tak pojawił się Emil.

Masz jakiś sposób na opanowanie stresu?

Nie mam. Daję mu się zjadać. Zresztą sam widziałeś. Jak jest znany, ograny program, to mogę zasnąć na kwadrans przed występem i obudzić się kilka sekund przed wyjściem na scenę. Ale niedługo będziemy mieli premierę i to będzie dramat. Stres jest ogromny, nawet dla Marcina, który jest scenicznym zwierzęciem. Jemu dużo dały te weekendowe programy telewizyjne grane przed publicznością. Nie lecą na żywo, są kręcone wcześniej, ale „jechane longiem". Jednak przed premierą programu nie ma zmiłuj, wszystkim się udziela. Wszyscy czujemy nieprawdopodobną presję. Nienawidzę tego. To jest najgorsza część naszej roboty. W tym roku startujemy z nowym programem, a potem jedziemy na Ryjka. Już się boję. Na tym festiwalu przed sceną siedzą nasi kumple i ludzie z branży. Oni od razu widzą, czy dajemy dupy. Gdzieś czytałem wypowiedź polskiego pianisty, który wybierał się na tournée po Japonii. Powiedział, że nie znosi tam jeździć. Bo niby Japonia jest fajna, ale jak pojechał tam pierwszy raz i zobaczył, jak wszyscy na widowni przed jego występem wyjęli nuty, żeby śledzić na bieżąco jego grę, to mu szczęka opadła. Widzowie nie przyszli dla samej przyjemności posłuchania koncertu, oni od razu zaczęli go oceniać pod kątem jego warsztatu.

A twoja pierwsza mówiona rola? W *Muszkieterach*?

Tak, zgadza się. Nie! Pierwszy raz gadałem w *Banku nasienia*. To było napisane jeszcze za czasów Aśki. Ale Aśka odeszła, a my jechaliśmy do Telewizji Wrocław, żeby to pokazać. Znałem ten numer, wiedziałem, co mówić, więc mogłem Aśkę zastąpić. I wydaje mi się, że to było jeszcze przed *Muszkieterami*.

Przychodzi Michał albo Marcin i mówi, że masz wystąpić i coś powiedzieć. Siódme poty wystąpiły ci na czoło?

Nie, powiedziałem: „Fajnie, spróbuję". Stres pojawił się dopiero wtedy, gdy trzeba było to zrobić. Studio telewizyjne, kamery, obok Jan Borysewicz i Kasia Kowalska, bo to był jakiś świąteczny program, i rura mi mięknie. Innym razem ktoś wpadł na pomysł, że skoro jest nas w kabarecie trzech, to poprowadzimy trzy części kabaretonu. Ja, jako ten najmniej doświadczony, prowadziłem ostatnią część. Chociaż i tak najwięcej roboty spadło na Marcina. Ale on wychodzi, pstryk! i robi swoje. Jabbar był konferansjerem, jeszcze zanim się urodził. Ale wracając do stresu, to nie wiem, jak inni sobie radzą. Ja sobie nie radzę.

Czy przeszkadzało ci, kiedy już byłeś tym trzecim pełnoprawnym członkiem Ani Mru-Mru, że wasz kabaret wciąż jest postrzegany jako „Wójcik, Wójcik i ten trzeci"?

Był taki moment, że mnie to bolało. Występowałem na scenie dość często, ale jak się pojawiała jakaś ekipa dziennikarska, to o wywiad prosiła tylko Marcina i Michała. Czekałem, aż ktoś mnie zawoła, a tu nic. Do dziś nasz kabaret postrzegany jest przez pryzmat Marcina i Michała, z racji ich pierwszych skeczów, takich jak *Chińska restauracja* albo *Małysz*. Kiedyś mi to przeszkadzało. Myślałem sobie: „Cholera, siedzę w tym, pracuję i żaden splendor na mnie nie spływa". Byłem trochę zazdrosny, że nie mogę sobie pobłyszczeć. Ale z perspektywy czasu wydaje mi się, że to było głupie. Teraz, jak przychodzi dziennikarz, ustawia kamerę i mówi, że trzeba zrobić wywiad, to chłopaki mnie wołają, żebym przyszedł. Wtedy pytam: „Muszę?". „Musisz". A mnie się po prostu nie chce. Dzisiaj mam dewizę: „Ja nie muszę być sławny, wystarczy, że będę bogaty". Przychodzi taki moment, że pojawia się popularność. Ale mi to wisi. W jakimś tam stopniu ta popularność pomaga, ale nie chcę być popularny jak Doda czy Edyta Górniak. Poziom rozpoznawalności, jaki osiągnąłem, jest optymalny.

Koledzy o Waldku

Baliśmy się, że Waldek będzie się za szybko rozwijał. Że kabaret Ani Mru-Mru będzie tylko przystankiem w jego karierze. A okazał się zajezdnią. końcową.

Wystarczy, żeby coś załatwić?

Jak można, to czemu nie. Kilka razy – nie będę ukrywał – tę moją popularność wykorzystałem. Jak gdzieś dzwonię i mi na czymś zależy, to się przyznaję, że jestem ten Wilkołek z kabaretu. Ale znam też konsekwencje sławy. Na szczęście w moim przypadku ludzie nie do końca zdają sobie sprawę, że ja to ja. I często słyszę za plecami: „To ten z kabaretu? Gdzie tam, tamten jest grubszy". Albo ludzie zagadują, bo mnie skądś kojarzą, ale na tym się kończy, bo nie wiedzą skąd. Czasem też ludzi wkręcam, mówiąc, że na przykład pracuję na stacji benzynowej przy Jana Pawła.

Kiedy byłem młodym człowiekiem, czasem łapałem się na tym, że widząc na ulicy twarz znaną od wielu lat z telewizji, odruchowo mówiłem: „Dzień dobry".

Ja mam jeszcze taki problem, że mam strasznie słabą pamięć, zwłaszcza do twarzy.

Rozumiem, że stąd wziął się skecz *Dziwna znajomość*?

Dokładnie! To jest jeden z nielicznych, a może nawet jedyny skecz, do którego współautorstwa, wraz z Marcinem, się przyznaję. On powstał na Ryjku; nie dzień czy kilka dni wcześniej, ale dokładnie w dniu, w którym mieliśmy go pokazać. Na początku miał wyglądać inaczej. Siedzieliśmy razem, każdy coś dorzucał, ale chyba moich wrzutek było najwięcej. Ten skecz to autentyk. Mnie jest naprawdę głupio, kiedy ktoś mnie wylewnie wita, a ja nie mam pojęcia, kim jest ten człowiek. Niezręcznie mi powiedzieć, że go nie kojarzę, bo zaraz się dowiem, że gwiazdorzę. Więc zaczyna się rżnięcie głupa. Czasami bywa tak, że obie strony nie wiedzą, z kim gadają.

Jest jeszcze jakiś skecz, którego jesteś współojcem?

To nie jest tak, że przychodzę i mówię: „Chłopaki, mam taki pomysł na skecz, zróbmy coś z tym". Ale było trochę wrzutek, coś tam dopowiadam i Marcin to wykorzystuje. Ale dla mnie nie jest ważne, żebym doszukiwał się tam swojego wkładu, liczy się tylko dobro skeczu. Kiedyś można było rozpoznać, który numer nie jest w całości jego autorstwa. Bo jak coś wymyślił sam, to mówił: „Takie coś wymyśliłem". A jeżeli coś powstało wspólnie, to mówił: „Takie coś wymyśliliśmy". Teraz Marcin bez problemu mówi, że Michał, czy ja coś dorzuciliśmy.

Niedługo przed nami kolejny trudny moment – premiera nowego programu. A my mamy bardzo mało materiału: jeden przegadany skecz, który Marcin musi tylko wygładzić, kilka pomysłów i tyle. Premiera za trzy tygodnie. Ciężki okres przed nami. Ja osiwieję, trochę schudnę, pobijemy się kilka razy i powstanie fajny program.

Ale chyba nie pierwszy raz jesteście w takiej sytuacji?

Jesteśmy w takiej sytuacji po raz trzydziesty, ale do tego nie można się przyzwyczaić. Już teraz słabo śpię, a będzie coraz gorzej.

A masz jakieś ulubione festiwale czy imprezy kabaretowe?

Najlepsze imprezy kabaretowe to takie, na których nie muszę wychodzić na scenę. Jak jest jakiś festiwal i mamy

pokazać skecz, w którym ja nie występuję, to jestem wniebowzięty. Bo najpierw są próby, potem jest występ, a po
występie IMPREEZA. Ja sobie wtedy odpoczywam i czekam na bankiet. Ale tak na poważnie, to kiedyś była najfajniejsza Paka. Teraz najlepszy jest Ryjek, który niestety jest
tak stresujący, że zawsze kosztuje mnie pięć lat życia.

**Pamiętasz jakiś szczególnie satysfakcjonujący moment
z tych ostatnich piętnastu lat?**

Ja przyjemność odczuwam każdego dnia. Powtarzam, że
mi się ogromnie w życiu poszczęściło. Mimo że to jest
stres, zmęczenie fizyczne, ale robię to, co lubię. To
wychodzenie na scenę, ta zwrotna energia. Satysfakcja,
kiedy ludzie biją brawo, to jest super. A jak jeszcze wsta-
ją... To są te momenty, gdy wiesz, że to, nad czym praco-
wałeś, daje efekty. Porównałbym to do przykładu archi-
tekta, który jadąc taksówką przez miasto, słyszy od
kierowcy: „O, jaki fajny budynek". A to on go zaprojekto-
wał. My mamy tak samo, z tym że weryfikacja naszej
pracy odbywa się od razu, na scenie.

Czasami trzeba przejechać samochodem sześćset kilometrów, ale występ sprawia taką frajdę, że zapominam
o zmęczeniu. Mając czterdzieści siedem lat na karku coraz
trudniej mi się zregenerować po trasach, ale mimo tego
nie chciałbym, żeby moje życie toczyło się inaczej. Jestem
szczęśliwym człowiekiem. Robię to, co kocham i mogę
utrzymać z tego rodzinę. To jest chyba definicja szczęścia.
Dzięki Kabaretowi poznałem całą Polskę. Prywatnie

pewnie nigdy nie pojechałbym np. do Bogatyni. Udało się też zwiedzić pół świata. Poznałem wielu ludzi, których kiedyś podziwiałem na ekranie, a teraz mam ich numer w telefonie. Ostatnio była wielka kumulacja w totolotka. I tak się zastanawiałem, co bym zmienił w swoim życiu, gdybym to ja wygrał. Niczego bym nie zmienił. Zabezpieczyłbym przyszłość syna, kupił parę niepotrzebnych rzeczy, dałbym trochę pieniędzy na cele charytatywne. I dalej bym jeździł z chłopakami. Miałem wiele szczęścia, że znalazłem się we właściwym miejscu we właściwym czasie. A zaczynałem od naciskania guzików.

Zarabiacie dobrze czy bardzo dobrze?

Nie wiem, co to znaczy zarabiać bardzo dobrze, ale ja jestem zadowolony. Komuś może się to wydawać niegodziwe, że my za jeden występ dostajemy tyle, ile dostajemy. Ale po pierwsze, skoro ktoś nam chce tyle zapłacić, to znaczy, że jesteśmy tyle warci. A po drugie, to są koszty tego stresu, który towarzyszy nam podczas całego procesu przygotowywania programu. Dorobiliśmy się domów, samochodów. Ale to, co my robiliśmy między 2006 a 2012 rokiem, to się ociera o Księgę Rekordów Guinnessa. Przez pierwsze siedem lat chyba nikt w tym czasie w Polsce nie pracował tak jak my. To był potworny zapierdol. Czasami dwadzieścia cztery dni w miesiącu w większości po dwa występy dziennie. Czternaście dni z rzędu w trasie. Jak wtedy czytałem, że polska gwiazda, powiedzmy Kayah, gra ileś tam koncertów w roku, to myślałem:

„No fajne statystyki, ale my to wyrabiamy w trzy miesiące". Bywaliśmy po trzysta dni w roku poza domem. Poszły
za tym pieniądze, ale okupione milionem przejechanych
kilometrów i naprawdę ciężką pracą. Teraz byśmy tak nie
mogli. Mamy dzieci i jesteśmy trochę starsi.

Jak znosiła to twoja partnerka?

Średnio. Mnie nigdy nie było w domu, ale może dlatego ten
związek ma się do tej pory dobrze. Nie było kiedy się sobą
znudzić, czy nawet pokłócić. Tłumaczenie, że mamy swoje
pięć minut, które trzeba wykorzystać, zamieniło się w siedem lat. Wtedy bywałem w domu maksymalnie trzy, cztery
dni z rzędu. Kasia pewnego dnia powiedziała, że chce mieć
dziecko i dłużej nie zamierza czekać. Ja nie byłem pewny,
czy to dobry pomysł, ale faktycznie, czas uciekał. No i urodził się Adaś. Szkoda, że Kasia wcześniej nie postawiła
mnie pod ścianą. Adaś zmienił mój obraz świata o 270
stopni. Praca jest ważna, ale już nie najważniejsza. Teraz
doszliśmy do optymalnego układu: wyjeżdżamy na dziesięć
dni w miesiącu, co w praktyce często się przekłada na trzynaście, bo albo wyskakuje coś niespodziewanego, albo trafia się późniejszy powrót do domu. Zarabiamy cztery razy
mniej niż kiedyś, ale już nie musimy tak harować.

Bywały też kryzysy w kabarecie.

Nasze sprawy rodzinne plus stres związany z pracą musiały
się przełożyć na kryzys w grupie. Michał miał trochę za

dużo na głowie. O ile z Marcinem można siąść i pogadać, o tyle z Michałem było ciężej. On zawsze był asekuracyjny, szukał winy u wszystkich, tylko nie u siebie. Może też miał problem ambicjonalny. Bo wielu ludziom się wydawało, że liderem Ani Mru-Mru jest Michał. Prócz tego, zawsze miał dziwnych doradców stojących z boku, z którymi podejmował nietrafione decyzje. Mógł gadać z nami, ale było mu chyba po prostu głupio. Łatwiej było szukać pomocy u obcych. Wszystko się kumulowało i to rodziło kryzysy. Na szczęście dzisiaj opanował sytuację i jakoś się poukładało.

A ty? Miałeś momenty zwątpienia?

Może nie pojawiały się myśli o końcu, ale takie, żeby zrobić sobie przerwę. W pewnym momencie szło to w złą stronę, były spore napięcia, a podłożem tych napięć często była praca nad nowymi rzeczami. Marcin miał też problem z tym, jak mało angażuje się Michał. Ale pogadaliśmy i doszliśmy do wniosku, żeby za tym szły też profity finansowe. Czyli ZAiKS. Marcin mnie zapytał, na ile ja się czuję współautorem. Powiedziałem, że to jest jego robota, on to przyjął bez mrugnięcia okiem, nawet mi pogratulował trzeźwej oceny sytuacji. Uzgodniliśmy to wszystko i teraz dużo łatwiej się pracuje. Marcin wie, że ma robić swoje. Teoretycznie powinien przychodzić i rzucać nam teksty jako podpisany autor. Ale tak nie jest i zawsze ponagla: „No, popracujmy". Z drugiej strony, jeżeli mamy to razem pokazywać, najpierw musimy to też razem opracować.

Lubisz słuchać muzyki, chodzisz na koncerty, masz sporo płyt. A co w sytuacji, gdy macie zaplanowany występ, a tu przyjeżdża Metallica i ma koncert w tym samy dniu?

No co robić? Pech. Ale na szczęście większość artystów, których kocham, już na koncertach widziałem. Poza tym chodzenie na koncerty przestało mi sprawiać taką frajdę jak kiedyś, bo za bardzo kojarzy mi się z robotą, a nie z odpoczynkiem. Zwracam uwagę na światła i inne aspekty techniczne. Włączyło się tak zwane zboczenie zawodowe. Kiedyś w Poznaniu był koncert Petera Gabriela, a my mieliśmy występ tego samego dnia. Na szczęście było to jeszcze w czasach, gdy ograniczałem się do naciskania guzików. Więc cały dzień szkoliłem znajomego, pokazywałem mu kiedy, co i jak ma robić. Teraz już nie ma takiego wykonawcy, którego chciałbym zobaczyć za wszelką cenę.

Parę lat temu miałem farta. Byliśmy w trasie po USA i Kanadzie zorganizowanej tak, żeby chłopaki mogli wziąć udział w turnieju golfowym Polish Cup. Odwiedziliśmy między innymi Nowy Jork, Chicago, Toronto, Los Angeles. Taki wyjazd łączący pracę ze zwiedzaniem. W czasie pobytu na Florydzie nie miałem nic do roboty. Oni grają turniej w golfa, ja nie. Coś mnie tknęło, żeby sprawdzić, jakie koncerty są w okolicy i, proszę, w pobliskim Orlando zespół Van Halen występuje. Natychmiast kupiłem bilety. To wydarzenie zamknęło listę moich koncertowych marzeń.

Od zawsze masz ksywkę Kołek?

Z takim nazwiskiem to nie da się inaczej. Gdybym od dziecka był taki, jak teraz, to pewnie byłbym Gruby. Ale gruby jestem dopiero od dwudziestego trzeciego roku życia. Bo wcześniej uprawiałem sport. Biegałem średnie dystanse. Dzisiaj trudno w to uwierzyć, ale kiedyś, jak założyłem dres, to mogłem biec do chwili, aż bym padł z głodu. Nie robiło na mnie wrażenia przebiegnięcie tak zwanej dużej pętli, czyli szesnastu kilometrów. A później, z dnia na dzień, jak zacząłem pracować, odpuściłem sport. Z lenistwa też.

No i z małżeństwa.

Nie, nie, my z Kaśką jesteśmy w związku nieformalnym. Nie mam nic przeciwko związkom formalnym, wręcz uważam, że tak trzeba. Ale nie wiem, jak zrobić wesele. Są olbrzymie oczekiwania wśród znajomych, wszyscy pytają, gdzie, kiedy i jak. Nie chcę ich zawieść, więc się nie żenię. Ale z Kasią jesteśmy razem już szesnaście lat, chociaż znamy się ze dwadzieścia dwa. Ja związek między kobietą i mężczyzną datuję od aktu płciowego.

No to opowiedz mi o swoim pierwszym razie...

Czemu nie? Dziewczyna była od mnie starsza...

Żartowałem. Bardziej interesował mnie twój pierwszy raz w Ani Mru-Mru. Czytasz opinie o sobie?

Szczerze mówiąc, to nawet nie wiem, gdzie szukać. Nie wchodzę do Internetu, żeby czytać o sobie. Na nasz profil na Facebooku nie zaglądałem sto lat. Kiedyś tam coś znalazłem: że gruby, nijaki, kwadratowy, beznadziejny. Ale ja mam tego świadomość. Ani ze mnie aktor, ani jakoś specjalnie utalentowany koleś. Ale bywały też fajne opinie. Że się nie sili, że jest normalny. Nie lubię na siebie patrzeć w telewizji. Płyty z naszymi numerami oglądałem tylko przy montażu. Teraz czasem muszę zerknąć, żeby sobie przypomnieć, jak trzeba gdzieś zagrać stary numer.

Zagrałeś w *Rysiu*.

Zadzwonił do mnie Stanisław Tym. Powiedział, że mi zapłaci stawkę za rolę drugoplanową, ileś tam złotych. Powiedziałem, że mogę nawet dopłacić, żeby się znaleźć w napisach końcowych. Bo dla mnie *Miś* to najbardziej kultowa komedia w historii, znam go na pamięć. A *Ryś*? Film wyszedł, jaki wyszedł.

Byłem na kilku dniach zdjęciowych do *Rysia*. I najgorsze jest to, że dowiedziałem się, jak powstaje film. Zobaczyłem, ilu ludzi i ile wysiłku musi włożyć, żeby nakręcić króciutką scenę. Jak zetkniesz się z jakąkolwiek produkcją filmową, to potem taki *Helikopter w ogniu* oglądasz z zupełnie innej perspektywy. Znowu włączyło mi się zboczenie zawodowe.

Poza tym mój udział w tej produkcji jest marginalny. W sumie miałem do powiedzenia jedno zdanie. Aktorstwa filmowego tam nie doświadczyłem.

Ale przecież nikt nie oczekiwał, że stworzysz oscarową kreację.

Ja nie mam żadnego talentu, niczym się nie różnię od człowieka z ulicy. Zaczynałem od naciskania guzików. Brak talentu, dużo szczęścia, trochę pracy. Marcin to ma talent, takie zwierzę sceniczne rodzi się raz na kilkaset tysięcy. Być może moim talentem jest umiejętność współpracy z kolegami i chodzenie na kompromisy.

Tak naprawdę nikt z nas nie ma przygotowania aktorskiego, nawet Michał. Ten jego teatr to nie była żadna szkoła. Ale on ma nieprawdopodobny talent, jak wejdzie w swoją postać, to wywróci się na lewą stronę. Marcin się niesamowicie wyrobił, pamiętam jego początki. Był kwadratowy jak każdy amator. Ale procentuje jego doświadczenie, plus te występy w różnych programach. Teraz jest mistrzem. Obaj są zawodowcami pełną gębą, na równi z aktorami. Marcin mógłby spokojnie zagrać w filmie i paru dyplomowanych aktorów czegoś nauczyć.

Był też *Weekend*.

Ileż Czarek Pazura się naopowiadał, jaki to będzie film. Zapowiadało się wręcz na Oscary. Potem dostałem scenariusz; czytam i zastanawiam się, gdzie tu jest komedia.

Tam nie było nic zabawnego, zaśmiałem się tylko przy jednej scenie. Spotkałem się z Czarkiem, znowu usłyszałem, co to nie będzie. Ale potem się okazało, że budżet nie taki, no i wyszło, jak wyszło. Ja swoją rolą mu w sukcesie nie pomogłem, uważam, że była kwadratowa. Zderzyłem się z czymś nieznanym. Byłem przyzwyczajony do innego trybu pracy, a tutaj nagle pośpiech, powtórki, presja, dookoła kilkadziesiąt osób. Gdybym wiedział, jak to ma wyglądać, to bym się lepiej przygotował. Aczkolwiek nie uważam, że to jest złe kino. Czarek zrobił przyzwoity film. Jak na taki scenariusz, to i tak dobrze to wyszło.

Z Wójcikami to pewnie często bywałeś jak między młotem a kowadłem?

Wiele razy. A jeszcze gorzej, jak jest dwóch przeciwko tobie. Jak się jedzie samochodem we trzech, to zawsze ten jeden musi być wentylem bezpieczeństwa. Tak jak w *Top Gear*. Jadą po tym Mayu strasznie. U nas też z kogoś trzeba drzeć łacha. Teraz na szczęście więcej dostaje się Emilowi.

Przeszkadza ci to, że tak się z ciebie nabijają?

Przyzwyczaiłem się. Mam to gdzieś. Już nie mam siły się odgryzać. I nawet jak powiedzą coś kompletnie od czapy, jak nie mają racji, to i tak mam to w nosie. Macham ręką. Nie chce mi się nakręcać tego wszystkiego. Bo nawet jak zaprzeczę, to będzie jeszcze gorzej. Więc się zgadzam ze wszystkim. „Srałeś piętnasty raz". „Tak, srałem". „Znowu się nie wyspałeś". „Tak, nie wyspałem się".

Ale lubisz spać?

To nie jest tak, że ja lubię spać. Muszę przespać te swoje siedem, osiem godzin. I na przykład wczoraj zasnąłem przy synu o północy. Dał mi pospać, więc obudziłem się po ósmej. Jest cudownie. Jestem szczęśliwym, wyspanym człowiekiem. Jak śpię za krótko, to szukam tej dodatkowej godziny, żeby się naładować. To nie jest tak, że zawsze, jak tylko mam wolną chwilę, to śpię gdziekolwiek, byle był kawałek miejsca.

A co robisz, gdy nie jesteś w trasie?

Nie mam jakiegoś konkretnego hobby, ale mam gitary, na których nie gram. Mam fajny aparat, ale nie fotografuję. Proza życia. Teraz całe ferie przesiedziałem w szpitalu, bo przygody z dzieckiem, bo Kaśka miała operację, i tak leci dzień po dniu... I cały czas uważam, że ta książka jest niepotrzebna. My tak naprawdę nie mamy nic ciekawego do opowiedzenia.

JAK PORADZIĆ SOBIE Z CENZURĄ?

Jest w Polsce sporo kabaretów mocno przecenianych, takich, które robią słabe, żenujące skecze na niskimi poziomie, ale to nie znaczy, że mogę sobie z nich żartować. Bo wiem, ile potrzeba czasu i energii, żeby na tej scenie zaistnieć i wymyślić jakiekolwiek żarty.

Z czego nigdy nie zażartujecie?

WALDEK: W samochodzie czy na scenie? W samochodzie nie ma takiego tematu, z którego nie da się zażartować.

MARCIN: Nie ma takiego tematu. Można zażartować ze wszystkiego, ale ważną sprawą jest, w jaki sposób. Po co jest ten żart. Kiedyś się zarzekałem w wywiadach, że nigdy nie zrobię żartu z pedofilii. Bo według mnie jest to zjawisko bardzo negatywne i trudno mi sobie wyobrazić, żebym mógł z tego żartować. Ale w historii kabaretu pojawiły się już dwa żarty z pedofilii. Jeden został napisany z premedytacją na konkurs tak zwanych „syfów". Na jednym z festiwali była konkurencja, która się nazywała „Skecz hardkor" i tam wszyscy mogli sobie pozwolić na szokowanie, na zrobienie czegoś, czego się zazwyczaj na scenie nie robi. Kabaret Limo pokazał wtedy skecz o Kaczyńskim na Wawelu. My zrobiliśmy skecz, który zahaczył o pedofilię. Ten wątek pojawił się też w skeczu *Tydzień bez Facebooka*, w którym ja rozmawiam z księdzem i tylko mówię – na zasadzie rozmowy dziennikarza z arcybiskupem – że być może fakt, że Facebook zniknie, sprawi, że ludzie odejdą od komputerów i zwrócą się w stronę kościoła. Mówię tam: „Czy to nie zwiększy przypadków pedofilii wśród księży?". Poruszam ten temat, ale to jest temat ogólnie w Polsce poruszany i ten nasz żart nie poszedł nawet specjalnie po bandzie.

WALDEK: Są też takie tematy, które bez względu na to, czy są poruszane w dobrej intencji, zawsze wywołają negatywne reakcje, zawsze znajdą się ludzie, którzy się o to przyczepią. Tak jak się czepiali Abelarda Gizy.

MARCIN: Mamy świeży przykład sprzed kilku dni, gdy napisał do nas maila człowiek, który podawał się za eksperta przy jakiejś brukselskiej organizacji. I on napisał, że dostaje wiele sygnałów od różnych osób i instytucji, które są oburzone tym, że jedna z postaci w naszym skeczu się jąka. To jest obrażanie osób cierpiących na coś, co się chyba nazywa niepłynność mowy. I on jest tym mocno oburzony. Byłem strasznie wkurzony, że taki koleś do mnie pisze, więc sprawdziłem sobie, kto to jest, bo przysłał linki do swoich prac. Jakiś doktor z uniwersytetu. On był strasznie ważny, prosił, żebyśmy zwrócili uwagę na pewne zjawiska i nie robili tego. Chciałem mu odpisać i zapytać, czy można robić skecze z udziałem postaci w okularach albo niemających zęba, bo to przecież też jest pewna ułomność. Ale mi przeszło i nie odpisałem, bo poczułby się jeszcze ważniejszy. Każdy może się do czegoś przyczepić. Ale ja chyba już nie mam oporów. Zwłaszcza jak się pojawił u nas stand-up. Tam już nie ma takich tematów, z których się nie żartuje. Inną kwestią jest, jak to zostanie odebrane przez ludzi.

MICHAŁ: U nas problemem jest dystans, jaki ludzie mają do siebie. Albo raczej jakiego nie mają. Kilka lat temu mieliśmy spory problem, że niby nabijamy się z ludzi niepełnosprawnych w skeczu *Otwarcie supermarketu*. Ludzie byli oburzeni tym, że gram tam człowieka na wózku. A jak przyszło co do czego, to ludzie na wózkach się cieszyli, że taki skecz powstał i że pokazaliśmy, że są obecni w numerze i mogą się pośmiać z siebie.

MARCIN: To był w ogóle idiotyzm do kwadratu, bo w tym skeczu nie padało nawet jedno słowo mówiące, że chodzi o niepełnosprawnych. Tam byli tylko renciści i emeryci.

A niedawne tragiczne wydarzenia w Paryżu, atak na redakcję „Charlie Hebdo", coś zmieniły w waszym postrzeganiu granic satyry?

MARCIN: Uważam, że ilu jest satyryków, tyle jest granic, bo każdy sam je sobie ustala. A jeżeli mówimy o tym zamachu, czy bardziej zemsty za rysunki, to wydaje mi się, że każdy żartujący z czegokolwiek musi się liczyć z konsekwencjami. Jeżeli żartuje się ze starszych ludzi albo z Żydów, to wiadomo, że zaraz zaprotestują emeryci albo jakaś gmina żydowska. Tutaj mieliśmy do czynienia z ekstremalną satyrą i igraniem z ogniem, bo wszyscy wiemy, jak wygląda fundamentalny islam. Oni się nie cofną przed niczym. Rysunki, które tam się pojawiały, to nie był jednorazowy incydent. One się ukazywały mimo regularnych protestów. Z drugiej strony reakcja była nieadekwatna. Zresztą łatwo jest oceniać z naszego podwórka. Gdyby w Rosji ukazywały się rysunki, które nas obrażają, z pewnością też byśmy protestowali, tylko oczywiście w łagodniejszej formie.

Nie chciałbym użyć słowa prowokacja, ale to było wyraźne igranie z ogniem. Ale przecież mamy wolność słowa. Tylko że ona jest inaczej pojmowana w krajach europejskich, a inaczej w muzułmańskich. I to zderzenie kultur, widoczne zwłaszcza we Francji, gdzie jest wielka wielokulturowość i spory odsetek imigrantów.

To smutna historia. I żal, że trochę dotyka naszej branży satyrycznej. Satyra, to tylko satyra, ale okazuje się, że nie każdy musi ją odbierać w podobny sposób.

U nas religia to też najbardziej śliski grunt. Był w Polsce taki głośny przypadek, który też dotyczył tego tematu, choć w innej skali. Mam na myśli żart Abelarda Gizy o papieżu.

MARCIN: Nie lubię, jak religia wchodzi w życie codzienne i staje się tematem numer jeden. Religia jest indywidualną sprawą. Powstały dziesiątki skeczy o księżach i jakoś nikt się specjalnie nie oburzał. Aż tu nagle pojawił się jeden żart o papieżu i się okazało, że to jest za mocne. Znam programy kabaretowe, które były w całości poświęcone tematowi religii. Było o Jezusie, o apostołach. Nie było tam nic obrazoburczego. Nie uważam, żeby żart Abelarda jakoś szczególnie obrażał katolików, choć znajdą się i tacy, których obrażają delikatniejsze rzeczy. Moim zdaniem to było w miarę inteligentne, ba!, uważam nawet, że można to było zrobić lepiej, bo znam Abelarda. Nagle ktoś tam z powodów religijnych się obruszył. Aczkolwiek nie słyszałem, żeby jakiś ksiądz się obraził z powodu żartu o sobie. Najczęściej obrażają się samozwańczy obrońcy prześladowanych.

Zawsze się znajdzie jakaś grupa, która poczuje się śmiertelnie obrażona.

WALDEK: No właśnie. Tacy się oburzają, a sami zainteresowani świetnie się bawią. Zawsze znajdzie się ktoś, kto zechce włożyć kij w mrowisko.

MARCIN: Nawet współpracowaliśmy z grupą niepełnosprawnych. Podrzucali nam tematy, które chcieli, żebyśmy poruszyli.

WALDEK: Gdybyśmy na podstawie ich pomysłów zrobili skecze, to dopiero wtedy pojawiłaby się wielotysięczna grupa oburzonych.

MARCIN: Współpracowaliśmy z fundacją, która zajmuje się niepełnosprawnymi. Ta fundacja szukała pieniędzy na pełnometrażowy film, w którym mieliśmy zagrać niewidomego, głuchego i człowieka na wózku, którzy napadają na bank. Powstał nawet scenariusz, ta fundacja miała to sfinansować, ale niestety nic z tego nie wyszło.

WALDEK: Jestem pewien, że gdyby na scenę wyszedł ktoś niepełnosprawny i zaczął się nabijać z niepełnosprawności, to nikt by nie protestował. Zresztą chyba nawet był kabaret złożony z samych niepełnosprawnych. Facet bez ręki może żartować z tego, że nie ma ręki, ale jak wyjdzie ktoś udający bezrękiego i będzie robił z tego jaja, to od razu pojawią się oburzeni.

Z księży rzadko żartujecie. Chyba tylko w dwóch numerach.

MARCIN: Mamy księdza w skeczu *Ojciec ma zawsze rację* i w skeczu z diabłem i aniołem, gdzie w puencie pojawia się stwierdzenie, że ksiądz nie ma szybkiego samochodu i willi z basenem. Anioł mówi wtedy: „Błądzisz synu, błądzisz". To jest strasznie wyświechtany temat. Ja nie mam oporów, żeby zrobić skecz o księdzu czy o klasztorze, ale było już tyle podobnych numerów, że trudno jest znaleźć jakiś pretekst, żeby zrobić nowy. Poza tym to byłoby za łatwo. Ksiądz-pijak, coś tam o seksie, to są najprostsze wytrychy. Ksiądz jest wdzięczną postacią w skeczach, bo same jego ograniczenia powodują, że trzeba coś tam nakombinować. Wszyscy wiemy, co duchownym wolno, a czego nie i jacy są ci nasi księża. Bo jak zrobimy skecz o budowlańcu, to można zrobić z nim wszystko. Może być sprytny, głupi, biedny, leniwy, natomiast w przypadku księży to jest jasno określony wizerunek i łatwo ludzi wciągnąć w naszą grę.

Dużo mieliście protestów?

MARCIN: Było trochę, ale nie przypominam sobie, żeby którykolwiek z nich był na tyle poważny czy rzeczowy, żebym podjął rękawicę i próbował dyskutować.

ARTUR: Przypominam sobie może nie protest, a sugestię. W jednym skeczu mieliśmy postać z zespołem Tourette'a. Zadzwoniła do nas mama dziecka, które cierpiało na tę przypadłość, z poważnym wyrzutem. Syn był na występie, im się to nie spodobało i potem złagodziliśmy ten skecz.

WALDEK: Dotarło do nas, że mogliśmy o czymś nie pomyśleć wcześniej i to zmieniliśmy.

MARCIN: Jesteśmy wulgarni, złośliwi i czasami dowcipni, ale tylko w naszym busie, natomiast na zewnątrz musimy być inni. Tacy jesteśmy, my Polacy. Na urodzinach przy wódce opowiadamy żarty o pedałach, a taki żart opowiedziany na scenie od razu wywołuje oburzenie. Oczywiście powiedziałem „pedały" w konwencji kawału, bo u nas się mówi „homoseksualiści". Ale to może być kawał o księżach, czy o blondynkach.

WALDEK: Tak jak w tej słynnej aferze podsłuchowej. Było wielkie oburzenie na język, którego używano, ale jak ma rozmawiać dwóch facetów podczas obiadu? W prywatnej rozmowie mogli sobie mówić jak chcą. Ich rozmowa, ich styl. Jakby ktoś założył nam podsłuch w samochodzie i to później opublikował, spalono by nas na stosie następnego dnia

MARCIN: Tak samo ludzie nie mogli zrozumieć, że pilot, który pilotował samolot w Smoleńsku, Protasiuk, nie krzyknął w ostatniej chwili: „O Matko Boska!" tylko „Kurwa!". Jak my się kiedyś zderzyliśmy samochodem z dzikiem pod Kamieniem Pomorskim, to ostatnie słowa przed dzwonem też były takie.

Dzika czy wasze?

MARCIN: Nasze, a dokładniej Artura. Nie wiemy, co dzik krzyczał. Chcieliśmy mu pomóc, poszliśmy go szukać, ale gdzieś uciekł. Pewnie poszedł odejść w spokoju bez udziału publiczności.

MICHAŁ: Z początku myśleliśmy, że jak Artur krzyknął: „Kurwa!", to chodziło mu o jakąś kobietę stojącą przy drodze.

MARCIN: O, i to jest właśnie ten rodzaj żartów, które by nie poszły nigdy na scenę. Bo są słabe.

Czy planując trasę, bierzecie pod uwagę daty, które mogą być dla kogoś „mało rozrywkowe"?

MARCIN: Mamy parę takich ustalonych terminów, kiedy nie gramy. Nigdy nam się nie zdarzyło wystąpić w sylwestra. Co roku dostajemy propozycje, ale zawsze uważałem, że sylwestra można spędzić w domu albo ze znajomymi, a nie na scenie. Nie gramy pierwszego listopada ani w inne ważne święta kościelne, jak Wniebowstąpienie Najświętszej Maryi Panny. I to nie wynika z kabaretu, po prostu ludzie rzadko kupują bilety na występy w takich terminach. Na przykład Trzech Króli – niby to dzień wolny, ale raczej wtedy nie gramy. To są ograniczenia rynkowe. No i mieliśmy też kilka przypadków odwoływania występów z powodu ogłoszenia żałoby narodowej.

Których u nas ostatnio nie brakowało.

MARCIN: Pamiętam, jak umierał Jan Paweł II, to akurat czekaliśmy w garderobie na występ. I to jeszcze było w Zakopanem, żeby dopełnić dramaturgii. Graliśmy imprezę zamkniętą, na scenie występował przed nami Krzysztof Daukszewicz. I Daukszewicz wystąpił, a my już nie zdążyliśmy. W trakcie jego występu pojawiła się informacja o śmierci papieża. I tu nie było żadnego dylematu, wszystko było oczywiste. Ten wieczór spędziliśmy w Zakopanem i wróciliśmy do domu.

Z kolei Smoleńsk zastał nas rano w Ostrołęce. Więc też wracaliśmy. Ale to jest normalne. Bardziej ubolewamy nad tym, że ogłaszana była żałoba narodowa z powodu wypadków. Na przykład gdy w wypadku autokaru zginęło jedenaście osób. Nie chciałbym umniejszać niczyjej tragedii, ale bywały lata, gdy w jednym roku były trzy albo cztery takie żałoby narodowe. Bo autokar, bo hala, bo górnicy. To rozwalało nam kompletnie kalendarz. Musieliśmy potem nadrabiać odwołane występy i graliśmy nawet dwadzieścia pięć razy w miesiącu. Najpierw mieliśmy niespodziewane wolne, ale potem nam się to kumulowało. Często o tym rozmawialiśmy, o zasadności ogłaszania żałoby narodowej. Czasem można się zastanowić, czy życie dwunastu osób, które jechały w jednym autokarze, było cenniejsze niż tych sześćdziesięciu, które tego samego dnia zginęły w swoich własnych autach. Ale takie jest prawo prezydenta. Nie chciałbym się użalać, ale to dezorganizuje robotę nie tylko nam, ludziom z branży rozrywkowej, ale również organizatorom. Bo zawsze jest dylemat. Mamy określoną datę występu, prezydent ogłasza kilkudniową żałobę narodową i potem trzeba to jakoś nadrobić.

A czy w środowisku kabaretowym jest jakiś kodeks, jakieś wspólne zasady dotyczące żartowania?

MARCIN: Każdy sobie rzepkę skrobie. Nie ma żadnego kodeksu. Nie ma czegoś takiego, że dzwonię do innego kabaretu i mówię: „No chłopaki, słuchajcie, tak się tego nie robi". Każdy działa na swój rachunek. Są pewne zasady, ale takie niepisane. Na przykład jeżeli ktoś zrobił skecz o facecie przychodzącym do chińskiej restauracji, to nikt potem nie robi skeczu o facecie w wietnamskiej restauracji. To by jedynie wywołało uśmiech politowania. Nikt nie będzie miał tego za złe, ale będzie lekka żenada.

Druga zasada jest taka – rzadko łamana, ale jednak się to zdarza – że się nie żartuje z innych kabaretów. Gdybyśmy robili skecz i ja bym powiedział: „No, ale Moralny Niepokój to coś tam", to nie byłoby fajnie. Nie używamy nazwy konkretnego kabaretu w jakimś kontekście, niekoniecznie fajnym. Ale ta zasada bywa łamana. Jest taka grupa Pożar w burdelu, ponoć nawet fajny kabaret nawiązujący do lat dwudziestych czy trzydziestych, tylko tworzą go niespełnieni aktorzy. Moja znajoma poszła i widziała. Ja nie widziałem, ale już się raczej nie wybiorę. Oni tam w trakcie występu mówią coś takiego: „Weź żartuj na poziomie, to nie jest Ani Mru-Mru". Pomyślałem sobie, że trzeba być bardzo sfrustrowanym, żeby coś takiego napisać, a potem to powiedzieć na scenie. To jest słabe. Ja uważam, że jest w Polsce sporo kabaretów mocno przecenianych, takich, które robią kiepskie, żenujące skecze na niskimi poziomie, ale to nie znaczy, że mogę sobie z nich żartować. Bo wiem, ile potrzeba czasu i energii, żeby na tej scenie zaistnieć i wymyślić jakiekolwiek dowcipy. Więc nigdy bym się do tego nie posunął, żeby jawnie żartować, że kabaret jakiśtam zrobił żenująco słabą rzecz. To jest ich praca. Mogę się z nimi spotkać prywatnie i wtedy im powiedzieć, co było według mnie słabe, ale nigdy nie zrobię tego w naszym skeczu. Dlatego też, że się lubimy. Mówi się na przykład, że kabaret OT.TO się skończył. Być może. Żarty tego kabaretu do mnie nie przemawiają, ale znamy się, świetnie się nam rozmawia, dogadujemy się. Trzeba oddzielić pracę i personalne wycieczki, dla których nie ma miejsca na scenie.

WALDEK: Jest też drugie dno tej sytuacji. Są kabarety, które mają kompletnie inny sposób funkcjonowania niż my. Nie musimy lubić ich formy ani ich żartów, ale te kabarety działają, mają swoją publiczność. Do kogoś to trafia, to nie muszę być akurat ja. Darcie z nich łacha byłoby kompletnym nieporozumieniem. Są ludzie, którzy nie lubią muzyki klasycznej, ale raczej nikt się z niej nie nabija. A jak jest z disco polo? No dobra, może to nienajlepsze porównanie.

Czyli szacunek w waszej branży przede wszystkim?

MARCIN: Dokładnie tak. Chwała im za to, że mają swoją publikę. Wiedzą, co robią. Gorzej, jak używają prostych wytrychów. Rzucają mięsem. Takie tanie szukanie poklasku. Ale najważniejszą weryfikacją jakości kabaretu jest publiczność.

Właśnie. Bluzgi w skeczach. Jak jest z tym u was? Raczej nie nadużywacie?

MICHAŁ: Jeżeli są uzasadnione i potrzebne, to będą. W pewnych momentach nie da się powiedzieć „kurka wodna", tylko „kurwa mać". Ale to jest prosty chwyt. Wystarczy powiedzieć „dupa" i publiczność się śmieje. Ale bluzg sam w sobie nie jest celem.

MARCIN: Mnie zastanawia co innego. Obecnie bardzo często dyskutuje się o tym, że kabarety często używają przekleństw i ludzie robią z tego zarzut. Ale już w teatrze, jak aktor rzuca „kurwą", to jest w porządku. Bo ktoś to napisał i to jest sztuka. Kiedyś Robert Górski wymyślił taki skecz, w którym mówi: „Byłem ostatnio w teatrze. Tylu gołych dup i tylu kurew to dawno nie usłyszałem". Teatr też poszedł w tę stronę. Czasy się zmieniają. Język potoczny się zmienia. A scena, zwłaszcza kabaretowa, to taki przekaźnik prawdziwego życia. Jeżeli ja gram w skeczu *Wieczór kawalerski* i jest scena, w której jesteśmy z kolegami w lokalu, do którego przyszliśmy się napić, to nikt mi nie wmówi, że są faceci, którzy nie powiedzą w takiej sytuacji: „Kurwa, ale zajebiście!". To są emocje i spora część osób posługuje się właśnie takim językiem, nawet dzieci. U nas jest tak samo. Pod warunkiem właśnie, że nie jest to wytrych, który ma wywołać śmiech na sali. Bo to nie jest śmieszne.

A jak to wygląda w przypadku numerów pokazywanych w telewizji? Rozumiem, że obowiązuje zasada, że przed dwudziestą drugą bluzgów nie ma.

MARCIN: Jeżeli program jest nagrywany, to nie ma problemu, zawsze można „wypikać" przekleństwo. Natomiast na żywo, jeżeli umawiamy się z reżyserem, że te słowa nie padną, to nie padają. Nie muszą padać. Chyba że ten wulgaryzm jest nieodzownym elementem. Tak jak w przypadku skeczu Łowców.B *Koperek*, gdzie „kurwa" jest ewidentną puentą. Wówczas to przejdzie nawet o wcześniejszej porze. Ale zawsze jest rozmowa i decydujemy, że taki skecz raczej nie wchodzi do programu. Ale też tego nie rozumiem. Nie chciałbym, żeby kabaret w Polsce stał się niewolnikiem czegokolwiek. Bo ludzie mają poczucie, że zawsze będziemy grzeczni. Niedawno napisała do mnie kobieta, która przyszła na występ z ośmioletnią córką. I mała usłyszała brzydkie słowa i tematy, których nie powinna usłyszeć. Ale jeżeli przychodzi się na godzinę dwudziestą trzydzieści z dzieckiem na kabaret, gdzie gra trzech facetów po czterdziestce, to ja przepraszam, ale my nie robimy kabaretu dla przedszkolaków.

WALDEK: To może też być kwestia tego, że ludzie oglądają kabarety w telewizji, gdzie są już przefiltrowane numery, bez wulgaryzmów. I czegoś takiego oczekują na żywo. Ale wciąż nie wiem, skąd pomysł, żeby na Ani Mru-Mru przychodzić z dzieckiem. Nigdy nie byliśmy grzecznym kabaretem.

MARCIN: Dzieciom się podoba nasz kabaret, zwłaszcza starsze rzeczy. Bo pan Michał fajne rzeczy robi. Ale dziwi mnie to, że ktoś ma pretensje, że w programie pada brzydkie słowo albo są poruszane tematy, o których dziecko nie powinno słyszeć. Może nie robimy kabaretu tylko dla dorosłych, ale trzeba mieć świadomość, że pojawiają się rzeczy dla dorosłego widza.

WALDEK: Chyba że gramy w bazie wojskowej w Świętoszowie. Wtedy trzydzieści procent widowni nie ma skończonego roku i siedzi w wózkach. Chłopaki ganiają się na poligonie, a ich żony przyszły na kabaret z dziećmi na rękach. Dzieci krzyczą, płaczą, jest to rozpraszające, ale przecież ich nie wyprosisz.

Dlaczego nie macie skeczy o polityce?

MARCIN: Przede wszystkim takie numery szybko się dezaktualizują, zwłaszcza w dzisiejszych czasach, gdy sytuacja w polityce jest mocno dynamiczna i wszystko się zmienia. Jak sobie przypomnę, że kilka lat temu na topie byli tacy ludzie jak Anita Błochowiak, Renata Beger czy Andrzej Lepper, to sam rozumiesz. Ludzie już o nich zapomnieli, nie pamiętają, jakie pełnili funkcje. Skecz polityczny ma bardzo krótką żywotność. Można do czegoś nawiązać, jak jest jakiś występ w telewizji. Nigdy nie lubiliśmy takich rzeczy. Można wprowadzić do skeczu postać, która jest znana od kilkunastu lat, jak na przykład Janusz Korwin-Mikke – zawsze taki sam, tak samo ubrany, ma takie same poglądy. Jak się pojawi w skeczu, to wiadomo, jak to ma wyglądać. Ale u nas politycy, nawet premierzy, szybko się zmieniają. Był nawet taki pomysł, ale potem przyszła refleksja, że nie warto mu przysparzać dodatkowej popularności. Można mu zrobić więcej dobrego niż złego.

WALDEK: Były przemycane próby, mieliśmy piosenkę zaangażowaną politycznie, *Rolnik sam w dolinie*. Ale raczej unikamy tego.

MICHAŁ: Można próbować wyśmiać coś ze świata polityki, ale szkoda na to energii. Im i tak wszystko uchodzi płazem.

WALDEK: Gdyby udało się w ten sposób coś zmienić, zmusić jakiegoś polityka do refleksji. Ale na to się nie zanosi, więc nie będziemy robić skeczy o marginesie społecznym.

MARCIN: Poza tym każdy skecz o zabarwieniu politycznym od razu ustawia artystę po którejś stronie barykady. W Polsce jest w tej chwili podział pół na pół i tak naprawdę żart – załóżmy – z Radosława Sikorskiego, byłby odebrany tak, że jesteśmy po stronie PiS-u, a każdy żart z Adama Hofmana ustawiłby nas po drugiej stronie. Są artyści, którzy nie kryją swoich poglądów, jak Jerzy Zelnik, Andrzej Rosiewicz, Jan Pietrzak czy Ryszard Makowski. Mało tego, oni są wręcz artystami walczącymi. To nas trochę mierzi. Oni się mocno angażują, ale moim zdaniem nie powinno się tego robić. Jeszcze inny aspekt – mam wrażenie, że publiczność przychodząca na nasze występy nie ma ochoty oglądać żartów politycznych. Z resztą Jan Pietrzak pogubił się trochę pomiędzy satyrą a polityką, ale nie przez to straciłem do niego cały szacunek. Czytałem kiedyś wywiad z nim w jakimś piśmie i powiedział, że dziś kabaretu już nie ma, że dziś są tylko bandy przebierańców jeżdżące po Polsce ze swoimi wygłupami. Jak to mówią: „Mądrego to i przyjemnie posłuchać".

Takie spektakularne wpadki polityków, jak na przykład afera madrycka, są zbyt łatwe do obśmiania?

MARCIN: Gdybyśmy się pospieszyli i zrobili skecz o tym, że posłowie latają do Madrytu samolotem, a powinni jechać samochodem, a dwa tygodnie później wychodzi zamieszanie z Sikorskim, to ludzie by nam od razu zaczęli zarzucać, dlaczego się tą drugą sprawą nie zajęliśmy. Co innego Jurek Kryszak, który przygotowując się do występów, czyta gazety i potem bardzo zabawnie i aktualnie komentuje to, co się niedawno zdarzyło. On dopieka jednym i drugim, dla niego nie ma tematów, których nie można ruszać.

Ani Mru-Mru nie robi żartów o polityce, ale braliście udział w *Posiedzeniach rządu*. To już było bardziej polityczne.

MARCIN: To jest nawet zabawne, bo potem podchodzili do mnie ludzie i mówili, że mamy odwagę dopiec koalicji czy ludziom z rządu. Prasa się nie odważy ich skrytykować, a my to potrafiliśmy. A jeśli chodzi o polityków, to każda strona polityczna odbierała to po swojemu. Zresztą politycy od jakiegoś czasu zaczęli się interesować kabaretem i cytować jakieś teksty. Można więc przypuszczać, że od nas też coś czerpią.

WALDEK: Chociażby słynne już „haratnąć w gałę".

Wy raczej od polityki stronicie, ale polityka czasem wkracza w wasz kabaret.

MARCIN: No tak, jak kiedyś byłem u Kuby Wojewódzkiego, to potem dostałem list, że pojawiłem się w żydowskiej

– oczywiście – telewizji. To chyba nie jest normalne, kiedy ktoś zadaje sobie trud, żeby napisać do mnie na maszynie i grozić, że spali mi dom. To nie jest tak, że się boimy, że ktoś nam zrobi krzywdę, albo napisze, że jesteśmy żydowskimi sprzedawczykami TVN-u. Trzeba być na to przygotowanym. Jak raz się u nas pojawił w numerze Antoni Macierewicz, to od razu przyszło parę maili. I mnie to fascynuje, że ktoś nie napisze krótko, że jesteśmy chujami, tylko smaży cały elaborat z historią naszego państwa. Podejrzewam, że nie jesteśmy wyjątkiem, że dużo artystów dostaje takie wiadomości. Bo dużo osób siedzących przed telewizorem uważa, że ma monopol na to, jak powinien wyglądać nasz kraj. Oczywiście wszystkie te maile są anonimowe.

Spotkałem się też z pytaniem, dlaczego w obecnych czasach jest tak mało żartów z Platformy Obywatelskiej, a mnóstwo z Prawa i Sprawiedliwości. I że jak prezydentem był Lech Kaczyński, to kabaret aż huczał od żartów, a jak prezydentem został Komorowski, to tych żartów jest dużo mniej. Ale to się raczej nie bierze z preferencji politycznych danego kabaretu, tylko żartuje się przede wszystkim z osób, które mają mały dystans do siebie. Jak ktoś zażartował z Sikorskiego albo z Muchy, z której przecież było mnóstwo żartów, to oni się nie obrażali, nie protestowali, nie słali maili. A jeżeli nawet były jakieś wiadomości, to z tej drugiej strony, która pisała, jak to fantastycznie dokopaliśmy tym platformersom.

A prywatnie rozmawiacie o polityce?

MARCIN: Zdarzają się kabarety, gdzie na czterech członków jeden jest zdeklarowanym sympatykiem PiS-u i to nie jest żaden problem. Są żarty z PiS-u, on dzielnie to przyjmuje, ma dystans, bo jest normalnym człowiekiem. I takich przykładów jest wiele. Ale czasami w skeczach to widać, tę różnicę poglądów. Kabaret gra numer, w którym jest mowa o polityce, i on musi powiedzieć coś, co mu nie pasuje. I bywają przepychanki w rodzaju: „To może ty to powiedz". Ale nie jest w dobrym tonie się z tym afiszować.

WALDEK: Pamiętam, jak byliśmy w trasie z innymi kabaretami, a to był czas wyborów prezydenckich i przebywaliśmy oczywiście poza miejscem zameldowania. Jeden kolega, wielki zwolennik obecnej opozycji, dzień wcześniej się przygotował i schował sobie dowód osobisty w podkładce w bucie. Straszyliśmy go, że mu zabierzemy. Ale nikt nawet nie miał takiego zamiaru i do urny poszło dwunastu zwolenników jednej opcji i on jedyny głosujący na tę drugą. Dalej bardzo się lubimy, polityka nie ma wpływu na nasze relacje, to ma taki normalny wymiar.

Pamiętam, jak byłem na Pace w roku bodajże 2004. I tam jedną z nagród wręczał Zbigniew Ziobro. To było naprawdę absurdalne zjawisko. Ale nawet nie chodzi o to, jaką opcję on reprezentuje, tylko że sprawia wrażenie gościa kompletnie pozbawionego poczucia humoru.

MARCIN: Są czynione próby łączenia polityki z kabaretem, ale nie sądzę, żeby to przynosiło jakiś efekt. Pamiętam

313

program, w którym występował poseł Biedroń i grał skinheada, który nie lubi homoseksualistów. Ale to nie było dobre. Politycy nie są dobrymi aktorami, są zawsze spięci, sztuczni i to raczej nie wychodzi. Ludzie w Polsce postrzegają polityków diametralnie inaczej niż kabareciarzy. Kabareciarzy się lubi, a politykom się nie wierzy, nie lubi się ich. Polityka w kabarecie ma jakiś element oszustwa.

A miewacie propozycje od polityków, żeby się zaangażować w jakąś kampanię?

WALDEK: Przed wyborami to bardzo często.

MARCIN: Ja się zaangażowałem podczas ostatnich wyborów w kampanię jednego z kandydatów na burmistrza miasta Modliborzyce. Gdyż jest to mój szwagier. Na szczęście nie należy do żadnej partii. Było to czyste kumoterstwo. Poparłem go po prostu jako dobrego człowieka. Ale niestety, nie udało mu się wygrać. Nie żebym na niego głosował, ale nagrałem mu takie filmiki promocyjne. Dostał ponad dwadzieścia procent głosów. Całkiem niezły wynik.

ARTUR: Mamy w umowie zapis, bardzo wyraźny, że impreza, na której gramy, nie może mieć charakteru politycznego, nie może być wiecem ideologicznym. Nie możemy być kojarzeni z żadną opcją polityczną. Ten przepis pozwala nam, jeżeli ktoś nas wprowadzi w błąd, odmówić występu i wyjechać. A przed wyborami, żeby było zabawnie, dzwoniło do nas PiS, żeby nas zaangażować. Platforma w ogóle nie dzwoniła.

WALDEK: My stronimy też od takich plenerowych występów w rodzaju „Dni jakiegoś miasta", które najczęściej finansowane są z kasy miejskiej. Potem pojawia się na scenie pan prezydent i zapowiada wspaniałych artystów, przy okazji przemycając, jaka to jego wielka zasługa i partii za nim stojącej. Ludzie mogliby pomyśleć, że my też jesteśmy w tym układzie.

MARCIN: Jeszcze à propos zaangażowania politycznego artystów. My patrzymy przez pryzmat minionych lat, walki z komuną i tym podobne. Kiedyś wychodził Pietrzak, przypieprzył władzy, zaśpiewał *Żeby Polska była Polską* i cały kraj to śpiewał. Odbierano go jak Stańczyka, który mówił prosto w oczy, co jest nie tak. Ale czasy się zmieniły. Teraz, jeżeli komuś się wydaje, że jest Pietrzakiem, to nie tędy droga. Nawet Pietrzak nie jest już tamtym Pietrzakiem. Ludziom to jest niepotrzebne. Tym artystom się wydaje, że mają wielką siłę przebicia. To zaangażowanie Andrzeja Rosiewicza czy Ryszarda Makowskiego jest groteskowe.

MICHAŁ: Widz, który przychodzi na nasze występy, chce odpocząć od polityki, zabawić się, a nie wysłuchiwać naszych deklaracji politycznych.

MARCIN: Ja na przykład po piętnastu latach grania w kabarecie wciąż nie wiem, jakie poglądy polityczne ma Michał.

Dla mnie polityka to w ogóle jest śmieszna rzecz. O ile jestem jeszcze w stanie zrozumieć polityków na najwyższym szczeblu władzy, jak prezydent, premier, czy posłowie, to już na poziomie miasta czy województwa to jest przerost formy nad treścią. Kiedyś prowadziłem jakąś charytatywną imprezę w Lublinie i organizatorzy prosili mnie, żebym powitał jakąś radną, która miała się spóźnić. Odmówiłem. Prowadziłem też imprezę dla kopalni podczas Barbórki. Przyjechał minister skarbu, to była dla mnie persona. Przywitałem go, zapowiedziałem. W Polsce jest tak, że im niżej jakiś polityk się zajmuje polityką, tym jest to słabsze. Co więcej, sam dostałem propozycję startowania w ostatnich wyborach do sejmiku województwa lubelskiego. Z PSL-u! I gdzie bym teraz był?!

ARTUR: Ale te doły są właśnie najgorsze. Mieliśmy niedawno przykład, kiedy pani dyrektor nowego domu kultury, cała we łzach, powiedziała nam, że jak coś pójdzie nie tak, to jej głowa spadnie i przegrają wybory. Ona sobie utożsamiała nasz występ z jakimś wiecem politycznym czy propagandą. To było straszne przeżycie. Choć pewnie dużo gorsze dla niej.

MICHAŁ: Kiedyś po naszym występie przyszedł do nas Janusz Dzięcioł, ten z *Big Brothera*. Nie wiem, czy wtedy już był posłem, czy dopiero kandydował. Wszedł do garderoby, rozdał swoje zdjęcia i powiedział: „Cześć, muszę lecieć". Ale najpierw został zaanonsowany. Ale tak szybko uciekł, że nie zdążyliśmy ani dostać autografów, ani go po rękach wycałować.

WOJTEK KAMIŃSKI
(kabaret Jurki)

Nie lubię ich, bo są tacy dobrzy. Są przede wszystkim dobrym kabaretem, poza tym są bardzo porządnymi ludźmi. To między innymi oni zainicjowali boom kabaretowy w Polsce te kilkanaście lat temu. To, że kabaret zagościł w mediach, to jest ich sprawka. Właściwie można być im tylko wdzięcznym. Ich sukces i to, że od kilkunastu lat są na topie, jest spowodowany trzema elementami: pomysłowością, pracowitością i talentem. Talentem do rozśmieszania i talentem do bycia na estradzie.

PIOTR BAŁTROCZYK

Nie lubię ich, bo ich znam.

ARTUR.
MENADŻER

Powiedziałeś, że zupełnie zmieniłeś sposób zarabiania pieniędzy przez kabaret.

Stałem po obu stronach barykady. Z jednej strony byłem organizatorem, produkowałem imprezy, sprzedawałem, z drugiej byłem menadżerem i stałem się nagle menadżerem Ani Mru-Mru, najpopularniejszego wtedy kabaretu w Polsce. Poznałem mechanizmy działania obu stron. Wiedziałem, jak pracują kabarety. Znaliśmy się wcześniej z Ani Mru-Mru. Kiedyś podczas rozmowy z nimi powiedziałem, że sytuacja jest chora. Jest chora w tym sensie, że producent prostego *eventu* zarabia więcej niż gwiazda tego *eventu*. Mówiłem to na swoją niekorzyść, bo wtedy byłem bardziej po drugiej stronie. Podałem im konkretny przykład: ja jako producent zarabiałem wtedy pięćdziesiąt, sześćdziesiąt procent więcej niż oni jako gwiazdy. Taka sytuacja nie może mieć miejsca. Chodziło o imprezy biletowane. Oni wtedy grali w dużych halach. Ich zarobek był zryczałtowany, dostawali stałą gażę bez względu na ilość sprzedanych biletów. Według prostych wyliczeń wychodziło, że dobry organizator zarabiał dziesiątki razy więcej niż gwiazda, która zapełnia halę.

Powiedziałem im, że jeżeli mamy współpracować, to będę kategorycznie dążył do zmiany tego schematu, bez względu na to, jaką to wywoła burzę. Zaproponowałem nowe warunki. Zostały zaakceptowane i rozpocząłem pracę.

Ten pierwszy raz był w Łodzi. Tam zostałem przedstawiony organizatorom przez Ani Mru-Mru jako ich menadżer. Chłopcy powiedzieli, że we wszystkich sprawach, organizacyjnych, koncertowych, finansowych rozmawia się wyłącznie ze mną. Oni mają tylko tworzyć i grać. To był też jeden z warunków naszej umowy. Stworzyliśmy czysto biznesową sytuację, jasną i klarowną. Ja dbam o interesy kabaretu, a kabaret dba o to, żeby być w formie i tworzyć jak najlepsze programy. To miała być idealnie skomponowana całość. Najlepszy kabaret potrzebuje bardzo dobrego menadżera. Oni mieli wielki potencjał. Przedstawiłem nowe zasady współpracy i... zaległa cisza. Potem była burza, a potem kilku kolegów od organizacji wyszło. Podobno żałują tego do dzisiaj. Pracowałem z wieloma artystami w kraju i wiedziałem, że z Ani Mru-Mru to jest układ na wiele lat.

Stworzyli nową jakość. Ktoś wtedy zrobił jakieś badania i dla osiemdziesięciu procent ankietowanych synonimem słowa „kabaret" było „Ani Mru-Mru". Wyjaśniłem im, że jeżeli stworzymy zdrowy układ, to będziemy bardzo długo działać. Kipiał w nich wielki potencjał i zresztą kipi do dzisiaj. Taka dobra energia. Czasem jesteśmy strasznie zmęczeni. Mam na myśli długą trasę, bo mimo posiadania dobrego samochodu, jest to jednak bardzo nużące. W momencie, kiedy wychodzą na scenę i dostają pierwsze brawa, działa magia i od razu zapominają, że są zmęczeni, chorzy, że mają problemy. Grają na pełnym gwizdku i nie pamiętają o tym, co im wcześniej doskwierało. I dopóki jest taka energia, to będziemy grać jeszcze dwadzieścia lat.

Nie wypalą się?

Kabaret Ani Mru-Mru zmienił się przez te piętnaście lat. Ludzie dojrzewają, patrzą na coś inaczej, mają problemy, pojawia się dziecko, zaczynają palić, rzucają palenie, piją, nie piją. To jest naturalny proces. Ale ich znak charakterystyczny, rozpoznawalność, to pozostało. Nawet jak skecz jest według części publiczności za mało śmieszny albo za bardzo intelektualny, to jest to tylko dowód na tę ewolucję.

Im dłużej grają, tym wyżej stawiają sobie poprzeczkę. Są największymi cenzorami samych siebie. Wiele pomysłów zostaje wyrzuconych definitywnie, nie do szuflady, tylko do kosza, po stwierdzeniu, że są zbyt słabe, gimnazjalne. Każdy nowy program musi być lepszy od poprzedniego. To wynik ich dojrzałości.

Przez pierwsze osiem, dziesięć lat ich programy powstawały niejako w trakcie, w drodze. Nowy skecz wchodził do repertuaru, zostawał, jak się nie spodobał, to wypadał. Tworzył się melanż, to się wciąż zmieniało, słabe rzeczy wylatywały, pojawiały się lepsze. Ale nigdy nie powstawał program jako spójna całość. Nagle przyszedł moment, w którym stwierdziliśmy, że nowe rzeczy będą powstawały jako całościowy program. Starsze numery mogą się pojawić tylko jako bonusy. Pierwszym programem napisanym od A do Z był *Czerń czy biel*. Bardzo się spodobał, był dynamiczny, kolorowy, były przebieranki.

Nagle pojawia się Waldek.

WALDEK: Czemu nie mówisz, że koncepcja pojawiła się pięć minut przed startem programu?

ARTUR: Kiedy repertuar powstał, to się nawet tak nie nazywał. To był po prostu nowy program kabaretu Ani Mru-Mru. Dosłownie w przeddzień premiery, kiedy już wszystko było napisane, Marcin przyszedł z nową koncepcją. „Panowie zmieniamy zapowiedzi. Będzie walka czerni z bielą, dobra ze złem". Przez noc napisał nowy zwiastun. Waldek był przerażony, bo on musi mieć dużo czasu, żeby się przygotować do roli i mieć ten komfort występu. Michał łapie takie rzeczy w lot. Marcin jako autor tekstu ma to wszystko w głowie. Od razu i na zawsze. Graliśmy ten program dwa lata, w Polsce i na świecie, po czym stwierdziliśmy, że czas na nowy. I tak powstawały kolejne. Teraz powstaje program *Skurcz*.

Od kiedy ze sobą współpracujecie?

Od 2005 roku. W tym roku jest dziesięciolecie. Dopóki buzuje ta energia, jest głupawka w garderobie, to jest okej.

Ale są oczywiście momenty kryzysowe, emocjonalne rozmowy, podczas których padają głównie słowa, które należałoby „wypikać". Ale trzeba przejść burzę, żeby oczyścić powietrze. Ludzie mówią mi, że mam taką cudowną pracę, jeżdżę z takimi cudownymi chłopakami, cały czas jesteśmy uśmiechnięci. Tak sobie wtedy myślę: „Gdybyś kobieto wiedziała, ile mamy stresów przez cały tydzień, ile ja walk muszę toczyć z nierzetelnymi organizatorami, niekompetentnymi technikami itepe". Ale po latach wypracowaliśmy system, że współpracujemy tylko ze sprawdzonymi ludźmi, do których mamy zaufanie, którzy znają nasze wymagania. Mamy ściśle określone zasady, dzięki którym nie kosztuje nas to tyle zdrowia, ile by mogło. Przecież wszyscy jesteśmy po czterdziestce.

Kto do kogo przyszedł?

Koledzy przyszli do mnie. Najpierw był Waldek, z którym znałem się najdłużej. Usiedliśmy, pogadaliśmy i zapytał, czy nie rozważyłbym propozycji współpracy. Bo chłopcy osiągnęli pewien pułap i praca z biurem, z którym współpracowali, zaczęła ich hamować. Były trudności komunikacyjne, mieli uwagi logistyczne. Znali mnie, mieli okazję ze mną współpracować. Kilka dni się przygotowywałem do spotkania. Pamiętam, że to było przed występem Ani Mru-Mru w Filharmonii Lubelskiej. Przedstawiliśmy swoje warunki, powiedziałem, co chciałbym zmienić i usłyszałem, że mam się szykować do współpracy.

Co zmieniłeś?

Jedną rzecz – profesjonalizm. Każdy ma swoją rolę do spełnienia. Kabaret ma występować, spotykać się z fanami. Ja mam się zająć logistyką, tym, kiedy występują, gdzie śpią, zmieniłem też samochód na taki, który umożliwiał długie podróże w dobrych warunkach. Jakiś czas później nasze występy oglądał reżyser, który miał realizować wydanie naszej płyty DVD. I powiedział, że zauważył dwie rzeczy: profesjonalizm i granie w punkt. Bo wcześniej oni byli zawodowcami na scenie, ale dookoła nich panował chaos. Ja miałem to wszystko poukładać. I po jakimś czasie występów wciąż było dużo, ale psychicznie mieli luz. Aby artysta mógł się rozwijać, musi mieć wszystko zaplanowanie dużo wcześniej. Musi być wizja, którą ma menadżer. Musi odcinać rzeczy pozornie dobre, tak jak na przykład dwadzieścia wielkich występów w miesiącu. Bo czasem taka liczba mogłaby zamknąć rynek dla artystów na długi czas. Trudne warunki techniczne mają wpływ na markę kabaretu – lepiej się ogląda dobrze widząc i słysząc niż na modnej nowej hali, gdzie od połowy sali trzeba mieć lornetkę. Czasem pięć, siedem występów w innym miejscu daje lepszy efekt wizerunkowy.

W czym zatem nie sprawdziła się poprzednia agentka?

Nie chcę się na ten temat wypowiadać, ale każdy ma inny styl pracy. Ja jeździłem na wszystkie występy, partycypowałem w kosztach, załatwiałem mnóstwo rzeczy pozakabaretowych. Jak ktoś miał problem, to pomagałem mu go rozwiązywać.

Menadżer-spowiednik?

Stałem się integralną częścią kabaretu, wykraczającą poza zawodowe kontakty. Wspólnie wyjeżdżaliśmy na wczasy, byłem takim ojcem dla tych dzieciaków.

To pierwszy kabaret pod twoją opieką?

Pierwszy był kabaret Smile. A jeszcze wcześniej była Lubelska Federacja Bardów. A Smile wyciągnąłem z jakiegoś festiwalu studenckiego. Na początku byli żenujący na scenie, ale podobało mi się ich podejście do pracy. W pewnym momencie chcieli wszystko zakończyć, zanim tak naprawdę zaczęli, ale znalazłem na nich sposób. Przede wszystkim spowodowałem, że zaczęli sami pisać teksty, zamiast grać na cudzych materiałach, których w ogóle nie czują.

Bez kryzysów się nie obeszło.

Moje osobiste sprawy miały większy lub mniejszy wpływ na nasze relacje. I bywały momenty, gdy koledzy mocno tupali nogą. Bardzo mocno. Miałem też wypadek, który trochę namieszał między nami. Ale zawsze mieliśmy świadomość, że stanowimy karmiczny związek. Były

poważne rozmowy, sam byłem bohaterem kilku trudnych. Na szczęście ze wszystkim potrafiliśmy sobie poradzić. Na początku znajomi dawali mi dwa lata, jeśli chodzi o współpracę. Bo pracowaliśmy i bawiliśmy się bardzo
intensywnie. Czasem nawet za bardzo. Ale nigdy nie
straciliśmy dystansu do najlepszych kabaretów, to raczej
my staraliśmy się być liderami i dyktować tempo. Duża
zasługa w tytanowym zdrowiu Marcina, który po imprezie potrafił odpocząć w ciągu trzech godzin, a następnie
usiąść i stworzyć nową rzecz. No i talent Michała, który potrafi szybko wejść w rolę i tworzyć niesamowite
kreacje. Jeszcze Kołek, który jest bardzo pracowity i też
wnosi pomysły. Ma też takie czarno-białe spojrzenie. Jak
mu się coś nie podoba, to mówi „nie". Czasem to jest irytujące, ale i mobilizujące.

Dużo było takich kryzysów, w których nie byłeś stroną ale świadkiem?

Trudno policzyć. Sytuacja rodzinna Michała przekładała
się na pracę kabaretu. Były momenty, gdy mówił wprost,
że nie radzi sobie ze sobą, nie radzi sobie z pracą w kabarecie i musi odpocząć. Ale Michał to przykład klasyczne-
go artysty. Niepoukładany w życiu osobistym, buja
w obłokach, myśli o wielu rzeczach, co zawsze odbywało
się kosztem życia osobistego. Ani nie był oszczędny, ani
nie dbał o przyszłość, żył bieżącym dniem. Potrafił po
całonocnej zabawie w knajpie płacić za wszystkich.

Wyciągał kartę i nawet nie wiedział, ile z tej karty zeszło. Dobra zabawa nie miała ceny.

Zmienił się?

Dojrzał. Sytuacje kryzysowe mocno nim tąpnęły. Ale nigdy koledzy nie zostawiali go samego. Zawsze chcieli pomóc, tylko nie zawsze Michał pozwalał sobie pomóc, bo to jest bardzo skryty człowiek. Marcin też miewał problemy, ale on inaczej je rozwiązuje. Jest odpowiedzialny, wie, że daje przykład pozostałym, więc gdyby on nawalił, to i reszta na pewno by nawaliła. Każdy z nas miał różne przejścia, ale kabaret jest wartością wyższą niż suma naszych stresów. Marcin wprowadził coś takiego, że nie ma siedzenia i myślenia nad nowym materiałem, tylko ustala datę premiery. „Ale nie mamy jeszcze materiału". „Panowie, tego i tego dnia jest premiera i mamy tak pracować, żeby tego dnia wyjść na scenę i dać najlepszy program". Marcin zawsze najwięcej wymaga od siebie, a to mobilizuje resztę.

W pewnym momencie pogodził się z tym, że cały proces twórczy spoczywa wyłącznie na jego barkach.

Zawsze mu to mówiłem. Żeby się nie dziwił, że to on musi napisać kolejny skecz czy piosenkę. Michał zobaczy, powie, jak to widzi, zbuduje postać, Waldek też coś dołoży, ale to Marcin jest mózgiem. Jak on czegoś nie napisze, to nikt nie napisze. U nas nie ma korzystania z cudzych tekstów. Nie wiem, jak koledzy, ale ja dostaję rocznie kilkadziesiąt propozycji od domorosłych pisarzy, od ludzi, którzy coś tam kiedyś napisali. Mają propozycje skeczy albo nawet całych programów dla kabaretu Ani Mru-Mru. I nawet proszę, żeby mi tego nie wysyłali. Żeby potem ktoś tego nie zobaczył i się nie zasugerował. Od początku to był kabaret autorski. Nie musimy się posiłkować tekstami innych, bo najwięcej pomysłów podsuwa życie. Najlepsze skecze wzięły się z obserwacji.

Wspominaliście, że są kabarety, z którymi Ani Mru-Mru nigdy się nie spotkał na scenie.

To nie wynika z niechęci. Prywatnie bardzo się lubimy z innymi kabaretami. Ale osoby zarządzające kabaretami, menadżerowie, czy tak zwane stajnie kabaretowe z różnych powodów, czasami nawet osobistych, tak układają trasy czy wydarzenia, że pewne grupy kabaretowe nie spotykają się na scenie. To jest chora sytuacja.

Czego się boją? Że kabaret Ani Mru-Mru, jako ten popularniejszy, zbierze cały splendor?

Boję się myśleć, że może chodzić o takie przyziemne rzeczy – że ktoś mógłby zobaczyć, jak pracujemy, jak odpoczywamy, a wtedy mogłaby się pojawić myśl, żeby zmienić menadżera. Zgłaszało się do mnie sporo kabaretów z propozycją współpracy. Bo nasz styl, nasze sukcesy się

komuś spodobały. I być może ci menadżerowie mają to
z tyłu głowy. Cieszę się, że działam w niszy kabaretowej.
Tu nie ma takich tarć, jak w show-biznesie, wśród aktorów czy muzyków. Że ktoś dostał rolę, a ktoś nie dostał,
że temu płacą tyle, a temu mniej. To wzajemne podgry-
zanie się. A w kabarecie wszyscy są jedną wielką rodziną.
No i odpowiednie poukładanie spraw spowodowało, że
płyną całkiem niezłe pieniądze. Gdyby coś się stało, to
każdy jest zabezpieczony na dłuższy czas.

To absorbująca praca?

Kiedyś pracowałem z pięcioma kabaretami. Ale wtedy to
jest olbrzymi kombinat, tysiące spraw do załatwienia,
dużo ludzi, odpowiedzialność za błędy współpracowni-
ków. Teraz ponoszę odpowiedzialność tylko za swoje błędy. A możliwości popełnienia błędu jest mnóstwo. Przelot, hotel, menu, ten nie jada tego, tamten czegoś innego,
mnóstwo przyziemnych spraw, chore dziecko, żona
w ciąży. Przy trzech osobach to jest łatwe, ale ogarnięcie
dwudziestu jest już trudne. A jeszcze przez sześć lat zajmowałem się puszczaniem podkładów muzycznych,
odpowiadałem za akustykę i światła, byłem również
współkierowcą, jak wszyscy poza Michałem.

Jakimi kabaretami jeszcze się opiekowałeś?

Smile, potem Ani Mru-Mru, Łowcy.B, potem Kabaret
Młodych Panów, Słoiczek po Cukrze i stand-uper Kempa.

Poukładałem to i owo, a potem znajdowałem odpowiednich ludzi, którzy przejmowali opiekę nad nimi. Kabaretem Smile i Łowcy.B zajmuje się mój wychowanek. Jak mówi się w branży – jestem największym twórcą autokonkurencji w kraju. A ja zostałem przy Ani Mru-Mru.

Miałeś jakiś algorytm na swoje kabarety?

Przy Ani Mru-Mru myślę bardzo personalnie. Znam ich, biesiaduję z nimi, znam ich charaktery i możliwości, i wiem, w którym kierunku należy iść. Bo zaszkodzić może nawet jeden występ na niewłaściwej imprezie.

A jakie inne kabarety ci się podobają?

Wiele kabaretów podziwiam i mówię wprost, że idą w dobrą stronę. Bardzo lubię kabaret Jurki, Hrabi to jest wręcz profesura, Moralny Niepokój to moi przyjaciele, jestem ich widzem i fanem od samego początku. Ale są też kabarety będące na wysokim poziomie rozpoznawalności, które na własne życzenie zatrzymały się i dalej nie pojadą. Pociąg im odjechał, a oni zostali na stacji. Bo fakt, że gdzieś zagrają i dostaną honorarium, nie wystarczy. Nie rozwiną się już. W pewnym momencie ktoś musi spojrzeć na nich krytycznym okiem i powiedzieć: „Panowie, od dawna nie stworzyliście niczego nowego. To, co mamy tutaj, to jest już degrengolada. Musimy iść w tę czy inną stronę, bo będziemy mieć problem". Menadżer musi pobudzać twórczą aktywność, czasem nawet wytargać za ucho. Takich przykładów jest sporo. Jedni nie grają imprez biletowanych, tylko same firmowe. Więcej zarobią, mniej się narobią, ale potem z trudem próbują wrócić na rynek. Albo inni wymyślali, że mają świetną sprzedaż, nagle zmienią pomysł na siebie i staną się kimś zupełnie innym. Publiczność jest bezlitosnym weryfikatorem. Menadżer musi to widzieć, musi dostrzegać pierwsze oznaki kryzysu. Albo oznaki tego, że kabaret nagle skręca w stronę zespołu muzycznego. On to musi przewidzieć i zatrzymać. Pewien kabaret nagle stwierdził, że nagra płytę z muzyką. Muzyka była świetna, ale płyty nikt nie kupił.

EPITAFIUM

Widać, że do końca waszego kabaretu jeszcze daleko, ale gdyby przyszedł kres, to co byście napisali na symbolicznym nagrobku Ani Mru-Mru?

MARCIN: Dajcie mi chwilę...

(*Marcin zaczął myśleć...*)

MICHAŁ: „Chuj dupa i kamieni kupa!"

MARCIN: Nie przekładajmy tutaj swoich fantazji seksualnych.

WALDEK: Ja bym napisał jedno słowo – „Szkoda". Nam szkoda, wszystkim szkoda.

(*Marcin myśli...*)

MARCIN: Mam! Jest epitafium. „Tu leży Ani Mru-Mru. Pięć trumien, między każdą wąska szpara. Wszystkich to leżenie wkurwia, oprócz Waldemara".

WALDEK: A żebyś wiedział!

MARCIN: I wąska szpara się pojawiła, jest też element erotyczny.

MICHAŁ: My wiemy, ale może nie wszyscy wiedzą, że Waldek bardzo lubi leżeć.

ADAM GRZANKA
(kiedyś Formacja Chatelet)

Jak to nie lubię, no co Ty!!! A prywatnie to już
ich wręcz uwielbiam.

DARIUSZ KAMYS
(Potem, Hrabi, Spadkobiercy)

To kłamstwo, że ich nie lubię. Nie nie lubię, tylko lubię.
Lubię to, co chłopaki robią na scenie, lubię też ich osobiście.
Miałem okazję pracować z Michałem i Marcinem przy
Spadkobiercach. I mam bardzo dobre doświadczenie. Ich
siłą są poczucie humoru, łeb Marcina do tekstów, *vis comica*,
talent plastyczny i wielkie pokłady komizmu Michała.
Mają lekkość gry, to mi się bardzo podoba. Jak się ich ogląda,
to widać tę lekkość i swobodę, nie czuć żadnego wysiłku.
Kabaret, występy na scenie, to ich środowisko naturalne.
Cały czas im to sprawia przyjemność. Pasjonatom zawsze
lepiej wychodzi, a oni są pasjonatami.

BARTOSZ GAJDA
(Łowcy.B)

Nie lubię tego kabaretu, ponieważ nie lubię, jak komuś się udaje, a mnie nie. A to jest sztandarowy przykład tego, że komuś się udało. W wieku trzydziestu paru lat osiągnąć tyle, co oni? Uważam, że po pierwsze to jest niesprawiedliwe, a po drugie widziałem, jak mało czasu poświęcają temu wszystkiemu. Więc to jest po dwakroć niesprawiedliwe. Przecież nie można tak samym talentem jechać.

Ale mam nadzieję i trzymam kciuki, że już niedługo to wszystko piźnie. Proszę ich serdecznie pozdrowić.

SPIS TREŚCI